LA PASSION D'ARTEMISIA

DU MÊME AUTEUR

Jeune fille en bleu jacinthe, Belfond, 2001.

SUSAN VREELAND

LA PASSION D'ARTEMISIA

traduit de l'anglais (États-Unis)
par Sophie Lambert

l'Archipel

Ce livre a été publié sous le titre
The Passion of Artemisia
par Viking Penguin, 2002.

Si vous désirez recevoir notre catalogue et être tenu au courant de nos publications, envoyez vos nom et adresse, en citant ce livre, aux Éditions de l'Archipel,
34, rue des Bourdonnais, 75001 Paris.
Et, pour le Canada,
à Édipresse Inc., 945, avenue Beaumont,
Montréal, Québec, H3N 1W3.

ISBN 2-84187-524-5

À Kip, amore mio,
pour sa compréhension.

« Pour la souffrance, jamais ils ne s'y trompèrent,
Les Vieux Maîtres. Combien ils en comprirent
L'humaine dimension ; et comment elle nous vient,
Tandis que d'autres mangent, ouvrent leur fenêtre
ou simplement cheminent d'un pas lourd. »

W. H. Auden
Musée des Beaux-Arts, 1940.

1

La *sibille*

Mon père marchait à côté de moi pour me donner du courage, sa paume effleurait, dans mon dos, les dentelles de mon corsage. Au-dessus de la Tor di Nona, le tribunal pontifical, le nœud coulant de la potence de l'Inquisiteur projetait sur le mur une ombre en forme de larme, immobile et grotesque, dans la lumière qui rasait déjà les pavés de la piazza et le haut de ma tête.

— Un court moment désagréable, Artemisia, dit mon père, en regardant devant lui. Ça serre un peu, c'est tout.

Il parlait de la *sibille*.

Si, les mains liées, je maintenais mon témoignage des semaines précédentes, les juges seraient convaincus que je disais la vérité et cela mettrait un terme au procès. Non, pas mon procès, je ne cessais de me le répéter : ce n'était pas moi qu'on jugeait, mais Agostino Tassi.

J'avais encore dans l'oreille les termes de la requête adressée par mon père au pape Paul V : « Agostino Tassi a défloré ma fille Artemisia et l'a contrainte à l'acte de chair à maintes reprises, de sorte qu'un sérieux et grand dam m'a été porté, à moi, Orazio Gentileschi, peintre et citoyen romain, car désormais je ne peux vendre les tableaux de ma fille à un prix aussi élevé que précédemment. »

Je n'avais pas voulu que la chose se sût. Je ne voulais pas même la dire à mon père. Mais un jour, m'entendant pleurer, il m'avait forcée à lui révéler la vérité. Et puis, il y avait aussi cette peinture disparue, celle qu'Agostino admirait. Alors mon père avait porté plainte.

— Ça serre beaucoup ? demandai-je.

— Ce sera vite fini.

Dans la foule assemblée à l'entrée de la Tor di Nona, aucun visage n'arrêta mon regard. Je savais déjà ce que ces gens exprimaient : une curiosité obscène, l'accusation, le mépris. Mes yeux s'attachèrent plutôt au chèvrefeuille, dont les fleurs jaunes ressortaient sur l'ocre romaine des murs. Chacune des deux couleurs faisait vibrer l'autre. C'est mon père qui m'avait appris à apprécier de telles nuances.

« Bouquets parfumés ! » criaient les mendiants, qui tendaient leur marchandise aux femmes venues écouter les débats dans l'atmosphère confinée du tribunal. Ils coûtaient un *giulio*. Un infirme me mit dans la main un bouquet flétri qui puait l'urine. Il savait que j'étais Artemisia Gentileschi. Je laissai choir la chose sur son genou.

Ma gorge sèche se serra lorsque je pénétrai dans la Sala del Tribunale, obscure, humide. Je laissai mon père sur la première rangée de bancs, m'avançai de deux pas et m'assis à ma place habituelle, en face d'Agostino Tassi, l'ami et le collaborateur de mon père. Mon violeur. Appuyé sur un coude, il ne bougea pas à mon arrivée. Sa chevelure et sa barbe noires étaient longues et hirsutes. Son visage, d'une beauté qu'il ne méritait pas, avait la couleur et la dureté d'un bronze.

Derrière une table, le greffier pontifical, petit homme emmailloté de pourpre, taillait ses plumes avec un couteau en semant les copeaux sur le sol. D'une haute fenêtre, un rai de lumière poussiéreux tombait sur ses mains et teignait de lavande pâle ses manchettes. « Le quatorzième de mars mil six cent douze », marmonnait le greffier en écrivant. Le procès durait depuis deux mois et, pour la première fois, on ne lisait pas l'ennui sur son visage. Aujourd'hui viendrait ma justification. De toutes mes forces, je serrai les mains contre mes flancs.

Le haut et puissant seigneur Hieronimo Felicio, « Locumtenente » de Rome, nommé juge et enquêteur par Sa Sainteté, entra d'un pas vif et s'assit sur un siège surélevé, faisant bouffer les plis de sa robe écarlate. Les fonctionnaires pontificaux se donnaient toujours de grands airs en public. Sous son bonnet de soie, ses bajoues pendaient comme des fruits trop mûrs. Il était escorté d'un impressionnant gaillard à la tête rasée dont les formidables épaules jaillissaient d'une tunique sans manches : le Tourmenteur auxiliaire. Une vague brûlante de terreur m'envahit. D'un signe du doigt, le haut et puissant seigneur Locumtenente lui ordonna de tirer un rideau d'étoffe diaphane qui nous séparait du reste de la salle, où mon père et la foule des spectateurs s'entassaient sur les bancs. Je n'avais encore jamais vu ce rideau.

L'air méchant, le Locumtenente fronça de noirs sourcils chargés d'orage et dit :

— *Signora* Gentileschi, vous comprenez notre dessein...

Sa voix était onctueuse comme l'huile de lin.

— ... la Sibylle de Delphes disait toujours la vérité.

Je me rappelais la Sibylle de Delphes sur le plafond de la chapelle Sixtine. Michel-Ange l'avait dépeinte comme une maîtresse femme effrayée de ses propres visions. Papa et moi l'avions contemplée, emplis d'une crainte révérencielle et silencieuse, nos mains entrelacées, serrées d'émotion. Peut-être la *sibille* ne me serrerait-elle pas plus fort.

— De même, la *sibille* n'est qu'un instrument destiné à mettre la vérité dans la bouche des femmes. Nous verrons ainsi si vous persistez dans vos déclarations.

Il cligna ses yeux caprins.

— Je me demande si la tension des cordes peut endommager la main d'un peintre au point de lui interdire à jamais l'usage d'un pinceau...

Mon estomac se contracta douloureusement. Le Locumtenente se tourna vers Agostino.

— Vous êtes peintre, vous aussi, *signor* Tassi. Imaginez-vous ce que la *sibille* peut faire aux doigts d'une jeune fille ?

Agostino ne cilla même pas.

Je serrai les poings.

— Que peut-elle faire ? Dites-le-moi.

Le Tourmenteur auxiliaire mit de force mes mains à plat et fit le tour de chaque doigt à sa base avec une longue corde ; puis il me lia les poignets, paume contre paume, et fit passer la corde autour de chaque paire de doigts comme une vrille de vigne. Il y attacha une énorme, une atroce vis de bois, qu'il tourna juste assez pour raidir un peu les cordes.

— Qu'est-ce que ça va me faire ? hurlai-je.

Je regardai mon père au travers du rideau. Il se penchait en avant en se tirant la barbe.

— Rien, répondit le Locumtenente. Ça ne peut rien vous faire si vous dites la vérité.

— Ça ne peut quand même pas me couper les doigts, non ?

— La chose, *signorina,* ne dépend que de vous.

Je commençais à ressentir de légers élancements dans les doigts. Je regardai papa. Il me fit un petit signe de tête rassurant.

— Dites-nous maintenant, car je suis sûr que vous commencez à entendre raison, si vous avez eu commerce charnel avec Geronimo de Modène ?

— Je ne connais personne de ce nom.

— Avec Pasquino de Florence ?

— Ce nom ne me dit rien.

— Avec le prêtre Artigenio ?

— Je vous le répète, je ne connais pas ces hommes.

— C'est un mensonge ! dit Agostino. Elle ment ! Elle veut me discréditer afin d'accaparer mes commandes. C'est une insatiable putain !

Je n'en croyais pas mes oreilles.

— Non ! rugit papa. Il tente de la faire passer pour une putain afin d'éviter le mariage de réparation. Il veut ruiner le nom des Gentileschi. C'est un envieux !

Le Locumtenente ignora l'intervention de mon père et retroussa les lèvres.

— Avez-vous eu commerce charnel avec votre père, Orazio Gentileschi ?

— Si vous m'aviez posé cette question en dehors d'une salle de tribunal, je vous aurais craché à la figure, murmurai-je.

— Serrez ! ordonna le Locumtenente.

L'horrible vis craqua. Je ravalai ma salive. Les cordes rêches me râpèrent la base des doigts, elles me brûlaient. Par-delà le rideau, des murmures se firent entendre.

— *Signora* Gentileschi, quel âge avez-vous ?

— Dix-huit ans.

— Dix-huit ans. Vous n'êtes pas assez jeune pour ignorer qu'on n'offense pas celui qui vous interroge. Reprenons. Avez-vous eu commerce charnel avec un officier au service de notre Saint Père, feu Cosimo Quorli ?

— Il… il a essayé, Votre Excellence. Agostino Tassi l'a introduit chez moi. Je les ai repoussés. Agostino et lui me harcelaient. Ils m'accablaient de regards lascifs. Ils me soufflaient des propositions.

— Combien de temps cela a-t-il duré ?

— De longs mois. Une année. J'avais tout juste dix-sept ans quand ils ont commencé.

— Quel genre de propositions vous faisaient-ils ?

— Je répugne à le dire.

Le Locumtenente fit un signe au Tourmenteur, qui s'approcha de moi.

— Des propositions qui avaient trait à mes charmes secrets. Cosimo Quorli menaçait de révéler publiquement qu'il m'avait eue si je ne cédais pas.

— Et avez-vous cédé ?

— Non.

— Le même Cosimo Quorli a déclaré à d'autres officiers du palais pontifical qu'en vérité il était votre père, votre mère, Prudenzia Montone, l'ayant souvent incité à lui rendre visite en privé, et que vous en fûtes conçue.

Il s'arrêta un instant pour déchiffrer l'expression de mon visage.

— Il faut admettre que vous lui ressemblez. Vous a-t-il jamais, à quelque occasion, révélé ce fait ?

— Pareille affirmation est ridicule. Dois-je maintenant défendre l'honneur de ma mère en plus du mien contre cette accusation dérisoire ?

L'insinuation sembla lui suffire, car il ne poursuivit pas cette idée. Il s'éclaircit la gorge et feignit de consulter un document.

— Avez-vous, à plusieurs reprises, entretenu volontairement commerce charnel avec Agostino Tassi ?

Il me sembla que les murs se rapprochaient. Je retins mon souffle.

Le Tourmenteur tourna la vis.

Je raidis mes muscles de toutes mes forces. Les cordes mordirent dans ma chair. Des cercles de feu. Le sang suinta en deux endroits, puis en trois, puis partout. Comment papa pouvait-il les laisser faire ? Il ne m'avait pas dit que je saignerais. J'aspirai l'air entre mes dents serrées. C'était le procès d'Agostino, pas le mien. Comment arrêter ça ? La vérité.

— Non, pas volontairement. Agostino Tassi m'a déshonorée. Il m'a déflorée et violée.

— Quand cela ?

— L'an dernier. Juste après Pâques.

— Il n'y a pas de viol sans quelque provocation de la part de la femme. Que faisiez-vous ?

— Je peignais. Dans ma chambre.

Je dus me faire violence pour articuler les mots, les yeux fermés de douleur.

— Je peignais notre gouvernante, Tuzia, et son bébé pour une *Vierge à l'Enfant.* Mon père était sorti. Elle a laissé entrer Agostino, qu'elle connaissait. C'était un ami de mon père. Mon père le payait pour m'enseigner la perspective.

— Pourquoi n'avez-vous pas crié ?

— Je ne le pouvais pas. Il me bâillonnait avec un mouchoir.

— N'avez-vous pas tenté de l'empêcher ?

— Je lui ai tiré les cheveux, je lui ai griffé le visage… et le membre. Je lui ai même jeté une dague à la tête.

— Est-il d'usage pour une femme vertueuse de tenir une dague dans sa chambre à coucher ?

J'avais la tête en feu.

— Oui, quand elle se sent menacée.

— Et après cela ?

— Il est revenu, introduit par Tuzia. Il s'est précipité sur moi… et en moi.

La sueur me coulait entre les seins.

— Avez-vous résisté ?

— Je l'ai griffé et repoussé.

— Avez-vous toujours résisté ?

Je dévisageai Agostino. Il était aussi imperturbable qu'une peinture.

— Dis quelque chose !

Moins de deux mois auparavant, il disait encore qu'il m'aimait.

— Agostino, tentai-je, ne les laisse pas me faire ça !

Il baissa les yeux et se cura les ongles.

Le Locumtenente se tourna vers Agostino.

— Souhaitez-vous amender vos protestations d'innocence ?

Le visage aux traits puissants d'Agostino devint froid et hideux. Je ne voulais pas supplier. Pas lui. Sainte Vierge, priai-je, empêche-moi de le supplier.

— Non, dit Agostino. C'est une putain. Comme sa mère.

— Elle croyait qu'elle était fiancée, cria mon père derrière le rideau. C'était convenu. Il devait l'épouser. Un mariage de réparation véritable.

Le Locumtenente se pencha vers moi.

— Vous n'avez pas répondu à ma question. La *sibille* pourrait vous couper un doigt.

— C'est Agostino qui est l'accusé ! C'est à lui qu'il faut appliquer la *sibille* !

— Serrez !

Sainte Mère de Dieu ! Faites que je m'évanouisse avant de hurler. Le sang coulait. La manche blanche de ma tunique neuve se teignait de rouge. Papa, arrête-les ! Que pouvais-je faire ? Leur dire ce qu'ils voulaient entendre. Mentir ? Dire que j'étais une putain ? Ça ne servirait qu'à faire libérer Agostino. Un autre tour de vis. Oh ! Oh ! Oh ! Oh ! Arrêtez ! Était-ce moi qui hurlais ?

— Pour l'amour de Dieu, arrêtez ! cria mon père en se levant.

Le Locumtenente claqua des doigts pour le faire taire.

— *Signor* Gentileschi, Dieu aime ceux qui disent la vérité.

Il lorgna vers moi.

— Dites-moi maintenant, *signorina*, sincèrement et véritablement, si, après la première fois, vous avez continué à résister.

La salle se brouilla devant mes yeux. Tout tourbillonnait. La vis, mes mains, je ne pouvais plus penser à autre chose. Une douleur si effroyable… *Che Dio mi salvi… Gesù…* Est-ce que mes os sont sortis ? *Madre de Dio…* Faites qu'ils arrêtent ! Mais je devais parler.

— Je l'ai tenté, mais plus à la fin. Il promettait de m'épouser et je… je l'ai cru…

Dio mi salvi… Arrête-les, arrête-les !

— Alors je lui ai cédé… contre ma volonté… pour qu'il tienne sa promesse. Que pouvais-je faire d'autre ?

De l'air ! Je ne retrouvais plus mon souffle.

— C'est bon. La séance est ajournée jusqu'à demain, annonça le Locumtenente en agitant la main dans un geste tout à la fois de dédain et de triomphe. Toutes les parties devront être présentes.

On desserra et on m'enleva la *sibille*.

La rage m'envahit. Mes mains tremblaient, projetant du sang sur ma jupe. Agostino fit un mouvement dans ma direction, mais les gardes l'arrêtèrent et l'entraînèrent. Je voulais attendre que la foule se dispersât, mais un excempt me poussa dehors avec les autres et je dus avancer, les mains ensanglantées, au milieu des sifflets et des sarcasmes. Revenue à la lumière de la rue, je sentis qu'on me jetait quelque chose dans le dos. Je dédaignai de me retourner pour voir ce que c'était. Papa m'offrit son mouchoir.

— Je préfère saigner.

— Artemisia, prends-le.

— Tu ne l'as pas dit, ce que la *sibille* faisait.

Je le dépassai et pressai le pas autant que je le pouvais. Arrivée chez moi, je poussai du genou ma *cassapanca* [1] contre la porte, me jetai sur le lit et pleurai.

Comment avait-il pu laisser faire ça, mon très cher papa ? Comment avait-il pu se montrer si égoïste ? Je songeai aux temps heureux de nos pique-niques sur la via Appia, avec maman qui écoutait les colombes et papa qui cueillait des rameaux de sauge pour nettoyer le sol.

Papa enveloppait ses pieds et les miens de chiffons imbibés d'infusion de sauge et il patinait au rythme de ses chansons d'amour, en gazouillant les notes aiguës et en agitant ses bras comme un cyprès dans le vent jusqu'à ce que j'éclate de rire. Oui, tel était mon papa.

Tel fut-il.

Et tout ce qu'il me racontait sur les grands sujets de la peinture, assis sur mon lit, tandis que je me pelotonnais contre lui et qu'il me glissait des écorces d'oranges confites. Ces histoires merveilleuses : Rebecca au puits de Nahur, son teint si clair qu'on voyait l'eau couler dans sa gorge lorsqu'elle levait le menton pour boire, Cléopâtre voguant sur le Nil sur une barque chargée de fleurs et de

1. Coffre à vêtements ou à ustensiles. *(N.d.T.)*

fruits, Danaé et la pluie d'or, Bethsabée, Judith, les sibylles, les muses, les saints... Il me les rendait tous réels. Il m'avait incitée à devenir peintre ; il m'avait laissé dessiner dans sa grande *Iconologia* reliée de cuir ; il m'avait enseigné dès l'âge de cinq ans la manière de tenir un pinceau et, à mes dix ans, comment piler les pigments et mélanger les couleurs. Il m'avait donné un creuset et ma propre plaque de marbre. Il m'avait donné la vie.

Et si, avec mes mains meurtries, je ne pouvais plus peindre ? À quoi bon vivre, dans ce cas ? La dague se trouvait toujours sous mon lit. Si le monde m'était trop cruel, je pouvais en finir avec l'existence.

Mais j'avais ma *Judith* à finir – à supposer que je fusse encore capable de peindre. C'était, à ce moment précis, mon désir le plus cher.

Papa gratta à ma porte.

— Artemisia, laisse-moi entrer !

— Je ne veux pas te parler. Tu savais fort bien le mal que la *sibille* pouvait causer.

— Je ne croyais pas que...

— Bien sûr. Tu ne croyais pas que...

Il pesa sur la porte et écarta le coffre. Il portait un bol d'eau et des linges pour laver mes mains. Je me détournai de lui.

— Artemisia, permets-moi !

— Si maman était encore de ce monde, elle ne t'aurait pas laissé faire ça.

— Je ne me suis pas rendu compte. Je...

— Elle n'aurait pas consenti à ce que cette histoire fût déballée en public.

— Avec le temps, Artemisia, tout ça cessera de compter.

— Quand une femme ne possède que l'honorabilité de son nom, ça compte toujours.

2

Judith

Dans la boulangerie proche de chez nous, mon arrivée, les doigts pansés, interrompit la conversation des chalands et suscita des regards embarrassés. Les jeunes garçons du boulanger se tordaient les doigts par moquerie. Sur le chemin du retour, je vis la femme de notre tailleur, penchée sur l'appui de sa fenêtre, cracher sur mon passage. En traversant la via del Corso sous une chaleur de feu, je m'arrêtai pour voir les hirondelles voltiger entre les linges suspendus aux fenêtres des étages supérieurs. J'entendis crier : « *Puttana !* Catin ! » Parcourant la rue des yeux, je ne vis qu'une vieille femme qui vendait des fruits. On cria une nouvelle fois, d'une voix enrouée. Je me redressai et poursuivis mon chemin, sans regarder autour de moi. Jeté d'une fenêtre, le contenu d'un pot de chambre tomba sur le sol à moins de trois pas devant moi.

❧

Le procès n'en finissait plus. Il me fallait répondre à chaque convocation pour entendre de nouvelles accusations et de nouveaux mensonges. Cela me rendait si enragée que je ne pouvais plus travailler. Quand papa enlevait les pansements pour les changer, les vilaines entailles à la base de chacun de mes doigts se remettaient à saigner. Lorsqu'elles cicatrisaient, elles se rouvraient dès que je pliais les doigts, fût-ce légèrement. Je ne pouvais tenir ni pinceau ni cuiller. Papa demanda à Tuzia de me nourrir. Depuis la mort de ma mère, Tuzia souhaitait se gagner entièrement mon père, ne se contentant plus de son lit. Elle jalousait donc l'amour qu'il me portait, et c'était la raison pour laquelle elle avait laissé entrer Agostino dans ma chambre. Préférant mourir d'inanition plutôt que de me laisser nourrir par elle, je ne mangeais plus. Un après-midi, papa rentra furieux à la maison : devant le tribunal, Tuzia avait assuré qu'une foule d'hommes venait me rendre visite. Faux témoignage et trahison ! Papa jeta Tuzia dehors et demanda à notre voisine, Porzia Stiattesi, de venir me faire manger.

Je m'efforçai de tenir les doigts tendus de manière qu'ils cicatrisent et que je puisse peindre à nouveau. Mais mes blessures suintaient, suppuraient et commençaient à me démanger affreusement. Je n'étais plus capable de rien, sauf de marcher de long en large dans la maison, regarder par les fenêtres et examiner mes esquisses de Judith, l'héroïne qui sauva le peuple juif. Quand il peignait sa *Judith,* mon père m'en avait narré l'histoire. Elle pénétra dans le camp ennemi pour séduire Holopherne, le tyran assyrien, et l'enivrer. Elle l'excita sans jamais lui céder et lui versa à boire jusqu'à ce qu'il s'endormît. Alors elle lui trancha la tête et exhiba, le lendemain, ce trophée aux soldats, ce qui provoqua leur débandade. Voilà le genre de femme que je voulais peindre. La Judith de papa était si angélique qu'elle n'aurait jamais été capable de faire ce qu'elle avait accompli sans une intervention divine.

Un beau matin, une harengère traversa notre étroite via della Croce en portant deux bourriches de poisson séché. Elle avait retroussé ses manches sur ses bras noueux et musclés, semblables à ceux, cordés de veines, du *Moïse* de Saint-Pierre-aux-Liens. C'est ainsi qu'il fallait que je dépeigne les bras de Judith, plus épais et plus puissants que je ne les avais esquissés jusqu'à présent, saillant de ses manches comme ceux de la harengère, s'apprêtant au bain de sang qui allait suivre, des bras raidis à la fois de détermination et de dégoût au moment de trancher le cou d'Holopherne avec la propre épée de la victime. Abra, la servante de Judith, devait avoir elle aussi des bras robustes pour peser sur la poitrine de l'homme. Mieux encore, ma Judith poserait un genou sur le lit du tyran avec un geste de fermière qui égorge un cochon.

La harengère psalmodiait « *Cefalo ! Baccalà !* [1] » et riait à gorge déployée avec les enfants qui jouaient dans la rue. Elle

---

1. « Mulet ! Morue ! »

était libre, totalement libre, et je l'enviai un instant. Non que j'eusse aimé être harengère, mais je ne voulais pas passer ma vie confinée chez moi pour éviter les humiliations.

Je jetai un châle sur mes épaules et y enfouis mes mains, puis, par un dédale de petites rues, je gagnai la grande place qui s'étend devant l'église Santa Maria del Popolo. *La Conversion de saint Paul,* du Caravage, y était accrochée dans une petite chapelle[1]. J'étudiai le clair-obscur, la manière dont le peintre avait opposé la lumière vive et les ténèbres ; j'avais hâte de m'y essayer moi-même. Saisi au moment de sa conversion, saint Paul gisait sur le dos, la tête et les épaules au premier plan et le reste du corps en perspective. Je pourrais représenter Holopherne d'une manière identique, sa tête semblant presque crever la toile en direction de l'observateur, renversée, penchée de manière improbable, comme déjà détachée, mais encore vivante, terrifiant, jetant dans un souffle ultime son poing vers le menton d'Abra.

Je me souvenais de ma déception devant la *Judith* du Caravage, que mon père m'avait montrée, la complète passivité de son attitude, alors qu'elle coupait le cou d'un homme. Toute l'expressivité, c'était à celui-ci que le Caravage l'avait réservée. Apparemment, le peintre ne pouvait imaginer qu'une femme eût su concevoir la moindre pensée. Moi, je voulais, dans la mesure du possible, suggérer ce à quoi pensait Judith, sa détermination, sa concentration, la certitude de l'absolue nécessité de son acte. L'idée que le destin de son peuple reposait sur ses épaules. Ne tirant aucune jouissance de son acte cruel, soucieuse uniquement de ce qu'elle faisait. Et ses pensées : confusion et terreur, le monde échappant à son contrôle. Celles-là, je les connaissais bien. Cet aspect-là, je saurais le rendre.

Mais étais-je pour autant capable de peindre Judith ?

❧

Un jour, on me convoqua au tribunal en l'absence d'Agostino. Devant le siège où je m'asseyais habituellement,

---

1. Elle s'y trouve toujours – première chapelle à gauche du grand autel. *(N.d.T.)*

deux femmes étendirent une toile sur une longue table de bois et apportèrent une bassine d'eau et des linges. À quoi cet appareil était-il destiné ? À quelle nouvelle torture ? La plus âgée, la plus massive, dont la peau du cou, distendue, pendait sous le menton, me regardait avec mépris, les yeux mi-clos ; la plus jeune, si maigre qu'elle semblait un sac d'os, ne daignait pas même me regarder. Je me tenais les mains sur les flancs. Le greffier ricanait.

Le Locumtenente s'éclaircit la gorge, réclamant le silence. Il demanda de son ton habituel, accusateur, impitoyable :

— Ainsi vous, fille âgée de dix-huit ans seulement, affirmez que vous n'êtes plus vierge du fait des agissements du *signor* Tassi ?

Je fis un signe de tête en guise d'approbation. Admettre ainsi que je n'étais plus vierge, quelles que fussent les circonstances, me marquait à jamais comme une femme facile et me rendait immariable.

— Dites-le officiellement.

— Oui, c'est vrai.

— Qu'est-ce qui est vrai ? Dites-le avec les mots qui conviennent.

— Je ne suis plus vierge.

Le Locumtenente compulsa quelques documents et leva le bras vers les deux femmes.

— Diambra, de la place Saint-Pierre, et Domina Caterina, de la cour de Masiano, sont des sages-femmes très expérimentées, dit-il en marquant un temps pour regarder vers moi, et leur réputation est sans tache. *Signorina* Gentileschi, persistez-vous à affirmer en toute conscience que vous n'êtes plus vierge ?

Je pressai les jambes l'une contre l'autre.

— Je l'affirme, Votre Seigneurie, en conséquence de l'agression d'Agostino Tassi…

— Veuillez garder le silence.

Il fit un geste des doigts à l'attention des matrones.

— Veuillez procéder à l'examen des parties honteuses de la *signorina* Gentileschi, et que le greffier en témoigne.

Il étendit les jambes, s'étira en arrière et croisa les bras sur la poitrine.

Je me cramponnai.

Des murmures montèrent de la salle ; j'entendis mon père dire : « Croyez-la, elle ne ment jamais ! »

La plus jeune des sages-femmes tira le rideau, mais celui-ci était si mince qu'il me laissait discerner des formes au travers. L'huissier posa un écran entre le Locumtenente et la table ; le greffier le contourna pour venir se placer devant moi.

Je ne pouvais plus bouger. La salle du tribunal bourdonnait. L'aînée des deux femmes vint vers moi. Je m'agrippai si fort aux montants de ma chaise que je sentis mes cicatrices se rouvrir. La matrone me prit par le coude et me poussa vers la table recouverte du linge taché. Taché par qui ? Par une pauvre créature violentée de la même manière que moi ? Comment s'était-elle débrouillée pour vivre, ensuite ? L'avait-on muselée dans quelque couvent ?

Et qu'est-ce que cela prouverait ? Agostino pouvait toujours prétendre qu'un autre que lui m'avait déflorée.

Je m'assis sur le bord de la table. Sans trahir la moindre expression, la vieille me fit m'étendre et replier les genoux. Je ne sentais plus les os de mes jambes. La plus jeune enduisit ses doigts d'une graisse animale qui sentait le ranci, puis releva ma jupe. Elle me regarda ainsi qu'une jeune servante qui s'apprête, pour la première fois de sa vie, à couper le cou d'un poulet, et elle introduisit en moi ses doigts graisseux. Tous mes muscles se contractèrent contre cette intrusion, reproduisant la réaction que j'avais eue envers Agostino, et je tressaillis.

— Ça sera plus difficile si vous vous raidissez. Détendez-vous et ce sera fini d'autant plus vite.

Je me forçai à me détendre.

— Ne me rappelez pas de mauvais souvenirs, murmurai-je.

Elle poussa ses doigts plus avant. Ma bouche s'emplit d'un goût amer et mes yeux me piquèrent. Elle se retira et se lava les mains dans la bassine.

La vieille s'approcha en retroussant ses manches. Elle avait des doigts épais, ses gestes étaient plus rudes que ceux de l'autre. J'en eus le souffle coupé, et je fermai très fort les yeux. Je sentais malgré moi des larmes brûlantes prêtes à jaillir, mais je ne voulais pas leur concéder cette victoire, aussi fis-je effort pour me contenir.

Le clapotis de la cuvette me fit rouvrir les yeux. Je rabattis ma jupe, roulai sur le côté, dos au tribunal, genoux repliés. Oh, que le sol s'entrouvre et m'engloutisse ! Exactement comme le jour où, petite fille, j'avais ouvert à la volée la porte de la chambre, voulant offrir à ma mère un bouquet de pissenlits, et que, figée dans mon élan, j'avais vu le dos nu de papa, et maman sur le lit, genoux relevés, jupe haut troussée, offrant les parties secrètes qu'elle recelait entre ses jambes. La foudre était tombée sur moi. Je me souviens d'avoir pleuré des jours entiers ; je ne voulais plus adresser la parole à ma mère, je ne la laissais même plus m'approcher. C'est ainsi qu'ils voulaient m'exposer, comme prise en flagrant délit.

— Il en est ainsi qu'elle a dit, entendis-je assurer la sage-femme la plus jeune.

— Écrivez et enregistrez le fait.

La voix du Locumtenente sonnait parfaitement neutre, comme s'il s'était agi d'un détail de procédure sans conséquence.

— Moi, Diambra Blasio, ai par le toucher examiné la nature de la femme Artemisia, et je puis assurer qu'elle n'est plus vierge. Je sais le fait pour avoir mis mon doigt à l'intérieur de son vagin et constaté que l'hymen était déchiré. Je puis en porter témoignage grâce à mon métier de sage-femme, que j'ai exercé dix ou onze ans.

Je m'efforçai de m'isoler en esprit.

— Et vous ?

— Moi, Caterina, de la cour de Masiano, ai examiné… touché… mis un doigt… déflorée… hymen détruit… il y a quelque temps déjà, ce n'est pas d'hier… mon expérience… quinze ans.

Je restai sur la table tandis que la cour se retirait, et fixai le greffier droit dans les yeux, le mettant au défi de me manquer de respect.

Mon père et moi fîmes en silence le chemin jusqu'à la maison et pas un mot ne retentit avant que la porte ne fût refermée derrière nous.

— Si maman avait été là, elle t'aurait fait honte.

— Oh, mais j'ai honte…

— Honte de quoi ? De ta fille, exhibée comme une bête curieuse, ou de toi-même ?

Il balança la tête comme un ours.

— *Madre di Dio,* dis-je, à quoi dois-je m'attendre, après tout cela ?

— En tout cas, c'est prouvé, à présent, comprends-tu ? Le préjudice contre lequel j'ai plaidé.

— Je ne suis pas un tableau, ai-je hurlé. Je suis un être vivant, ta fille !

Il buta dans un pot à pinceaux, rassembla son matériel et sortit, sans plus de cérémonie. Il allait peindre au Casino des Muses du cardinal Borghèse, dans le palais Pallavicini, là où il retrouvait Agostino pour travailler avant le procès. Comme si c'était un jour ordinaire. Comme si rien ne s'était passé. Comme si l'affaire ne devait pas avoir de suites.

Je ne voulais pas me trouver à la maison lorsqu'il rentrerait. J'endossai ma courte cape grise et en rabattis le capuchon sur ma tête, malgré la vibration d'air brûlant qui montait du sol. Sur le trajet de la rue du Babouin à la place d'Espagne, je me tins tête baissée afin que notre apothicaire ne pût me reconnaître du seuil de son échoppe. En gravissant le Pincio, je dus enjamber des ornières et éviter des pierres, dans le large détour que je m'imposai afin d'éviter les hommes désœuvrés qui traînent toujours par là, sur ce sentier escarpé entre ville et sanctuaire. Ils ne se seraient pas privés de me crier des sottises. Parvenue en haut de la colline, je ralentis mon ascension jusqu'à la Trinité-des-Monts. Hors d'haleine, je bifurquai en arrivant à l'église et gravis l'escalier de pierre qui menait au couvent. Je sonnai la cloche.

Je savais que sœur Paola viendrait ouvrir. Elle était l'une des rares Italiennes de ce couvent français, et on l'avait chargée d'ouvrir aux visiteurs, de vendre les herbes médicinales que cultivaient les sœurs et de communiquer avec le monde extérieur.

— Oh, Artemisia ! Que je suis contente !

Son sourire m'évoquait toujours l'air malicieux de Cupidon dans les sujets mythologiques, mais il se fondait à présent en un pli soucieux.

— Comment te portes-tu ? lui demandai-je.

Elle ouvrit la vieille porte qui grinçait et m'introduisit dans un étroit vestibule.

— Aussi bien qu'il plaît à Dieu, ce qui est assez bon pour moi.

Sa voix chantante avait les modulations d'un oiseau gazouillant.

Le couvent semblait à l'abri du monde. Je respirais déjà plus à l'aise, tant l'air y était imprégné de sérénité.

— Et le jardin, comment va-t-il ?

— Il est magnifique, cette année. Venez donc le voir ! Les romarins et les camomilles de sœur Margherita sont en boutons. L'origan de sœur Graziela devient dru et touffu, on dirait qu'il veut monter au ciel.

Je suivis Paola le long du déambulatoire. Les talons usés de ses pauvres chaussures dispersaient la paille qui jonchait les dalles. Cette misère me fit honte, malgré ma détresse. Après la mort de ma mère, papa m'avait confiée au couvent pendant quelques années ; que ne s'était-il alors montré plus généreux en payant ma pension !

— Nous avons même de la lavande. Elle est en train de sécher dans la cuisine et ça embaume comme au paradis.

Nous avons traversé le cloître orné de stuc rose pour arriver jusqu'au jardin du fond. Les parterres de simples bien ordonnés resplendissaient de feuilles nouvelles. Une sœur que je n'avais jamais vue les cueillait délicatement.

— Que c'est beau ! C'est le sourire de la Madone qui l'a béni ! m'exclamai-je.

— Et puis, ça nous rapporte un peu d'argent, ajouta sœur Paola, pratique, une mimique éclairant toute sa bonne figure.

— Défie-toi du monde et de ses entreprises profanes, lui dis-je, le plus sévèrement que je pouvais.

Elle eut un petit rire de gorge.

— Oh, mais les simples, je les donne, quand les gens n'ont pas d'argent. Nous n'attendons notre salaire que du Seigneur.

Son sourire était très doux.

— Vous voulez voir sœur Graziela tout de suite ? Dans peu de temps, nous allons aux vêpres.

Nous sommes rentrées. Je savais fort bien où trouver sœur Graziela, dans la salle d'étude, mais je laissai à Paola le plaisir de m'y conduire.

— As-tu désespéré de moi pour tout de bon ? lui demandai-je.

— Sûrement non !

Son ton était forcé.

— Nous croyons aux miracles. Un jour, je vous trouverai à la porte, et vous me direz : « Voilà, je suis prête. » Je vous introduirai dans notre sainte communauté, et toutes ensemble, nous entonnerons des actions de grâces.

Comme cela semblait facile de rester ici pour toujours, de fausser compagnie au reste du monde, de laisser le procès se dérouler sans moi !... Ne plus avoir à affronter ce juge ignoble, ce greffier torve qui se targuait de ne faire que son devoir, ne plus vivre dans la peur de tomber à l'improviste sur Tuzia ou sur Agostino au coin d'une rue ! Quant à papa... Il verrait un peu comme je lui manquerais !

Sœur Graziela se tenait là, seule, assise sur un tabouret haut ; sa silhouette se détachait dans l'embrasure d'une fenêtre. Un pâle rayon couleur de miel dorait ses pommettes et le bout de son nez, des poussières d'or tourbillonnaient autour d'elle dans la lumière. L'habit monastique noir et blanc seyait à son visage lisse, ovale, sérieux et tout empreint de paix intérieure. Attentive, les yeux baissés, elle était occupée à enluminer les marges d'un manuscrit. Elle m'évoqua en cet instant la Vierge de marbre de la Pietà de Michel-Ange, celle qui se trouve à Saint-Pierre. Ainsi que Marie, elle se recueillait en une pensée intime, et je l'admirais pour sa beauté, comme j'admirais Marie.

Elle avait disposé au bord de sa table les coquilles d'huîtres que je lui avais apportées quelques années auparavant. Chaque coquille contenait un pigment, une gloire de pure couleur saturée et vibrante : le rouge profond de la garance, le vermillon éclatant, le sombre bleu marine du lapis pulvérisé, le jaune du safran, et un vert aussi frais que celui du persil nouveau. J'eus plaisir à constater qu'elle utilisait toujours mes coquilles.

Elle leva les yeux.

— Artemisia ! Soyez bénie d'être venue ! Je me languissais de vous voir.

Elle me fit signe d'approcher un tabouret. Sur la page qu'elle enluminait, des vrilles délicates déployaient un lacis compliqué ponctué de fleurs d'un rouge gai.

— C'est bien joli. J'adore cet oiseau jaune !

— Je travaille à un psautier pour le cardinal Bellarmino, ce « Marteau des hérétiques », comme on l'appelle, dont le génie propre est de toujours venir à bout de ceux à qui il a affaire. On n'en produit plus guère, de nos jours, de ces manuscrits, mais il s'agit d'une offrande du couvent au cardinal. Notre toit a grand besoin de réparations, et nous espérons que sa Sainte Inquisition lui laissera un instant pour se pencher sur notre requête. Cela fait plusieurs années que nous mettons dans nos cellules du dernier étage des seaux pour recueillir la pluie.

Elle attendit que sœur Paola sortît de la salle.

— J'ai l'impression que mon travail avance si peu en une journée ! À peine un petit bout de dessin…

Elle baissa la voix.

— On dirait que le moment d'aller à la chapelle arrive toujours juste quand je commence à m'y mettre vraiment. J'ai souvent l'impression que, d'une semaine à l'autre, je n'ai rien fait.

— J'ai quelque chose à vous confier.

Elle posa le pinceau le plus fin que j'eusse jamais vu et mit avec douceur sa main sur mon bras.

— Nous en avons été informées.

— Le procès ?

— Certes, nous vivons cloîtrées, mais il faudrait au couvent des murs bien épais pour qu'une telle histoire ne pût les franchir. Elle nous a fort affligées.

— Mais savez-vous bien tout ?

— Nous en savons plus qu'il ne nous sied. Comment cela va-t-il ?

Je sortis mes mains de sous ma cape. Elles étaient encore passablement tuméfiées, mes blessures suppuraient sous les pansements souillés.

Elle eut un haut-le-corps.

— Pauvre amie ! Et votre père, où était-il quand cela est arrivé ?

— Il les a laissés faire. Il disait que c'était le moyen de prouver mon innocence, qu'il suffirait, étant à la merci des cordes, que je maintienne mon témoignage. Je ne sais ce qui a été pire, mes mains ou... ce qu'il y a eu aujourd'hui. Ils m'ont fait examiner par deux sages-femmes, vous savez en quel endroit du corps, sous le regard du greffier. Je sais que de la salle on voyait tout à travers le rideau, et c'est cela qu'ils voulaient, m'exposer comme sur un étal.

— *Dio ti salvi !*

Elle m'étreignit, puis je laissai tomber ma tête sur ses genoux.

— Voilà bien une des manières qu'ils ont de vilipender toute femme qui ose accuser un homme. Ils n'ont point de conscience.

— Ce sont des bêtes féroces, tous.

Je pleurais dans les plis de sa robe.

— Féroces, oui, mais ils n'auront pas raison de vous.

Accompagnant mes pleurs, elle me berça, me caressant les cheveux.

— Mon propre père, les avoir laissés faire !

— *Cara mia,* dit-elle doucement, les pères ne sont pas toujours ce qu'ils devraient être. Ils font de leur mieux, mais combien échouent dans leur mission ! Ce ne sont que de pauvres mortels.

Tournant un peu la tête, je m'avisai que ma robe était toute souillée de la graisse des matrones. Me relevant, je vis aussi que l'habit noir de Graziela cachait des souliers aussi éculés que ceux de Paola.

— L'âme est une forteresse inviolable, murmura-t-elle. Notre Père éternel en est le gardien. Il ne nous trahit jamais. Souvenez-vous bien de ceci, Artemisia : ils peuvent faire de vous une victime, mais non pas une pécheresse !

Je ne pus que sangloter.

— Mettez tout cela dans votre peinture, *carissima.* Épuisez dans votre art toute cette douleur qui est la vôtre. Ne prenez point sur vous la honte de leurs sarcasmes, c'est cela qu'ils cherchent. Ils ne seront contents qu'ils ne vous aient réduite, puis détruite. Et savez-vous pourquoi ?

Je fis « non » de la tête.

— Parce que votre talent leur est une menace. Promettez-moi de ne point faire la pénitente hors de propos, ne vous abaissez pas à supplier. Venez au Seigneur dans la dignité, et louez Sa miséricorde en toute circonstance.

— Il m'a abandonnée.

— Aimez-Le encore davantage, dans ce cas. Votre prière Lui en sera d'autant plus agréable.

— Mais tout le monde dit...

— Ne vous souciez nullement de ce qu'ils pensent. Le monde est plus grand que Rome, Artemisia, souvenez-vous-en. Votre tableau *Suzanne et les Vieillards,* lorsqu'il sera connu, proclamera votre innocence.

— Comment cela ?

— Parce que vous y dépeignez avec une telle justesse le désarroi de la pauvre fille en proie à la lascivité des deux hommes, sa vulnérabilité et sa peur. On sent fort bien qu'elle doit lutter contre des forces qui la dépassent. Oui, qui la dépassent, Artemisia.

— Comme vous vous en souvenez clairement !

— Jamais je n'oublierai cette peinture. Cette tête qui se détourne, ces bras levés pour tenter de se protéger... Le visage de votre Suzanne a hanté mes rêves dès lors que je le vis. À cet effort de tout le corps pour échapper au vieillard impudique qui veut bâillonner ses cris, j'ai compris que quelque chose vous menaçait.

— Pourtant, je l'ai peinte avant que tout cela n'arrive.

— Sans doute, mais j'ai ressenti en la voyant qu'un même danger planait sur vous. Grand est votre art de savoir ainsi rendre les impressions de l'âme et de la vie.

— Je ne puis même plus tenir un pinceau...

— Cela s'arrangera. Rien ne doit vous arrêter, votre talent va croître et mûrir. Sachez que le monde veut en voir les fruits.

— Le monde... Que lui importe ? Le monde n'est que cruauté.

J'effleurai le bord rugueux d'une coquille d'huître.

— Si seulement je pouvais demeurer ici à vos côtés, le monde, je m'en moquerais bien !

— Artemisia ! lança-t-elle d'une voix emplie d'autorité, on n'embrasse pas la vie monastique pour fuir quoi que ce soit. Quiconque choisit de vivre ici pour y servir Dieu ne doit le faire que pour répondre à Son pressant appel. Rien d'autre ne vaut que cette raison.

— Peut-être vais-je sentir monter en moi la vocation.

— La vocation, vous l'avez déjà. C'est votre art.

On sonna vêpres, je devais partir.

Elle me raccompagna par le cloître, s'arrêta au puits qui en occupe le centre et me dit avec douceur :

— Vous ne sauriez supporter de n'avoir pour horizon quotidien que les neuf arches du déambulatoire, les mêmes fresques à contempler, ce poirier chétif et ce même crucifix.

S'approchant de l'arbre, elle cueillit une poire d'un jaune acide.

— Tenez, et gravez ceci dans votre mémoire en mangeant ce fruit. Votre vocation, vous la suivez déjà. Ne vous repentez pas du péché commis par un autre. Considérez-vous ainsi que Dieu vous a faite.

— Ne vous êtes-vous jamais sentie abandonnée de Lui ?

Seul un imperceptible recul du menton trahit son embarras, un trouble que je n'avais jamais vu passer sur son visage auparavant.

— De Lui, et des hommes aussi.

❧

Je m'arrêtai en haut des marches pour goûter la brise. Debout sur ce promontoire, on se sentait comme allégé, purifié. Le *Magnificat* chanté par les sœurs s'éleva vers moi. J'en ai toujours aimé les paroles : « Mon âme glorifie le Seigneur. » Paola me les avait traduites du latin le jour où je connus mon premier sang de femme.

Avant ce jour, lorsque maman m'avait avertie que plus tard je saignerais périodiquement, j'avais compris qu'il devait s'agir d'une punition envoyée par Dieu pour m'être montrée méchante avec ma mère, après l'avoir vue au lit avec papa. Plus tard, au couvent, quand vint le temps de ma première indisposition, j'eus la certitude que Dieu voulait châtier de cette manière ma nature rebelle. Je priai Notre Dame de me pardonner d'avoir offensé ma mère. Le sang coulait toujours, abondant comme la mer Rouge. Affolée, craignant de mourir, je courus voir sœur Paola et lui racontai tout. Elle m'expliqua que le sang était une manifestation de la nature féminine, voulue par Dieu et donc bonne, comme le pardon, et qu'il ne fallait pas en avoir peur. Elle me raconta comment l'archange apparut à Marie et lui dit : « Ne crains point, Marie, car tu es l'élue de Dieu. » Sœur Paola me dit que moi aussi j'avais été élue par Dieu, qui m'accordait la grâce de me repentir, et elle m'enseigna le *Magnificat.* Je sentais les paroles saintes, au fur et à mesure que je les répétais, me pénétrer jusqu'à la source de ce sang. Mon âme glorifie le Seigneur, comme le fit l'âme de Marie. Mon âme, mon humble petite âme glorifie le Seigneur par l'offrande d'elle-même. Peut-être était-ce ce que Graziela entendait par ma « vocation ».

C'était le soir, le *ponentino*[1] jouait dans mes cheveux et rafraîchissait le ciel de plomb. Je suivais en pensée son aérien trajet depuis l'Espagne, effleurant la Méditerranée et remontant la vallée du Tibre jusqu'à moi, au-dessus des vagues de chaleur qui émanaient de la ville. Là où j'étais, la vilenie qui possédait ce monde ne pouvait me blesser. Trois rues partaient en éventail de la place au bas de la colline. La via del Condotti s'étirait en ligne droite, bordée de maisons ocre rose à quatre étages. Cette rue allait en se rétrécissant et les maisons se faisaient plus basses, comme Agostino me l'avait affirmé lorsqu'il m'enseignait la perspective, jusqu'à se confondre au loin et ne plus former qu'un point à l'horizon, le point de fuite.

Pourquoi penser à lui ? Je m'engloutis dans la dense foule des rues.

Au moment où je tournais dans la via della Croce, je vis une femme inconnue qui semblait attendre quelqu'un au coin de notre maison, raide comme un soldat pontifical, vêtue de vert sombre sous une mante noire. Comme j'arrivai à sa hauteur, elle me dit dans un murmure fébrile : « Ne l'aimez pas ! »

Encore une colporteuse de ragots. Je lui tournai le dos, sans regarder derrière moi.

---

1. Vent d'ouest. (*N.d.A.)*

— Je suis la sœur d'Agostino, reprit-elle dans mon dos. Écoutez-moi !

Je m'arrêtai.

Elle se rapprocha.

— J'ai vu ce qu'ils vous ont fait ce matin au tribunal. Cela me fait horreur.

Je m'assurai d'un regard que nous ne pussions être entendues. Elle dit encore :

— Ne l'aimez pas !

— L'aimer ? Dieu du ciel !

— C'est un voyou depuis sa plus tendre enfance. Dans la ville de Lucques, il a violé une femme, et il a été obligé de l'épouser.

— Il est donc marié ?

— Cela ne l'a pas empêché de prendre pour maîtresse sa belle-sœur. Et je sais qu'à présent il vient de louer les services de deux assassins pour se débarrasser de sa femme, et qu'il veut vous épouser. Je vous le dis, d'honnête femme à honnête femme, ne croyez pas un mot de ce qu'il raconte !

3

Agostino

Un soir, alors que mon père était absent, notre voisin Giovanni Stiattesi et moi sommes sortis de la maison à la faveur de la nuit. Nous nous sommes dirigés sans lumière, n'empruntant que de petites rues, en évitant les abords de la place Navona et ses demeures éclairées, où l'on faisait de la musique. Papa aurait pu se trouver dans l'une d'elles.

Giovanni et Porzia avaient réussi à me convaincre d'aller voir Agostino à la prison de Corte Savella. J'espérais vérifier les dires de sa sœur.

— Vous pourrez lui jeter ça à la face, m'avait dit Giovanni, le regard méchant. C'est un fils de catin.

Tel était en vérité mon désir, j'avais besoin de me prouver que j'étais capable de le tuer avec des mots. Après, enfin, pourrais-je, le cœur affermi, entreprendre de peindre Judith, qui, elle, tua par l'épée.

Nous avons pris le pont Sisto et traversé le Tibre dans une obscurité totale, baignés de l'odeur du fleuve. Suivant d'une main la rambarde de pierre, Giovanni tenait de l'autre mon poignet et non ma main, que j'avais laissée à nu, sans bandage, afin de la montrer à Agostino.

— Pourquoi faites-vous cela pour moi ? lui ai-je demandé.

Mon père m'avait confié un jour que Giovanni, ancien amant d'Agostino, que celui-ci avait brutalement chassé, nourrissait un ressentiment dont nous allions pouvoir tirer parti. Cependant, papa n'eût pas manqué de désavouer notre équipée secrète, même s'il souhaitait voir Giovanni témoigner devant l'Inquisiteur.

— Je n'aime pas cet homme. Il vous a fait du mal. Cela suffit.

Par un itinéraire connu de lui, il nous mena derrière la prison et graissa la patte du garde. J'attendis sous une torche fichée dans le mur de pierre. Une odeur de goudron brûlé emplissait l'humide corridor. Un long moment s'écoula ; je faisais les cent pas. Enfin, j'aperçus Agostino qui se baissait pour passer la porte du fond. Balançant ses larges épaules, il chaloupa vers moi, les bras grands ouverts et le sourire engageant, vivant portrait de l'hôte jovial qui accueille un vieil ami.

— Artemisia, te voilà enfin ! Je t'ai tant attendue, à m'en consumer jour après jour…

La trompeuse tendresse de sa voix résonnait entre les murs du passage.

— Artemisia, je veux t'épouser, si tu retires ta plainte. Je te l'avais juré, voici venu le temps.

— Crois-tu que je vienne pour cela ? Pour épouser celui qui m'a déshonorée ?

De surprise, il écarquilla ses yeux noirs, son arrogance désarçonnée.

— Si tu m'épouses, il n'y a plus de déshonneur. Tu seras sauvée.

— C'est toi qui le serais, veux-tu dire. Suis-je femme à épouser un débauché, une crapule, un réprouvé ?

— Mais je t'aime, tu le sais bien. N'as-tu pas souvenance de tout ce que je t'ai enseigné ? Cela mérite bien quelque reconnaissance.

— Ne te leurre pas. Je n'ai rien appris de toi que mes propres yeux ne m'aient d'abord enseigné.

— Comment peux-tu me dire ça ?

— Parce que tu es inhabile à peindre la figure humaine. Ta carrière ne durera pas. Tu seras oublié aussitôt que mort, ce qui ne devrait guère tarder.

J'avais touché juste. Il cherchait une réponse.

— Au moins, accuse quelqu'un d'autre que moi. Dis-leur que je n'étais pas le premier, ils me blanchiront.

— Si je te tranchais la gorge, la Sainte Vierge elle-même applaudirait.

— Tu n'as qu'à leur dire que c'est Quorli. Il est mort, ça ne peut plus lui faire de tort.

— De quel droit parles-tu du préjudice subi par autrui ?

Je brandis mes mains, montrant des croûtes de sang séché à la base de chaque doigt et les lésions suppurantes qui les séparaient.

— Les anneaux de mariage que je tiens de toi, les voici. Tu étais présent, tu les as laissés faire, et tu oses me dire que tu m'aimes ?

Ce spectacle lui fut pénible.

— Tu peux me croire, je ne te voulais pas de mal.

— À moi ou à la femme que tu as déjà épousée ? Tu ne lui voulais aucun mal non plus, à celle-là ? Juste l'étrangler gentiment, une corde et un acte de contrition ?

Décontenancé, il recula. Son front se plissa et son regard devint vide. Tout était donc vrai.

— Tu es un monstre, un assassin.

— Artemisia…

— Chien maudit !

Je tournai les talons et sortis, sentant au bout de mes doigts le fourmillement du sang qui circulait, l'énergie qui revenait.

❧

Le matin suivant, je mis en chantier ma *Judith et Holopherne*. Je peinais à tenir en main le pilon ovoïde qui sert à pulvériser les pigments sur la plaque de marbre. Qu'importent les souffrances du corps. Il me fallait les surmonter et passer outre, seule comptait la peinture. « Épuiser la douleur dans l'exercice de l'art », m'avait préconisé Graziela.

Mon pouce me refusant le service de tenir ma palette par le trou, je dus jucher une sellette sur une chaise pour avoir mes couleurs à portée. Ces touches de peinture assemblées faisaient battre mon cœur. Il me fallut me raidir contre les élancements que me causait l'effort de ma main sur le pinceau. J'avais préparé sur ma palette un bleu outremer intense assombri d'une pointe de noir de fumée pour les manches de Judith. Gauchement, j'étalai cette pâte en esquissant les formes. Mon cœur battait. Je revivais.

Chaque jour, dès mon réveil, je passais en hâte ma blouse par-dessus ma robe de nuit et j'enfilais mes vieilles mules afin de cueillir la première lumière de l'aube, bien avant d'être dérangée par les cris des marchands ambulants qui poussent leurs charrettes grinçantes, ou les vociférations des vieillards querelleurs.

J'enrageais tristement de voir mes mains inaptes à m'obéir. Me résignant à crisper sur les brosses mes doigts raides, je tentai de bouger le poignet. Parfois, tout se défaisait, mon pinceau tombait. Chaque jour après l'audience, durant plusieurs semaines, papa se rendait au Casino des Muses du cardinal Borghèse pour travailler aux fresques du plafond, et je courais reprendre mon travail jusqu'aux ombres du soir. Une seule pensée m'animait : celle d'un acte de revanche, pour Judith comme pour moi.

J'avais peint deux plis profonds entre les sourcils de mon héroïne, ainsi qu'avait fait le Caravage, pour montrer combien le meurtre répugnait à Judith, et combien il lui coûtait. Mais le lendemain, au tribunal, Agostino, se sachant découvert dans son projet meurtrier, me lança un regard de vindicte. Rentrée à la maison, j'effaçai les plis d'inquiétude.

Je voulais saisir l'expression d'Holopherne au moment précis où il comprend qu'il va mourir, comme le visage d'Agostino lorsque je l'avais appelé assassin. Je voulais montrer le front plissé d'horreur, les yeux exorbités et fixes, encore habités par la conscience, le blanc de l'orbite visible sous la pupille. Je chargeai mon pinceau de terre de Sienne. Je dus courber de force mes doigts sur le manche pour exécuter finement le cercle brun qui entoure les pupilles. Mes cicatrices se rouvraient l'une après l'autre, mais sans me dissuader. J'étais fort aise de ce que je voyais apparaître sur la toile : ces yeux de ténèbres, ce regard terrifié, qui m'implorait.

Lorsque j'éloignai ma main, quelques gouttes de sang mouchetèrent les tentures du lit d'Holopherne. Ce beau rouge luisant sur le blanc des linges m'électrisa. Je fis saigner mes blessures derechef, prenant plaisir au mal que cela me causait, faisant couler mon sang sous la tête du tyran. Puis, je mêlai du vermillon et de la garance pour en retrouver la teinte exacte, et ajoutai à mon sang ce sang figuré des pigments. Des flots de sang ! Une cascade écarlate vint imprégner les luxueuses courtines matelassées d'Holopherne. Mon sang imprégnant mes manches au tribunal. Le sang que j'avais dû étancher après le viol, la première fois. Une traînée de sang sur les phalanges de Judith.

Rome voulait du spectacle, j'allais lui en donner.

4

Le verdict

Le matin du jour où l'on devait rendre le verdict, j'ouvris la porte pour acheter du pain au commis boulanger, et je vis qu'on avait déposé contre le mur, enveloppé dans des chiffons sales, le tableau volé. Je le pris et le déballai.

— Papa ! C'est le tableau volé !

— En es-tu sûre ?

Il accourut et me l'arracha des mains.

— C'est peut-être une copie.

Il l'éleva dans la lumière, en scruta la facture et reconnut un coup de pinceau familier.

— C'est bien lui. Voilà qui change tout. Vite ! Il faut arriver les premiers là-bas.

Il enfila un pourpoint sans manches par-dessus sa chemise, passant déjà le seuil.

Nous fûmes à la Tor di Nona avant l'ouverture des portes, et nous attendîmes sous le lugubre nœud coulant, dans le fétide remugle du Tibre. Tout l'été avait passé, l'automne arrivait, et pas une goutte de pluie. Des nuées de moustiques s'élevaient du fleuve.

Une fois entré, mon père demanda à voir le Locumtenente. Il glissa une pièce dans la main de l'exempt.

— Avant que la cour ne s'assemble, je vous prie.

Impassible, l'homme disparut.

— Tu vas voir comment on procède, dit mon père.

Il marchait de long en large, à mon grand agacement. L'exempt reparut et l'introduisit dans un corridor. Je voulus le suivre mais un garde s'interposa et me reconduisit dans la salle du tribunal, qui commençait à se remplir de monde. Je regagnai mon siège habituel.

Le greffier entra, si sûr de lui et impavide que j'eus envie de vomir. Pinçant les lèvres, il se mit en devoir de tailler ses plumes. On introduisit Agostino, mais on le fit sortir aussitôt. Puis ce fut le tour du greffier. Le public commença à s'agiter et murmurer, et à débattre du verdict attendu. Je voulus m'abstraire de cette marée sonore.

Seuls, au premier rang, Porzia et Giovanni Stiattesi gardaient le silence.

Porzia, du menton, m'encourageait. Giovanni mordait ses lèvres gercées. Son témoignage, rendu quelques semaines auparavant, avait fait éclater publiquement tout ce que la sœur d'Agostino m'avait confié. Agostino avait nié, bien sûr, prétendant que sa femme avait simplement disparu. Giovanni avait maintenu son témoignage. Porzia de même. Pourtant, le procès avait continué comme si de rien n'était, requérant toujours plus de témoins : d'autres voisins, le stucateur de papa, l'apothicaire à qui nous achetons nos pigments, et la cohorte des amis d'Agostino qui, tous, se vantaient de m'avoir eue.

Il m'avait fallu contrer ces faux témoins l'un après l'autre, nier chaque accusation mensongère, leur but étant de faire de moi l'enjeu du débat, alors que le crime était celui d'Agostino. Rome n'en perdait pas une miette.

Un moustique obsédant me bourdonnait aux oreilles, je ne parvenais pas à m'en débarrasser. La salle du tribunal, bondée, était une fournaise, et le bois de mon siège semblait plus dur que jamais. Quelqu'un, du fond de la salle, beugla que le procès devait commencer. D'autres voix s'élevèrent.

— Il est coupable, qu'on le pende ! cria-t-on.

— La putain, pendez-la !

— Pendez les deux ensemble !

Un immense rire gras lui répondit. Je me sentis monter le feu au visage, la tête me tournait, je crus m'évanouir dans la touffeur.

Une porte s'ouvrit et livra passage à l'exempt, puis au Locumtenente, à mon père, à Agostino et au greffier. Tout le monde fit silence. Ma robe était trempée de sueur.

Je me redressai pour entendre Son Excellence.

— Dans le cas dont nous avons à juger entre Orazio Gentileschi, peintre, contre Agostino Tassi, peintre, détenu dans la prison de Corte Savella, ne réfutant pas le témoignage de la fille Artemisia Gentileschi selon lequel elle a été violée à maintes reprises par le sieur Tassi, attendu que le tableau volé a été rendu, attendu que le plaignant y consent, et attendu que l'accusé a déjà servi une peine de huit mois durant les procédures d'enquête, le prisonnier est acquitté. Non-lieu.

Je fus assourdie des cris qui jaillissaient de toutes parts. Félicitations ou insultes, je ne m'en rendais pas compte.

— Cependant, reprit le Locumtenente d'une voix claironnante, pour avoir tenté d'entraver la déposition des témoignages sincères et véritables de plusieurs témoins, condamnons ledit sieur Agostino Tassi à être banni de Rome.

Acquitté ? Avais-je bien entendu ce verdict, noyé dans un flot de rhétorique ? J'en restai pétrifiée. « Le plaignant y consent... » Papa avait donc retiré sa plainte après la restitution du tableau ? Il consentait donc à ce qu'Agostino soit innocenté ? Le sang me monta à la tête et la colère m'envahit. Je lançai à cet homme qui était mon père un regard de haine qu'il ne devait plus jamais oublier. Homme sans honneur, sans conscience, sans souci d'autrui... Plus jamais je ne l'appellerais papa. Plus jamais ce nom qu'il aimait.

Assommée, à peine consciente de mes actes, je fendis la foule. Quelqu'un marcha sur ma robe, je la dégageai avec violence. Titubant dans une chaleur infernale, je tournai le dos à la maison et me perdis dans des rues inconnues. J'avais encore les paroles du juge dans l'oreille : « Le prisonnier est acquitté. » Une chaleur de four montait du sol. Je laissai derrière moi le Forum et le Palatin. Innocenté. Libre.

Le bannissement... C'était malhonnête. Injustifiable. Il ne restait plus au cardinal Borghèse qu'à objecter que son plafond restait inachevé, et Agostino trouverait alors un asile inviolable au palais cardinalice. Le bannissement n'était qu'un vain mot dans cette ville entièrement soumise au pouvoir du pape. Toutes ces humiliations pour rien. « Ne réfutant pas... » Réparation minuscule, qui s'était perdue dans l'annonce fracassante de la relaxe. Mon innocence n'avait même pas été déclarée, aucune réparation envisagée. Aux yeux du monde, je restais une femme déchue. De quelle illusion m'étais-je donc bercée ? Que j'avais une chance de sortir de ce bourbier, immaculée comme la Madone ?

Je marchai d'un pas d'automate jusqu'à la limite de Rome au sud, la porte Appienne, dépassai l'arc de triomphe, et me retrouvai en rase campagne. La crécelle métallique des cigales obsédait l'oreille. Il y avait des maisons abandonnées. Leur crépi avait disparu, révélant brique et pierre. Des portiques s'ouvraient sur le vide. Une profusion d'anémones, de bleuets et de coquelicots recouvrait les ruines des murs et des tombes englouties. Une décadence de songe, un écho vivant dans les pierres.

Je m'assis sur un ancien parapet à l'ombre d'un haut pin parasol et massai mon dos douloureux. Un nuage d'orage flottait à l'horizon. Oh, que ne venait-il éclater sur nous et tout emporter, moi, mon père, Agostino, la Tor di Nona, et jusqu'à Rome elle-même ! Un caillou blanc et lisse, blasonné d'une veine de silex, brillait dans la poussière. Je l'ai ramassé dans l'idée de le lancer, mais où, sur quoi ? Et qu'importe à l'univers le jet d'un caillou ?

J'enterrai une fourmilière à coups de pied et déclenchai une apocalypse chez ces créatures insignifiantes. Des centaines, des milliers de fourmis. Elles m'ont fait penser aux milliers de légionnaires anonymes, voués au sacrifice, marchant sur cette même voie il y a bien des siècles pour aller à la guerre, pour aller combattre et tomber, puis attendre interminablement la mort – lèvres desséchées, dans l'indifférence générale. Des êtres insignifiants. Des armées entières mourant comme des fourmis, des fourmis mourant comme des armées, un même gâchis universel. Ici advinrent des choses plus considérables que ma vie, et d'autres bien plus petites.

Il me revint que, d'après une légende racontée par sœur Graziela, le Christ était passé par ici. Pierre, fuyant Rome, lui avait demandé : « *Domine, quo vadis ?* » Le Christ aurait répondu : « Je vais à Rome pour y être crucifié une seconde fois. » Saisi de honte, Pierre était alors revenu sur ses pas et avait marché au supplice, peut-être de l'endroit où je me trouvais. Moi aussi il me fallait revenir sur mes pas. Je fermai les yeux et recueillis mon souffle pour laisser cette vérité neuve prendre place en moi et s'enraciner, quelque serait la cruauté que le monde me réserverait.

D'après Graziela, il me fallait attendre que ma *Suzanne et les Vieillards* connaisse la notoriété pour que la Ville éternelle y déchiffre la preuve de mon innocence. Mais cette notoriété pourrait bien ne jamais venir. Je crachai sur le caillou blanc pour le nettoyer et me mis en chemin, cherchant entre les pavés les empreintes de Pierre dans la poussière.

Au lieu de rentrer à la maison, je m'arrêtai à la Trinité-des-Monts, où je trouvai Graziela occupée à désherber le jardin de simples derrière le cloître. Je me penchai sur les plates-bandes pour l'aider malgré mes piètres compétences en botanique. Du procès elle ne souffla mot, et sa réserve m'aida à reprendre mes esprits. Je lui demandai enfin :

— Dans l'histoire de Suzanne, qu'arrive-t-il aux vieillards ? Après qu'elle leur a résisté et qu'ils répandent partout la calomnie de son inconduite ?

— Elle est traduite en justice et condamnée sur le témoignage des vieillards, qui affirment l'avoir vue forniquer dans un jardin avec un jeune homme.

Graziela s'assit sur un coffre bas et frotta la terre de ses mains.

— Elle est condamnée à mort, mais au dernier moment Daniel fait comparaître chaque vieillard en particulier pour l'interroger : sous quel arbre exactement a-t-elle commis l'adultère ? L'un répond un chêne, l'autre, un lentisque. La preuve est faite qu'au moins l'un des deux ment. On les met donc à mort tous les deux comme faux témoins.

— Et alors, Suzanne est sauvée ?

— Oui.

Graziela ramassa le tas des mauvaises herbes et nous nous lavâmes les mains au bassin de pierre.

— Et à vous, qu'est-il advenu ?

— Moi, je n'avais pas de Daniel. Il me faudra attendre que ma *Suzanne* devienne célèbre.

Un soupir imperceptible lui échappa et ses sourcils se nouèrent. Sa bouche se pinça et je vis ses mâchoires se crisper comme jamais sous sa coiffe. Nous rentrâmes par le cloître, pensives et la tête baissée.

Comme je la ressentais, en cet instant, la vocation religieuse ! Je n'aurais plus jamais à repartir. Graziela allait l'annoncer à Paola, et la petite sœur se mettrait à chanter de joie. Cette effusion anticipée me fit chaud au cœur. Mais toute une vie passée à enluminer les marges des psautiers de rinceaux minutieux, sans vigueur picturale, sans interprétation personnelle, sans intensité dramatique… Je savais bien que ce n'était pas ce qui me convenait.

Quand la grosse cloche sonna vêpres, Graziela se raidit. Son poing serra le crucifix de son rosaire.

— Je serais fort affligée d'être privée de vos visites, mais il se pourrait que vous ayez à quitter Rome. Si vous partez, que ce ne soit pas dans l'esprit de la fuir, mais plutôt parce que cette ville est trop étroite pour votre génie.

— Tenez.

Je lui mis le caillou blanc dans la main, par-dessus le crucifix.

— Je l'ai trouvé sur la voie Appienne. Peut-être était-ce à l'endroit où Pierre vit le Christ. Cette pierre est assez lisse pour polir les feuilles d'or dont vous enluminez le manuscrit pour votre cardinal.

Dans l'antichambre, nous nous étreignîmes un long moment.

Je rentrai directement à la maison.

§

— Je ne peux plus vivre avec toi.

— Artemisia, où étais-tu ? Je m'inquiétais. Il est inconcevable que tu erres en ville toute seule !

— Que m'importe, si ma réputation est déjà perdue ?

Il avait déjà accroché le tableau dans la grande salle et buvait du vin en le contemplant, ses pieds chaussés de pantoufles de velours reposant sur un tabouret bas qui avait appartenu à ma mère.

— Je ne peux plus vivre à tes côtés comme si de rien n'était, avec cette peinture accrochée là, dans cette maison, comme avant. Tu m'as trahie ! Mon propre père. Tu m'as interdit toute possibilité de restaurer mon honnêteté.

Il gronda.

— Non, je…

— Récupérer ce tableau avait plus de prix que mon honneur. Je ne compte pas, à tes yeux.

— Ce n'est pas vrai.

Sa main tremblait. Un peu de vin fut renversé sur la table.

— Agostino est libre, à présent. D'après toi, comment puis-je m'accommoder de te savoir tous les jours avec lui, au service d'un cardinal pour qui la justice est lettre morte ?

— Je croyais que tu voulais en finir avec cette histoire ?

— En finir ? Certainement pas, pas maintenant qu'Agostino a été acquitté. Je n'ai pas été acquittée, moi. Je pense même qu'il m'est impossible de rester à Rome.

— Le temps va arranger…

— Comment pourrais-je affronter tous les jours le regard malveillant des voisins et des marchands des rues, eux qui ont cru aux mensonges des faux témoins ? Veux-tu pour moi d'une vie passée à esquiver le contenu des pots de chambre lancés des fenêtres ?

Il avança la main pour saisir mon bras. Je reculai.

— Songes-y le temps que nos provisions s'épuisent. Ne compte pas sur moi pour aller faire le marché, pour y être abreuvée de sarcasmes et de réprobation, tout cela parce qu'il faut bien nourrir mon très cher papa.

— Artemisia, ne sois pas inconséquente. Ces désagréments passeront vite.

— Non, ils ne passeront pas, si tu n'y mets pas ordre.

Je le regardai durement, longuement.

— Tu me dois réparation.

Ébranlé, il posa ses mains à plat devant lui.

— Je vais… Je vais voir ce que je peux faire.

5

Sœur Graziela

Pietro Antonio di Vincenzo Stiattesi, le frère de Giovanni Stiattesi, un Florentin, comptait l'argent de ma dot sur la table d'une taverne du Borgo, de l'autre côté du Tibre, où mon père savait que nous serions moins facilement reconnus. Je me sentais comme une chèvre mise à l'encan. Cet étranger, bientôt mon mari, ne m'avait même pas honorée d'un regard. Debout à l'autre extrémité de la salle, je lui lançai de furtifs coups d'œil. Le revers de ses bottes s'avachissait, et les lacets de sa braguette en gousset n'étaient pas de soie, mais de cuir. Je n'avais vu ce détail vestimentaire que sur de vieilles gravures. Il était totalement suranné. Pourquoi cet homme en portait-il ? À supposer que ce costume de mariage constituât le fleuron de sa garde-robe, je comprenais fort bien la raison de cette union d'intérêt arrangée par mon père : la dot.

Il l'avait empruntée pour moitié au fonds de dotation des filles pauvres de la ville, et pour l'autre moitié à quelqu'un dont il taisait le nom. Ce silence était un aveu. Mon sang se figea dans mes veines quand je compris que l'argent de ma dot avait été négocié à huis clos au tribunal, alors que la populace et moi attendions le verdict. L'idée d'être mariée grâce à l'argent d'Agostino me soulevait le cœur.

— Mon frère sera bon pour vous. Il est peintre, me souffla Giovanni à l'oreille.

— Ce n'est pas une preuve de bonté, cela, lui répondis-je de même.

Je regrettai immédiatement la rudesse du propos. Je me repris. Il me fallait être plus reconnaissante.

De sa main rendue calleuse par le frottement de la palette, le frère de Giovanni fit glisser les pièces d'argent dans sa bourse, et me regarda enfin. Son visage légèrement grêlé et plus allongé que celui de son frère n'était pas dénué de charme. Il avait les yeux noirs, assez enfoncés. Ses boucles brunes me plurent. Sa petite bouche s'animait d'un léger tic, s'étirant d'un seul côté. Peut-être, avec les années, parviendrais-je à prendre plaisir à cette bouche. Je me sentis un peu rassérénée. On mariait certaines filles, en général des enfants non souhaitées, à des sujets difformes, ou vieux, ou alors à des veufs. Il me sourit, et je lui souris en retour. J'en fus provisoirement rassurée. Dans ces sortes de mariages, l'amour était-il possible ?

J'eus une pensée pour mon *cassone* de noces, qui m'attendait tout prêt dans la voiture. Mon père y avait mis un petit marteau d'encadreur et m'avait dit de prendre quelques effets ayant appartenu à ma mère. J'avais choisi le broc et la cuvette de toilette en faïence bleue et jaune, son peigne d'or et de cornaline orné d'un pendant de perle, une fiole à parfum en onyx, son coffret en bois sculpté, jumeau de celui de mon père, et une lampe à huile en laiton figurant Diane chasseresse, que les Grecs nomment Artémis, déesse de la chasteté. J'y ajoutai au dernier moment le poignard de maman. Elle le cachait toujours sous son lit les nuits où mon père rentrait tard, afin de pouvoir se défendre. Je ne savais pas quel genre d'homme était ce Pietro Antonio.

Une année auparavant, lorsque je croyais devoir épouser Agostino, j'avais peint sur le *cassone* une scène de mariage. Voilà bien une fête qu'on n'allait pas donner en mon honneur ! La messe de mariage, l'*impalamento,* et les noces proprement dites avaient été prévues le même jour. Pas de banquet, pas de chapon en sauce blanche, pas de gâteaux ni de pâte d'amandes, de vin, de vœux portés aux époux rougissants, pas de musique ni de danse, pas d'amis joyeux chargés de friandises pour nous souhaiter du bonheur, avec les plaisanteries, les compliments et les rires d'usage, pas non plus de cérémonie du coucher de la mariée. Et, bien sûr, les amis bien intentionnés ne feraient pas irruption au matin dans la chambre nuptiale pour s'assurer que la félicité avait été au rendez-vous. Rien. Mon destin devait être scellé à midi.

Si j'empruntais la carriole, j'avais juste le temps. J'empoignai ma cape et m'esquivai.

— À tout à l'heure, à l'église du Saint-Esprit.

— Artemisia ! Où vas-tu ? Ne t'en va pas !

— Au couvent de la Sainte-Trinité, dis-je au cocher.

Sous l'haleine glacée des nuages, j'ai patienté à la porte du couvent. Un couple de palombes explorait les marches dans un doux roucoulement. Elles arpentaient le sol et y donnaient parfois du bec, mais sans s'éloigner l'une de l'autre, et il y avait de la douceur dans ce spectacle.

Paola m'ouvrit.

— Puis-je voir sœur Graziela ? demandai-je précipitamment.

— Elle est à la chapelle.

— Est-elle en oraison ?

— Non, elle balaye le chœur. Venez.

J'entrai dans l'église par la porte latérale donnant dans le chœur. L'air était lourd, froid, dense. Je trouvai Graziela en train de récurer les dalles derrière l'autel.

— L'agenouillement vous est vraiment une posture familière, lui dis-je.

— Oh, Artemisia ! Vous m'avez fait peur, je me croyais seule.

— Allez-vous nettoyer ainsi toute l'église ?

— Non, juste derrière la balustrade. L'activité industrieuse va de pair avec l'humilité, vous savez.

Elle déplaça son seau.

— Je suis venue vous dire que mon père m'a arrangé un mariage.

— C'est bien de l'avoir fait. Que savez-vous de cet homme ?

— Juste que c'est un peintre, un Florentin.

— Et vous allez partir pour Florence ?

— Aujourd'hui même. On m'attend au Saint-Esprit.

— Mieux vaut maintenant que plus tard.

— Je croyais désirer ce mariage, mais à cet instant, j'ai peur. Je n'ai plus envie de rien, plus aucun désir.

— Cela reviendra. Cela revient toujours.

— Je ne… je ne veux même plus qu'on me touche.

— Si vous restez attachée à votre douleur, vous vous préparez une vie amère. Laissez donc vos peines à Rome derrière vous.

Comme il me déplaisait de rester debout alors qu'elle était à genoux, je m'accroupis devant les marches de la sacristie.

— Puis-je vous poser une question ?

— Vous savez bien que oui, toujours. Parlez bas, on pourrait venir.

— Que vouliez-vous dire par « abandonnée de Dieu et des hommes » ?

Elle essuya avec des chiffons les dalles lavées de frais et avança pour continuer.

— J'ai été mariée. Mon époux est mort.

— Quel malheur ! Je ne savais pas.

— Selon la « loi des quarante jours », après sa mort, mes beaux-frères sont venus, passé ce terme, pour s'emparer de la maison où nous avions vécu. J'ai dû la quitter. Lorsque je voulus reprendre ma place chez mes parents, mon père me dit qu'il était trop pauvre pour me garder.

Elle frotta plus fort.

— Il a cherché un vieux veuf à qui me remarier, mais il n'en a pas trouvé.

Sa voix devint murmure.

— Parce que je n'étais plus vierge.

— Qu'avez-vous fait, alors ?

— C'est aisé à deviner, n'est-ce pas ? N'étant plus assez bonne pour quelque homme que ce fût, j'ai été consacrée à Dieu.

Toujours agenouillée, elle frottait, parlant aux dalles de pierre et à sa brosse.

— J'ai vendu tout ce que je possédais, pièce à pièce, afin de me constituer une dot pour le couvent. Tous mes vêtements, un peu de belle vaisselle, de la verrerie fine, des cuillers et des couteaux en argent, mes marmites, mes courtepointes, mes chopes en étain, mes bijoux, un tableau que j'aimais.

Elle se releva, s'assit sur ses talons.

— Il représentait Vénus et Adonis dans un jardin. Il n'était pas d'un grand peintre, mais je le regrette. J'ai supplié mon père de prendre l'argent pour subvenir à mon entretien. Il a refusé, arguant que la somme s'épuiserait plus vite que les années. Alors, quand je n'ai plus rien eu à vendre, je suis entrée au couvent comme novice.

— Je vous ai entendue dire qu'il ne fallait jamais embrasser la vie monastique si on n'avait pas la vocation.

— Oui, et c'est vrai. Mais je ne vous avais pas dit dans quelles circonstances je m'en étais rendu compte.

— Oh…

Voilà qui changeait tout ce que je savais d'elle.

— Avez-vous eu des enfants ?

— Non. Nous sommes restés mariés cinq cent vingt-six jours.

— De quoi est-il mort, si jeune ?

— Vous voulez tout savoir, n'est-ce pas ? Eh bien, faites votre profit de cette histoire.

Elle porta son seau, ses chiffons et sa brosse sur les marches de la sacristie, où elle s'assit, me faisant signe de l'imiter. J'en fus assez surprise, tant cette familiarité me semblait déplacée. Le froid des marches de pierre transperça ma robe.

Ses yeux gris et vert changeant, éclairés d'étincelles ambrées, s'égarèrent aussi loin que le souvenir.

— J'ai aimé mon mari, et vécu près de lui comme au paradis. Il avait une maîtresse. Je préfère penser, même encore maintenant, qu'il s'agissait d'une femme connue avant notre mariage, mais ce n'est même pas sûr. Je ne me sentais vivante que lorsqu'il me touchait, et je vivais dans l'attente haletante de ses mots doux.

— Ne l'avez-vous plus aimé, alors ?

— Si l'amour est véritable, il ne s'en altère pas. Mais tout ce que vous faites après avoir appris cela, manger, dormir, vous réveiller, regarder la pluie tomber, tout est comme terni par cette révélation. Il y a encore des promenades dans la campagne, des nuits d'amour, mais elles sont tout assombries de ce secret.

— Qu'est-il arrivé alors ?

Graziela tordit le chiffon au-dessus du seau d'eau sale avec une force que je ne lui soupçonnais pas.

— L'époux de sa maîtresse découvrit la chose, et le tua. Il a traîné le corps vers ce Tibre qui attire tous les hommes de sa sorte.

Elle contempla l'écume grisâtre du seau.

— Une perte aussi grande que celle du royaume d'Égypte, murmura-t-elle.

— Je n'en savais rien. Vous semblez si… sereine.

— On y parvient par la volonté.

Elle se releva, prit son seau, sa brosse et ses chiffons.

— Je reviens. Attendez-moi dans la troisième chapelle sur la droite.

Elle me la désigna.

— C'est là que se trouve la fresque de *l'Assomption* de Volterre. Regardez-la attentivement. On m'a dit l'autre jour que le personnage debout en grand *lucco* rouge, sur la droite, n'est autre que Michel-Ange.

Elle avait donc été mariée, pensai-je en remontant la nef. Je la connais depuis que j'ai douze ans et jamais je n'eusse soupçonné cela. Il n'est pas étonnant qu'elle soit si différente des autres religieuses.

J'inspectai la troisième chapelle à travers le treillis de bois ; il y avait bien dans la fresque un personnage qui portait un grand manteau rouge descendant jusqu'à terre.

Ses cheveux étaient blancs ainsi que sa barbe, il avait des yeux bruns où se lisait l'intelligence. C'était Michel-Ange.

Lui ne contemplait pas avec stupeur la Vierge bleue monter au ciel, comme faisaient tous les autres. Il me regardait avec une expression d'intérêt et de sympathie, un regard qui vous devinait, et en quelque sorte vous bénissait. Je m'apprêtais à aller vivre dans sa ville, à travailler et continuer d'apprendre parmi ses œuvres. Sous la lourde manche se devinait une main usée et couturée, comme ciselée elle-même par le burin qu'elle maniait. Je me sentis émue par ces mains. Une main mutilée peut produire de grandes choses. J'eus l'audace de penser qu'il existait une affinité entre lui et moi. À l'insu de tous les mortels, dans le silence de cette église, se nouait comme une parenté d'âme, que Dieu seul bénissait, à supposer que telle eût été Sa volonté.

Graziela me rejoignit.

— Sœur Paola va venir vous faire ses adieux, nous n'avons qu'une minute.

La religieuse alla chercher haut dans sa manche un petit sachet de mousseline, en défit la cordelette et reçut dans sa main ouverte deux boucles d'oreilles en or garnies d'une grosse perle baroque d'un blanc crémeux. L'orient fin des perles habillait leur surface irrégulière, qui présentait l'aspect bourrelé d'un cerneau de noix.

— Elles ne sont pas parfaites. Comme les humains, murmura-t-elle. Je m'accuse de frivolité. Je sais que j'aurais dû les vendre avec le reste de mes possessions afin d'apporter au couvent une dot plus importante. C'est Marcello qui me les avait offertes le jour de nos noces.

— Comment avez-vous réussi à les garder si longtemps?

Elle eut un petit rire pensif.

— Neuf ans. Cela n'a pas été facile. La plupart du temps, je les cousais dans une doublure de vêtement. Un jour, j'ai dû les cacher au fond de ma chaussure.

Elle en éleva une et la regarda un moment se balancer.

— Si toute la beauté du monde devait m'être refusée, cela, au moins, me resterait.

— Le monde dans une perle, dis-je.

Je pensais à l'élaboration infiniment lente de la perle, par couches successives destinées à protéger le foie de l'huître des agressions. Je rapprochais ce processus de la calme sérénité de Graziela qui, année après année, avait voilé et poli les apparences sans parvenir à aplanir les rugosités intérieures.

Elle posa l'un des bijoux dans ma main. Il était chaud dans ma paume.

— Je n'ai besoin que d'une seule boucle, dit-elle. Prenez l'autre pour l'épingler à une robe.

— Non, Graziela, je ne peux pas.

— Mais si, me répondit-elle, baissant encore la voix. En souvenir de ce que je vais vous dire. Ne vous abîmez jamais ni dans les hommes ni en Dieu. Ne vous perdez pas dans des illusions. Vous n'êtes pas en mesure d'en entretenir, si vous voulez essayer d'être heureuse. Et ce ne serait pas bon non plus pour votre art. Quant au salut de votre âme, reposez-vous sur moi. Je dispose de beaucoup d'heures de prière à distribuer, et on se fatigue de prier pour son propre salut.

Elle referma ma main sur la boucle d'oreille.

— Votre travail vous attend.

— Certes, j'ai bien de l'ouvrage devant moi.

— Cachez cela dans votre corps de robe, et souvenez-vous que les vrais principes de la vie ne sont pas tous dans les Écritures. On les trouve dans les liens du sang, les anecdotes, les proverbes, les allusions et les regards furtifs, les arrangements discrets et les mains moites qui se cherchent. Lorsque vous saurez reconnaître ces signes, votre vie deviendra plus facile, plus riche en occasions variées et en rétributions. Soyez sagace, Artemisia, soyez sur vos gardes. Regardez les gens bien en face et ne montrez nulle crainte.

Je la contemplai intensément tout en me redisant mentalement ses paroles. Je les savais importantes, je les entendais résonner en moi comme le son d'un bourdon de cathédrale, et leur écho devait me suivre au long des années.

Sœur Paola traversait la nef de toute la vitesse de ses petites jambes, se prenant le visage dans les mains, un visage sur lequel passaient tour à tour cent mimiques de joie.

— Oh, Artemisia ! J'ai eu peur de ne plus vous trouver ! Sœur Graziela m'a dit ! Que je suis heureuse ! J'ai l'impression de toucher le paradis du doigt.

— Désolée de te décevoir, lui dis-je par moquerie gentille.

— Je vous l'ai dit : nous croyons aux miracles.

— Et tout cela parce que je me marie ?

— Parce que vous allez vivre dans la ville du monde où l'art est roi. Pour vous, quoi de mieux ?

— Comme tu es bonne !

Elles me raccompagnèrent, et sœur Paola traça sur mon front de ses doigts tièdes le signe de la croix, son visage angélique arrondi par le bonheur. Graziela me prit par les épaules et toucha mon front du sien. Nous restâmes ainsi unies un moment, tête contre tête, nos sentiments vibrant de cœur à cœur.

— Vous voulez me donner le plaisir de voir sa tête sous une coiffe de nonne, dit sœur Paola. Ce sera bien la seule et unique fois !

Nous communiâmes toutes trois en un petit rire triste.

— Ne nous oubliez pas, *tesoro,* dit Paola.

Désignant sur ma poitrine la cachette du bijou, je dis :

— Elle est bien à l'abri sur mon cœur.

D'émotion, Graziela ne put me répondre.

Je poussai de l'épaule la lourde porte. Il avait plu un peu et je remontai ma capuche. Dans l'entrebâillement de l'huis qui se refermait, je n'eus que le temps de percevoir la petite phrase désolée murmurée par Graziela :

— Écrivez-nous. Racontez-nous tout !

Je descendis le degré de pierre.

Sœur Graziela était encore dans le chagrin du deuil. Après neuf ans. Quand avait-elle découvert qu'il avait une maîtresse ? Quel regard équivoque avait-elle intercepté ? Quelle figure avait prise pour elle cet instant d'horreur intime où l'on comprend ce qui éclaire enfin telle bizarrerie de comportement, telle réponse équivoque, tel regard fuyant, des commissions oubliées... Est-ce qu'elle avait pu le regarder en face ? Le premier repas qu'elle avait dû préparer après avoir su, l'avait-elle élaboré avec le même soin qu'auparavant ? Devrais-je à mon tour subir semblables avanies ? Avait-il aimé la nuance et la masse de sa chevelure, et avait-elle pleuré lorsque les nonnes la lui avaient coupée ? De tels chagrins m'attendaient-ils moi aussi ? Peut-être, avec de la vigilance, si je suivais ses recommandations, son sort me serait-il épargné, ce sort tissé à présent de passivité, de sacrifices, d'humilité sans fin.

Sur le chemin du retour vers l'église, je serrai dans ma main le cœur meurtri de Graziela, comme une relique.

6

Pietro

La carriole fit résonner le pont Saint-Ange d'un tonnerre de ferraille, passant tour à tour devant la haie des dix-huit gibets alignés jusqu'à la forteresse, la prison Saint-Ange. Dix-huit, l'âge que j'avais lors du procès. J'en avais juste dix-neuf, à présent. J'enveloppai ma boucle d'oreille dans un mouchoir avant de la glisser dans la doublure de mon *cassone*. Je retrouvai mon père marchant de long en large devant l'église.

— Qu'est-ce qui t'a pris de t'enfuir ainsi ? Où étais-tu donc ?

— Je suis allée voir les religieuses. Tout va bien, nous ne sommes pas en retard.

Je tendis ma cape à Porzia. Mon père me prit fermement par le bras, me fit traverser la nef obscure et me mena à une chapelle latérale où brillaient quatre cierges.

Je me sentis, tout le temps de la messe, comme un chaland arrêté par hasard devant un spectacle sans intérêt. J'éprouvai le poignant regret de ma mère, de la douceur avec laquelle elle me caressait la tête, de la suavité triste de son chant ; me voir mariée l'eût rassurée. Porzia, de son sourire, m'encourageait, aussi tentai-je de donner à mon visage l'expression joyeuse, composée et reconnaissante qui convenait ; mais, privée de ma cape, je tremblais de froid dans cette église glaciale.

Le latin du prêtre me passait au-dessus de la tête, confuse rumeur qui semblait participer de l'ambiance clandestine de cette cérémonie. Je répétai les vœux après lui, tâchant de m'imprégner de leur sens, si bien que je réalisai, lorsqu'on en vint à « jusqu'à ce que la mort nous sépare », que Graziela était elle aussi passée par là. Ces mots, j'eus du mal à les dire. Je regardai Pietro Antonio droit dans les yeux, ainsi qu'elle me l'avait conseillé. Son expression était sérieuse, sans être éclairée de la tendresse de celle de Michel-Ange, qui dans son *lucco* rouge m'avait regardée jusqu'au fond de l'âme.

❦

La messe dite, Porzia me reposa la cape sur les épaules.

— Vous allez me manquer, dit-elle avec douceur.

— Je sens qu'une période de ma vie se termine, dis-je, assez fort pour qu'elle l'entendît.

— Oui, c'est une nouvelle vie qui commence pour vous. N'ayez pas peur, Pierantonio est un homme droit, murmura-t-elle.

— J'espère de tout mon cœur que vous avez raison.

La pluie me coulait dans le cou, mais je ne pouvais encore me résoudre à monter en voiture. Mon *cassone* y avait déjà été chargé ; mon père leva les bras au ciel, agacé par ce moment de flottement. Moi, je n'attendais qu'un geste d'affection de sa part.

— Monte, monte donc, dit-il, et il glissa dans ma main une pesante petite bourse bleue, que je cachai dans les plis de ma robe en montant en voiture.

Je remarquai les rides qui s'étaient creusées autour de ses yeux et compris qu'il était lui aussi en train de vivre un moment éprouvant.

— J'écrirai pour toi à Michelangelo Buonarroti le Jeune. Ne manque pas d'aller le voir.

Il ferma la portière et la voiture, lentement, se mit en mouvement, nous emportant, moi et ce Pietro, ou cet Antonio, vers Florence, où enfin je serais à l'abri du déshonneur.

Mari et femme. Je me répétai ces mots alors que nous roulions sur la voie Flaminia, sous la porte del Popolo, et enfin dans une campagne semée d'attelages de bœufs et de mares. Mon mari est un homme de bien. *Madonna benedetta,* faites qu'il soit gentil. Assis face à face, nous restions silencieux. Devais-je entamer la conversation ou le laisser en prendre l'initiative ? Ses yeux mobiles fixaient la fenêtre, alors j'ai regardé dehors moi aussi. Qu'y avait-il à voir de si captivant ? Des vignes dont les feuilles déclinaient à l'infini les ors et les bruns ? Des vergers d'amandiers ? La silhouette massive des fermes estompées par la pluie ? Des moutons transis ? On eût dit que le paysage revêtait plus d'importance à ses yeux que moi-même, assise devant lui.

— Que regardez-vous ?

— Tout. Rien. Les peupliers ont déjà perdu leurs feuilles. Nous allons avoir un hiver précoce. Peut-être de la neige.

Quelle curieuse manière d'entrer dans la vie conjugale ! Parler du temps qu'il va faire.

— Vous appelez-vous Pietro ou Antonio ?

Il me fit face, pour la première fois.

— Pierantonio.

— Ah. C'est un peu long.

Un sourire ironique, énigmatique se dessina lentement d'un seul côté de sa bouche.

— Et Artemisia, donc…

— Cela vous dérange-t-il si je vous appelle Pietro ? Je préfère ce nom.

— Nommez-moi à votre guise.

Le besoin d'approfondir les choses pesait sur ma poitrine. Je le questionnai.

— Que savez-vous de moi ?

— Je connais votre histoire.

— L'histoire telle qu'on la raconte dans les rues ou bien la vraie histoire ?

Je ressentais un besoin vital de lui faire savoir la vérité.

— Je suis innocente. Je ne suis plus vierge, mais je suis innocente, je vous l'assure.

Il approuva de la tête et je lui en fus reconnaissante.

— Cet homme, cet Agostino…

— … ne mérite pas la corde pour le pendre. C'est un ruffian, une racaille.

— Vous deviez l'épouser ?

— Je m'y croyais obligée. Je me soucie de lui comme d'une guigne, la seule chose qui m'importe, c'est de savoir que le seul homme qui à présent compte dans ma vie croit à mon innocence.

Ma sincérité sembla l'embarrasser et il détourna la tête vers la fenêtre. Je me redressai sur ma banquette. De la dignité. Tel était mon souci. Je voulais qu'il me voie me comporter avec dignité. Ses lèvres eurent un petit frémissement. Peut-être comprenait-il. Ou alors, faisant preuve de pitié, il voulait m'épargner de plus amples explications. Ou bien simplement ne manifestait-il que de l'indifférence.

— Vivrons-nous dans votre famille ?

— Non. Ils sont morts.

— Quel malheur !

Je sentis toute la maladresse de cette réponse. J'aurais dû me renseigner d'avance auprès de Porzia.

— Lors de la dernière épidémie de peste, il y a douze ans, mon oncle nous a conduits, Giovanni et moi, dans un village des collines, mais nos parents avaient dû rester en ville. C'est moi qui possède leur maison, à présent.

Je jugeai plus prudent de taire mes questions sur ce sujet.

Je me sentais affamée, mais n'osai le lui dire. Je ne voulais pas alourdir notre vie conjugale toute neuve par des demandes. J'étais consciente, le cœur navré, de la dépendance totale que le mariage suppose. Graziela avait-elle éprouvé semblable sujétion ? Et ma mère ? Je n'avais pas assez parlé avec elle et je le ressentais cruellement en cet instant. Je laissai passer un temps de silence.

— Giovanni m'a dit que vous étiez peintre, repris-je.

— C'est vrai.

— Je le suis aussi.

— Vous ?

— Voyons, Giovanni n'a pas dû manquer de vous le dire !

Je lui désignai mes toiles roulées dans un coin de la voiture.

— Il y a eu naguère deux femmes peintres à Bologne. Elles faisaient des natures mortes de fleurs.

— Moi, je peins la figure humaine.

Je vis son visage grêlé s'animer d'une expression de curiosité.

— Cela vous plairait-il de les voir ?

Il acquiesça de la tête. Je les déroulai pour qu'il pût les regarder. Le hasard avait placé ma *Joueuse de luth* en première position dans le rouleau. Il l'examina avec soin.

— Vous avez une bonne main, dit-il.

Je laissai glisser la toile sur le sol et lui montrai ma *Suzanne*, trop grande pour être déroulée entièrement dans l'habitacle. Il ne pouvait donc voir le pied de Suzanne, qui baignait dans le bassin de pierre.

— Oh !

Ses yeux s'écarquillèrent. Mon cœur battait plus fort que lors de la messe de mariage.

— C'est très bon, dit-il avec une intonation de surprise retenue ou que, du moins, j'interprétai comme telle.

Il regarda plus attentivement le visage de Suzanne.

— Ce visage est très expressif. On sent bien les sentiments qui l'animent. Quand avez-vous peint cela ?

— Il y a deux ans.

— Avant...

— Oui.

— Si jeune...

Il resta pensif un instant, et ajouta :

— Vos teintes et vos gammes colorées sont très fines, surtout quand vous rendez l'impression de la peau humaine. C'est chatoyant comme du verre coloré.

— Voulez-vous en savoir le secret ? C'est un vernis à base de résine que fabriquent les verriers de Venise. Les couleurs s'étalent mieux sur cette base. Un tiers de vernis d'ambre et deux tiers d'huile de noix ou de lin. Il faut les mêler à la chaleur, une chaleur douce, et passer ce vernis sur tout le tableau à la fin de chaque séance de travail. Cela donne à l'ouvrage de la stabilité, et fait sécher plus vite les couleurs à l'huile. Les vernis à base d'huile simple ne font que couler sur le tableau et se confondre les pigments.

Sa tête faisait face au ventre de Suzanne, mais son regard restait levé vers moi, et moi, penchée vers lui par-dessus la toile, je voyais son visage sous un angle un peu mystérieux.

— Qui vous a appris cela ?

— Mon père. Lui, il mêle une goutte de vernis à l'huile dont il dilue chaque couleur de sa palette. L'idée d'en passer sur toute la toile est de moi.

Il fit entendre un son de gorge grave et lent, qui n'était pas une parole.

— Vous verrez. De cette manière, le pinceau n'accroche pas et les couleurs sont plus vives. Voilà, vous aussi vous savez.

J'eus un sourire qui se voulait mutin.

— Considérez cela comme mon cadeau de noces.

Il ne me rendit pas mon sourire, mais me fit signe de lui montrer la troisième toile, la *Judith*. Je laissai *Suzanne* glisser à terre.

— Celle-ci n'est pas terminée.

Il souffla bruyamment, avec une grimace.

— Eh bien, ce n'est pas précisément ce que je choisirais pour décorer notre chambre, mais c'est très bon. Une composition hardie.

Il eut son curieux sourire évanescent.

— Ne vous inquiétez pas, je compte bien le vendre dès que je serai connue.

Il pencha la tête de côté, comme si la pensée que j'eusse pu, moi, gagner de l'argent ne l'avait pas même effleuré. Mais je vis que ce geste était en fait une mimique délibérée.

— Ou alors peut-être le donnerai-je à Côme de Médicis.

— Non, il ne faut pas.

— Pourquoi ?

— Il ne faut jamais donner un tableau, c'est tout.

— Même pas pour faire savoir qu'un nouvel artiste est arrivé en ville ? Et pour que ce tableau puisse aller rejoindre les grandes œuvres d'une collection ?

Je sentais bien que l'idée lui déplaisait. « Soyez sagace », m'avait dit Graziela.

— Rien ne presse, dis-je, il n'est même pas terminé.

J'enroulai mes toiles sans les serrer.

— Je voulais juste que vous sachiez que je compte bien gagner ma vie dès que j'en serai capable.

— Cela me va fort bien.

Nous fîmes halte dans une auberge à la tombée du soir, après avoir roulé tout le jour. Mes épaules et mon dos étaient noués de contractures douloureuses. Il dut m'aider à descendre de voiture tant je m'étais raidie contre le froid et l'humidité. Sa main était fraîche et solide sous ma paume. J'en aimai le contact, du moins sur ma main.

L'auberge était peuplée de cueilleurs d'olives, de vignerons, de voituriers, de fermiers accompagnés de leur famille. L'odeur de sueur des travailleurs se mêlait à celles du feu de cheminée et de la laine mouillée, ainsi qu'à un remugle de fumier qui collait aux semelles des gens. Je vins me placer devant l'âtre et me laissai délicieusement envahir par la chaleur : les mains, puis la poitrine. Je reçus une escarbille dans l'œil et me retournai. La salle était ombreuse, deux enfants chahuteurs et un chien couraient entre les tables sans que quiconque s'en souciât.

Une jeune mère aux cheveux entortillés dans un foulard allaitait son bébé, une vieille sans âge se tenait avachie contre la muraille, enveloppée dans un cocon de lainages d'où dépassaient de gros bas de laine, mais point de chaussures. Ses doigts esquintés remuaient seuls, comme poursuivant automatiquement une tâche routinière, elle-même semblant perdue dans une immobilité ahurie qui l'isolait des vociférations et des rires gras résonnant alentour. Le feu pétaradant éclairait par intermittence le profil droit de ces deux femmes, leur visage et leur cou. Le spectacle de toute cette humanité m'émut. Rome était loin.

Quand la servante se mit à distribuer des louchées d'un brouet indistinct, je m'approchai de la table à tréteaux et m'y ménageai une place entre Pietro et un autre homme. La fille faisait passer à toute la tablée des bols, des timbales de fer-blanc et des pichets de pâle vin d'Ombrie. On servait ce soir-là du ragoût de lapin aux oignons, haricots blancs et navets, robuste cuisine paysanne qui fleurait la sauge, le *pesto*[1] et l'ail.

Pietro mangeait vite, la tête baissée, avalant presque sans mâcher et se jetant des goulées de vin. Il dit juste « *buono* ».

Je me sentais incapable de cuisiner ce genre de mets. Dépouiller, éviscérer la bête… Il y faut une demi-journée, et que me resterait-il pour peindre ? Tout ce temps consacré à préparer des repas que l'on engloutit en quelques instants me semblait un gaspillage de vie.

Je regardais ce peuple d'Ombrie qui m'entourait, ces rustauds bruyants, usés par le travail, et leur vin me réchauffait. Je venais d'ingérer en ragoût les dons de leur terroir.

Pietro arracha une grosse poignée de pain à la miche.

---

1. Basilic. *(N.d.A.)*

— Il est bon, ce pain, fis-je. La femme de l'aubergiste a dû acheter du grain à son beau-frère, le faire moudre par son beau-père et le faire cuire dans un four chauffé par le bois de son papa, qu'un cousin lui transporte jusqu'ici.

Il rit gentiment.

— Vous connaissez donc toute l'histoire ?

— Non. Je viens de l'inventer.

Un ruffian crasseux à la bouche édentée qui nous faisait face nous dit :

— Elle n'a pas tort. Cette femme-là, garçon, tu peux écouter ce qu'elle te dit.

— Est-ce vrai ? répondit Pietro en tournant vers moi son sourire oblique.

— C'est ce que ma femme me répète depuis toujours. Si seulement les hommes avaient des oreilles, comme des ânes qu'ils sont. Alors je lui réponds : « Ça arrivera le jour où les femmes auront une bouche de lapin. » Trente ans qu'on se répète ça, ma femme et moi.

Il aspira bruyamment une cuillerée de jus.

— Trente ans !

— Ça passe comme un battement d'aile. Vous êtes mariés depuis combien de temps, vous ?

Nous nous regardâmes, un peu penauds, Pietro et moi. Il dit, dans un petit rire :

— Quatre ou cinq, euh… heures, seulement.

— *Ehi ! Madonna santa. Auguri !*

L'homme s'était levé et avait prononcé son souhait à voix haute. Les autres s'écrièrent *« Auguri ! »*.

Deux jeunes gens lancèrent un cri d'honneur rituel et tout le monde entonna une chanson paillarde qui célébrait les doigts agiles de la trayeuse de vaches. Une grosse femme à l'allure chevaline lâcha un rire perçant de poule pondeuse. Pietro rit à son tour, mais s'arrêta net devant ma confusion. Il se leva, enjamba le banc et me tendit la main.

— Montons, dit-il.

Le charivari des rires gras reprit de plus belle, et la grosse femme m'attira à elle par le poignet pour me dire « *Senti, belleza,* tu verras, tu vas aimer ça quand il sera entré », et elle repartit à rire encore plus fort.

Je me détournai d'elle et montai en hâte, poursuivie par les lazzis de l'assistance, laquelle avait beau jeu de me croire impatiente d'entamer ma nuit de noces. La honte me monta à la gorge et aux joues.

Pietro alluma une lanterne à un brandon pris dans la cheminée et nous éclaira dans l'escalier.

— Ne faites pas attention à elle, dit-il.

Sainte Vierge, faites qu'il ne soit pas brutal.

La chambre n'était pas chauffée, aussi me déshabillai-je rapidement, face au mur, le plus loin possible de la lanterne. Même dans ce mariage de convenance, il me fallait assurer mon devoir, malgré la pensée qu'il allait me toucher là où Agostino m'avait forcée, là où le greffier m'avait regardée. Je me sentais très mal à l'aise et me mis au lit rapidement. « Laissez vos peines à Rome », fut la pensée qui me revint.

Le premier contact me procura un choc qui me fit frissonner.

— Vous allez vous réchauffer bientôt.

Grazie a Dio. Il ne s'était pas mépris sur mon frisson.

Sa voix était empreinte de douceur. Je n'allais pas devoir endurer un viol. Il n'allait pas me forcer, sauf si je tentais de résister. *Ne pas crier.*

Passant un bras autour de ma taille, il m'attira à lui. Chaque muscle de mon corps était une corde raidie. Il se colla contre moi. Sa peau était froide, comme la mienne. Nous partagions au moins cela. Le froid humide qui m'avait transie, il le sentait aussi. Cela éveilla en moi une sorte de tendresse.

Sa main caressa mes cuisses. Je me pressai étroitement contre lui. Je m'adressai intérieurement l'injonction de nous donner une chance. Sa main se fit plus pressante entre mes genoux. M'ouvrir. M'ouvrir, peu à peu. La difficulté ne venait pas de lui, mais de moi. Je sentais que je me détendais, petit à petit. Sa main remonta doucement et me fit frémir. Un son ténu, un murmure, pas de mots. Cela venait-il de lui ou de moi ? Son corps ne reposait pas entièrement sur le mien. Il était attentionné. Je fus surprise d'éprouver l'espoir de lui devenir précieuse, et posai mes mains sur son dos. Pourvu qu'elles ne soient pas trop froides. Je lui fis l'hommage de ma peur, et il l'accepta d'abord avec douceur, puis, lorsqu'il s'oublia dans une sorte de frénésie, je dus me raidir contre la violence de ses assauts.

Quand ce fut fini, j'avais si mal que je dus me contenir, mais il arriva alors une chose nouvelle pour moi : il s'endormit calmement et profondément. Pas de fuite précipitée, pas de hâte, pas de pleurs. Juste le repos.

Grazie, Maria. Lui au moins ne me faisait pas vivre de honte.

7

Florence

Notre route était sans cesse coupée par des attelages de bœufs blancs couronnés de gerbes de fleurs, qui tiraient la récolte des olives. Pietro n'en sembla pas fâché.

— J'aime le petit bruit sec des cueillettes qui résonne en écho dans les oliveraies, dit-il.

Par la fenêtre de notre voiture, on voyait au sol les toiles qui recueillaient les fruits au pied des oliviers ; la brume du matin les rendait un peu fantomatiques.

— On dirait que le monde entier est en train de s'activer dehors, lui répondis-je, heureuse de goûter le plaisir d'une simple et paisible conversation.

— C'est un dur labeur que de travailler ainsi le nez en l'air pendant des semaines. Giovanni et moi, nous l'avons fait dans les oliveraies de notre oncle quand nous étions plus jeunes. Cela tire péniblement sur le cou.

— Michel-Ange a dû ressentir la même chose lorsqu'il peignait les plafonds de la chapelle Sixtine. Et mon père, aussi. Il exécute un plafond pour le cardinal Borghèse.

— C'est aussi dur, sauf qu'avec les olives, ça revient tous les ans.

J'étais contente chaque fois que je le faisais sourire, bien qu'un doute me restât sur l'honorabilité des intentions qui l'avaient fait m'épouser. Il eût été grossier de lui en demander la raison. La gratitude pouvait-elle engendrer l'amour ?

Nous mangeâmes en chemin du salami, du pain, des pommes vertes et du *pecorino* frais, ce fromage de brebis que l'aubergiste nous avait emballé dans un torchon. Une bonne nourriture simple. Je me sentais capable de fournir de semblables repas.

Je remarquai le haut d'une mince tour crénelée qui pointait au-dessus d'un rang de cyprès.

— Quelle est la plus belle chose à voir à Florence ?

Je m'attendais à recevoir une réponse de peintre : quelque gracieux clocher d'église ancienne, une statue de marbre, une fresque…

Il réfléchit un instant, coupa dans une pomme un quartier qu'il m'offrit au bout de son couteau, et répondit :

— Les femmes.

Je répliquai, en riant plaisamment, afin de ne pas me montrer blessée :

— Ah, vous auriez mieux fait de me percer la poitrine de ce couteau que de me répondre cela !

Et pourtant, ces mots exprimaient la vérité. Je pris le quartier de pomme avec précaution, craignant les cahots de la voiture.

Il eut un léger recul en voyant la peau de mes doigts à vif et les quelques cicatrices profondes qui s'y voyaient encore.

— C'est horrible, dit-il. Giovanni m'a tout raconté.

— Pensez-vous que je vais en garder des marques ?

— Je préfère ne pas me prononcer.

Il eut un geste de son couteau vers mon rouleau de toiles et reprit, d'un ton un peu ambigu :

— Si vous êtes capable de peindre comme cela et de gagner beaucoup d'argent, vous pourrez couvrir vos doigts de bagues. C'est aussi ce que vous auriez pu faire si vous aviez épousé un homme riche.

— Je préfère être l'épouse d'un homme bon.

Il me sourit timidement et coupa un autre quartier de pomme qu'il porta à mes lèvres avec ses doigts, me regardant le prendre entre les dents.

§

Deux jours plus tard, les nuages se dissipèrent dans l'après-midi et un chaud rayon éclaira d'une légère teinte terre de Sienne les arches et les créneaux de la porta Romana, l'entrée de Florence par le sud. La route était bordée de maisons ocre aux toits de tuiles rouges, leurs volets d'un brun de cannelle ou d'un vert de basilic. Je me sentais aussi joyeuse que Paola l'avait été pour moi. Florence !

— Voici le palais Pitti, dit Pietro, avançant le torse pour mieux voir alors que nous passions devant.

Il se distinguait nettement de l'architecture traditionnelle par ses trois étages de même hauteur et le rude appareil de ses pierres de taille. Cela lui donnait plus l'allure d'une forteresse que d'une gracieuse demeure.

— C'est ici que vit le grand-duc Côme de Médicis. Magnifique, non ?

J'approuvai de la tête.

— Belle et riche couleur. C'est un palais remarquable.

Il ne devait sa majesté ni à la sculpture ni à l'ornementation, mais à la répétition de ses fenêtres en ogive. Il me parut bien sévère, cependant je m'abstins de le dire. J'étais touchée que Pietro se souciât de mon impression.

— Êtes-vous déjà allé à l'intérieur ?

— Non.

Il haussa les épaules.

— Les Médicis ne sont plus ce qu'ils étaient. Lui, c'est Côme II, et il ne vaut pas son ancêtre.

Un pont nous livra passage à l'intérieur de la ville. Les bâtiments, bien plus hauts que ceux de Rome, semblaient réduire les rues à d'étroits couloirs encombrés de mulets et de vendeurs de fruits ou de poisson. Les pavés sonores résonnaient du pas des chevaux, et des poules filaient entre les roues des charrettes.

Pietro demanda au cocher de nous faire faire le tour de la cathédrale, le Duomo de Santa Maria del Fiore. Au premier coup d'œil que je jetai sur le dôme orné de nervures de briques, je pardonnai au palais son austérité.

— Je vous raconterai quelque jour comment Brunelleschi l'a construit, dit-il, aussi fier que s'il eût été le contremaître de Brunelleschi.

— Le clocher en est séparé, remarquai-je, étonnée de sa hauteur.

Je me tordis le cou par la fenêtre pour essayer d'en voir le sommet, ce qui fit rire Pietro. Les plaques polies de marbre vert, rose et blanc luisaient dans la lumière pâle, donnant à la tour carrée du campanile l'allure d'un reliquaire de pierres précieuses construit à la taille de Dieu même.

— Il n'y a rien de semblable à Rome, dis-je en direction du ciel.

— C'est Giotto qui en a dressé les plans, dit Pietro. Il fut achevé longtemps avant le Dôme.

Dans les venelles qui entouraient le parvis, une foule compacte tentait de se frayer un chemin parmi les flaques de boue en s'invectivant. L'odeur piquante et tenace du crottin de cheval flottait partout. Aurais-je dû faire semblant de ne pas m'en apercevoir, afin de ménager l'orgueil qu'il ressentait pour sa belle cité ?

— Ne vous promenez jamais dans cette rue, me dit-il alors que nous roulions dans un remugle d'étals de boucher. Les déchets de carcasses rendent les pavés si glissants que beaucoup de femmes tombent et se brisent la hanche. Évitez-la. Plus tard, je vous montrerai la *macelleria,* la boucherie qu'un ami à moi tient dans une autre rue, ainsi, vous n'aurez pas à venir ici.

La rue des Fromagers, bien qu'odorante elle aussi, puait moins, et je pus respirer librement à nouveau lorsque nous abordâmes la rue aux épices. De grands sacs de toile posés à même le pavé débordaient de poudres ocre jaune, brun de Sienne, orange, cannelle et vert foncé. Les couleurs de ma nouvelle ville. Sur chaque place une statue, dans chaque niche le saint patron d'une confrérie. Partout, l'art se déployait devant mes yeux ! Une nouvelle vie commençait.

Pietro ordonna au cocher de prendre le corso dei Tintori, la rue des Teinturiers. D'immenses lés de soie ou de laine pendaient de chaque fenêtre, de chaque rebord de toiture.

— On a pavoisé les rues pour votre arrivée, dit-il.

— On dirait des oriflammes.

Des femmes vendaient ou achetaient des métrages de soie de toutes les couleurs de l'arc-en-ciel.

— Je vois que l'on porte ici des vêtements raffinés dans de chatoyantes couleurs, mais cela ne rend pas pour autant les femmes plus belles qu'à Rome, dis-je avec un sourire que j'espérais de connivence.

Pour le faire rire, je tordis le nez devant les vapeurs d'ammoniac qui montaient des cuves fumantes.

Des femmes et des filles rinçaient dans les eaux brunâtres de l'Arno de lourdes toisons de laine. La voiture s'arrêta un peu au-delà, devant une bâtisse de pierre blonde aux volets d'un vert fané.

— Voilà ma maison, dit Pietro.

Il ouvrit la grille qui donnait sur une petite cour où poussaient un figuier solitaire et quelques géraniums négligés. Un puits carré en occupait le centre, bordé de gros pavés moussus. Le seau et la corde me parlèrent de la tâche quotidienne qui m'attendait.

— J'habite au troisième.

« Ma maison. » « J'habite. » Peut-être un jour dirait-il « nous » ?

Les familles les plus riches occupaient le rez-de-chaussée et les deux premiers étages, exactement comme à Rome, me semblait-il.

— Une vieille femme du nom de Fina, qui vit au quatrième, tenait mon ménage, m'informa-t-il.

Je compris que cet état de choses ne devait pas durer.

Tandis que Pietro et le cocher montaient mon *cassone* et nos autres sacs, je fis le tour des trois pièces qui allaient devenir mon nouveau gîte. La grande salle, celle où l'on se tenait et qui servait d'atelier, contenait des chevalets de trois tailles différentes et un large banc qui devait sans doute servir aux modèles, car il était chargé de coussins, de tapis et de draperies d'étoffes diverses. Quelques chaises de paille entouraient une table à tréteaux rudimentaire sur laquelle il entreposait son matériel de peinture et de dessin. Désireuse de ne rien déplacer, je repoussai une lampe de fer garnie de parchemin pour pouvoir poser mon sac et me fichai immédiatement une écharde sous la peau.

Où allais-je pouvoir caser mon matériel ? Dans l'embrasure de la fenêtre, sans doute, sauf si j'acceptais de mélanger mes affaires aux siennes sur la table. Allions-nous, un jour, en arriver à ne plus distinguer, entre nos brosses et nos couleurs, le tien du mien ?

La cuisine possédait un évier de pierre et derrière lui un seau monté sur armature muni d'un robinet. Je compris que je devrais le remplir au puits et monter les trois étages. Mais peut-être s'en chargerait-il ?

La troisième pièce était mansardée, ce qui interdisait la station debout dans toute une moitié. Elle renfermait un lit garni d'une paillasse, deux coffres bas et une table de toilette. Le sol était carrelé de briquettes de terre cuite posées à bâtons rompus. Du côté du lit où il avait jeté son manteau, on voyait une mince carpette en peau de chèvre, mais rien de l'autre côté. Je regrettai de ne pas avoir emporté plus d'affaires me venant de ma mère, en particulier son petit tapis et son pliant en forme de siège curule, car il était capitonné, luxe inexistant dans cette demeure.

Partout dans l'appartement, des peintures non encadrées garnissaient les murs de plâtre, des Saintes Familles, des annonciations, une sainte Thérèse en extase ; et toutes montraient de voluptueuses figures de femmes, richement drapées de couleurs fortes. Sur l'une des annonciations, les yeux de Marie recevant la nouvelle de l'incarnation du Sauveur ne montraient aucune émotion. Moi, je leur aurais donné de l'expression en lui faisant l'œil plus rond et l'iris plus clair, afin d'attirer l'attention sur son regard. Ses couleurs auraient gagné à recevoir l'application d'un vernis d'ambre ; mais je m'étais déjà suffisamment étendue sur ce sujet.

Ses tableaux couvraient tous les murs, parfois sur deux rangées. Y aurait-il place pour les miens ? Si j'avais de la chance, si je faisais preuve d'assez d'habileté et de métier dans cette ville d'artistes, mes œuvres ne resteraient pas sur nos murs.

— Des modèles florentins ? lui demandai-je alors qu'il apportait les derniers bagages.

— Bien sûr.

— Alors oui, admis-je. Elles sont belles.

Sa seule réponse fut un sourire, mais je sentis que je lui avais fait plaisir. J'avais parlé des modèles plus que des tableaux. Qui étaient-elles ? Étais-je en train de contempler ses... ses collaboratrices ? Ces femmes qui me regardaient semblaient détenir des secrets à jamais scellés pour moi. J'en étais au point où les mystères entourant Pietro me le rendaient séduisant.

Il ouvrit tous les volets et la porte-fenêtre d'un petit balcon donnant sur l'Arno. On voyait, sur l'autre rive, une rangée clairsemée de petites maisons basses, des habitations de travailleurs, se détachant sur le vert des collines. Le fleuve franchissait un déversoir de pierre construit en diagonale, cela produisait un apaisant murmure liquide.

— Imaginez-vous cela ? Toute cette eau ira à la mer un jour ou l'autre, et pourra se retrouver n'importe où dans le monde, et c'est celle-là même que nous voyons en ce moment. C'est beau !

— Vous changerez d'avis, sans doute, aux périodes où la puanteur monte du fleuve. Il est bon dans ces cas-là de faire brûler du sucre ou de la cannelle.

Je trouvai de la douceur à ce petit souci ménager.

Nous regardâmes les couples en promenade vespérale, se donnant le bras, passer dans la rue qui nous séparait de la rive.

Les circonstances de mon mariage me revinrent à l'esprit, me causant le même malaise, celui de ne pas nous être choisis par amour, Pietro et moi, comme l'usage commençait à s'en répandre dans la plupart des classes de la société. Ma figure dut annoncer ce regret car il m'entraîna à l'intérieur, comme s'il avait pu lire dans mon âme, me conduisit à la chambre, me courba sous le plafond mansardé et me renversa sur le lit. Avec son petit sourire de côté, il délaça mon corps de robe et ne fut pas long à venir à bout des fermetures de ma jupe. L'amour fut silencieux et rapide, un simple instant d'intimité.

Nous nous endormîmes ensemble, sans même nous couvrir. Il bougea dans son sommeil et je m'éveillai, ébahie de me retrouver là. Mes yeux parcouraient son corps, souligné d'un rayon de lune qui entrait par la fenêtre. Le trajet rectiligne de l'échine, les vallonnements de son dos, une fossette en haut de la fesse, tout ce que je voyais de lui éveilla en moi un désir aigu, obscur et presque douloureux, qui me prit au dépourvu. J'eus l'audace de caresser son flanc. Sa peau était fraîche. Ce n'était pas de l'amour, pas encore, mais une vénération pour la beauté de son corps, et ce culte me tenait éveillée et frémissante. S'il devait m'être donné de connaître l'amour en plus de cela, il me semblait que mon cœur dût éclater.

§

Les semaines qui suivirent m'enseignèrent que mon époux était tour à tour proche et distant, communiant parfois avec moi dans l'intimité, et parfois retranché loin du monde. À ces moments-là, je tremblais de l'importuner par mes avances, craignant qu'il ne me rejette. La versatilité de son humeur m'empêchait de goûter pleinement le plaisir des instants où il était à moi.

Graziela m'avait mise en garde contre l'illusion. Voici ce que je lui écrivis dans ma première lettre :

> *Je ne me fie à lui qu'au jour le jour, et je tente de résister à la tentation de l'amour non fondé. Bien que je voie des signes d'affection de sa part, peut-être ne suis-je bonne pour lui qu'à broyer ses pigments et à nettoyer ses outils. Je ne veux plus jamais être marquée de cicatrices par la faute d'un homme, ces marques fussent-elles invisibles. Dites à Paola combien elle était dans le vrai. Cette ville rayonne de la présence de l'art et de possibilités multiples. À ce jour, je puis me dire heureuse.*
>
> *Con amore,*
> *Artemisia*

Et à mon père, j'écrivis simplement :

> *Merci. J'augure bien de l'avenir. Florence regorge de beautés.*

Mes meilleurs instants avec Pietro étaient nos dimanches après-midi, lorsque nous sortions ensemble voir les œuvres d'art que renferme la ville. C'est lui qui choisissait chaque semaine ce qu'il voulait me montrer, et cela restait une surprise jusqu'au dernier moment. J'adorais cet aspect un peu loufoque et joueur de sa personnalité. Chaque dimanche, je me réveillais avec la promesse d'une découverte : un sujet, une composition, le rendu juste d'un mouvement, une interprétation. En étant bien attentive, en prenant tout mon temps pour réfléchir et analyser, j'étais sûre de recevoir la révélation d'une merveille. C'est ainsi que, peu à peu, je me pénétrais du goût florentin.

Pietro, qui arborait un pourpoint et des hauts-de-chausses tout neufs, de belles chaussures et une nouvelle toque de velours grenat, me prenait par le bras avec la dignité d'un courtisan et faisait avec orgueil les honneurs des trésors de sa ville. Il me contait des bribes d'histoire et de menus faits qui me rendaient les grands maîtres plus humains : comment Ghiberti remporta contre Brunelleschi la commande des portes du Baptistère, comment Brunelleschi en colère quitta alors Florence pour Rome afin d'y étudier les ruines antiques, et que Donatello, son jeune amant qui l'avait suivi là-bas, l'appelait Pippo, l'anecdote du défi posé par Brunelleschi aux architectes florentins de faire tenir un œuf sur sa pointe. Il avait prouvé son astuce en écrasant délicatement le petit bout de l'œuf sur la table de manière à lui donner juste l'assise suffisante. Ce tour d'habileté lui avait valu de remporter la commande du dôme qui devait enfin, après un demi-siècle, recouvrir le trou béant de la cathédrale. Il me conta aussi que Michel-Ange eut regret de n'avoir baisé que la main, et non le visage, de Vittoria Colonna sur son lit de mort, car elle avait été la lumière et la consolation de ses dernières années. Pietro, par ses récits, donnait vie à Florence.

— Masaccio, une force de la nature, est mort à vingt-sept ans, me dit-il un dimanche alors que nous entrions dans l'église du couvent Santa Maria del Carmine.

Il me mena vers une chapelle latérale aux murs peints à la fresque.

— Voici la chapelle Brancacci, celle de son mécène.

La fresque de Masaccio, *Adam et Ève chassés du paradis,* me cloua sur place. Adam se couvrait le visage de ses mains, se détachant sur un univers désolé, aride et brûlé, qui était le contraire même d'un jardin. Ève montrait des yeux vides à demi fermés, comme crevés, et sa bouche s'ouvrait sur un cri d'angoisse, un cri à résonner jusqu'à la consommation des siècles, qui trouvait un écho dans mon cœur. Leur déréliction était montrée de façon si poignante que mes jambes tremblèrent. Je dus me retenir à la balustrade de pierre. Je me sentais l'exacte contemporaine de cette Ève.

— Je voudrais la prendre dans mes bras pour la consoler, dis-je doucement.

— Michel-Ange, Raphaël et Botticelli sont venus ici travailler en s'inspirant de cette fresque, dit Pietro d'un ton aussi naturel que s'il m'eût narré des souvenirs personnels vieux d'un siècle et plus.

Lorsque nous nous retrouvâmes au lit, tout autre souvenir de ce que j'avais pu voir dans la journée avait disparu. Je n'arrivais pas à m'endormir, hantée par l'expression torturée d'Ève. C'était donc cela, la déréliction totale, celle du déchet qu'on a jeté, abandonné, privé de Dieu. Dans toutes mes tribulations je n'avais jamais eu à traverser un si grand désespoir.

Le souffle de Pietro rythmait la douleur d'Ève, la faisant entrer en moi, et je me débattais, me retournant en tous sens, incapable de rester allongée. Mon agitation l'éveilla.

— Qu'y a-t-il ?

— Je n'arrive pas à m'endormir. Je pense sans cesse à Ève.

Il se tourna et m'attira à lui, comme pour me calmer d'une étreinte protectrice.

— Essaie de ne pas y penser, *amore*.

Nos respirations s'unirent dans le noir et je sentis son sexe se raidir contre moi. Non ! Non, pas maintenant, alors que l'angoisse qui me tourmentait n'était autre que celle d'Ève après la chute.

J'eus la surprise d'éprouver un spasme intérieur, une sorte de tressaillement profond. Il me tourna pour me placer à sa convenance et me soumit à un rythme berceur, rassurant, si bien que l'horreur d'Ève s'effaça de ma conscience à mesure qu'une petite mort, infiniment plus douce, la remplaçait. Et puis le sommeil nous prit d'un coup.

Quelques mois plus tard, un matin, alors que, seule à la maison, je nettoyais des brosses à la térébenthine, une nausée me submergea. L'odeur m'incommodait. J'ouvris la fenêtre pour laisser entrer l'air frais, mais la puanteur montant du fleuve m'interdit de rester sur le balcon. Je me laissai tomber sur un siège, m'agrippant aux accoudoirs. Ma bouche s'était emplie d'un goût âcre, tout se mit à tourner autour de moi. Je courus chercher une cuvette pour vomir.

Depuis quand n'avais-je pas vu mon sang ? Un mois, peut-être deux. Je m'étais vaguement attendue à cette éventualité, mais sa venue me sidéra. Un enfant. L'anxiété m'envahit. Et si Pietro… Je ne voulais même pas me formuler clairement cette question.

Ma mère avait-elle connu, elle aussi, ce flottement étrange de tout l'être, cette sensation de gonflement, non seulement du ventre mais dans la gorge et même derrière les yeux, au moment où l'on comprend? Elle était morte en couches, je l'avais entendue hurler dans un lit ensanglanté. J'avais douze ans, cela m'avait terrifiée. J'avais tout vu. Je haïssais mon père de l'avoir tuée, car il en était ainsi dans mon esprit, et j'étais devenue mutique, jusqu'à ce que l'affection de Paola et Graziela finisse graduellement par m'aider à surmonter ce choc et finalement revivre.

Il ne fallait plus y penser. Je voulais un enfant, et je voulais que Pietro le désire lui aussi. Je ne voulais pas le prévenir tout de suite, il me fallait attendre d'être sûre.

Cela se reproduisit chaque matin, ces nausées provoquées par la térébenthine, et même par l'huile de lin. Je n'arrivais plus à fabriquer mes couleurs. Le soir, en revanche, je me sentais bien. Quinze jours plus tard, je commençai à me sentir alourdie, et mes seins devinrent plus sensibles. C'était donc bien cela.

Il fallait agir. Je lavai mon visage, m'habillai, coiffai mes cheveux en un chignon que je fixai, en ce jour crucial, avec le peigne d'or et de cornaline de ma mère. Je roulai trois de mes toiles, ma *Suzanne,* ma *Judith* et une *Joueuse de luth,* et nouai ce rouleau d'un ruban. J'ignorais dans combien de temps mon ventre allait grossir, et je ne pouvais me présenter au monde comme une femme peintre sur le point de devenir mère, cela n'eût provoqué que moqueries et incompréhension. Je voulais présenter à l'Académie quatre tableaux achevés, et bien que j'eusse terminé ma *Judith,* je n'avais pas d'autre travail important à montrer. J'avais bien réalisé quelques études, mais elles manquaient de personnalité car elles n'avaient pas été faites d'après nature.

— Que je sois prête ou non, c'est maintenant que je dois y aller, avais-je dit à Pietro.

Il savait pourquoi je préparais mon rouleau. L'Académie. Nous en avions parlé, mais j'étais restée réservée sur ce sujet, n'osant pas m'ouvrir à lui de mes espoirs.

— Pourquoi maintenant?

— Il y a une raison. Je te la dirai demain, c'est promis.

Il me jeta un regard lourd que je ne pus déchiffrer. J'ouvris la porte, encore incertaine du bien-fondé de ma démarche.

— Dis-le-moi tout de suite.

Si je le faisais, peut-être ne me laisserait-il pas y aller. Je voulais que les deux événements, l'Académie et le bébé, restent bien distincts dans son esprit. Il me fallut donc l'amadouer. Je posai mon rouleau par terre près de la porte et me penchai vers lui, entortillant mes doigts dans ses boucles dans une caresse qu'il aimait. L'embrassant près de l'oreille, je murmurai : « C'est une surprise. Une surprise pour toi. » Il chercha malicieusement à m'attirer à lui, mais je me dégageai prestement, empoignai mes toiles et m'esquivai.

Arrivée en bas, à la grille, je cherchai des yeux quelque présage favorable. Les géraniums s'étaient couverts de fleurs éclatantes. Un couple de passereaux gazouillant dans le figuier m'encouragea. Les cloches de Santa Croce firent de même. Le ciel était d'azur pâle, lisse et doux comme de la soie filée. L'air lui-même semblait doré, gorgé de soleil. Toute la nature paraissait porteuse de bénédictions.

Mon rouleau sous le bras et un enfant dans mon sein, je m'élançai dans les rues encombrées de commis boulangers qui portaient en équilibre sur la tête des plateaux de pains, de carrioles pleines de figues, de raisins et de melons, de crieurs vantant leurs couteaux et leurs ustensiles de cuisine. Je m'emplissais de la rumeur de la ville : le claquement des fouets, le vacarme des roues sur les pavés inégaux. C'était ma ville, à présent. La cité de Masaccio et de Fra Angelico, celle de Michel-Ange et celle d'Artemisia Gentileschi. J'envisageai de reprendre un nom de famille ancestral, Lomi... Artemisia Lomi.

Le regard que m'avait lancé Pietro me hantait de plus en plus à mesure que j'approchai de l'Académie des Beaux-Arts et du Dessin, logée au Borgo Pinti, dans le vieux monastère cistercien. On me fit attendre dans une antichambre peuplée de représentations de saint Luc, patron des artistes. Quoique désireuse de les étudier, je ne pus fixer mon attention. J'étais enfin arrivée à mon but et la peur me donnait alternativement des sueurs froides et des bouffées de chaleur. Pour la première fois de ma vie, j'allais montrer mon travail à des gens importants, des étrangers auprès de qui je ne jouissais pas, comme naguère, de la caution paternelle. J'étais seule ; il me faudrait me présenter moi-même. Je me répétai mentalement ce que je me proposais de leur dire.

Un fonctionnaire gras au visage lunaire vint à moi. Il ne portait qu'un gilet damassé vert, sans pourpoint, comme s'il avait été chez lui.

— Oui, *signorina*?

— Je viens de Rome. Mon nom est Artemisia Gentileschi, je suis la fille d'Orazio Gentileschi. Si ce n'est pas abuser de votre bonté, je voudrais vous montrer des peintures.

— Ah, oui. Le *signor* Gentileschi. Il me revient qu'il était l'ami de Michelangelo le Caravage.

— C'est vrai. Je l'ai moi-même connu avant sa mort.

— Une mort assez mystérieuse, dirais-je. On s'accorde à dire qu'il a été tué en fuyant une rixe après avoir poignardé quelqu'un, à cause d'une prostituée. Toujours botté, portant éperons, poignard et l'épée à la main comme un brigand. Toujours sur le point d'être jeté en prison ou d'en sortir pour s'être battu contre le guet, ou pour avoir insulté un garde pontifical. Vous dites que vous l'avez bien connu ?

— Non, pas ce qui s'appelle bien, *signore*, j'étais enfant. Mon père…

Je passai mon rouleau d'un bras sous l'autre pour ramener la conversation à la peinture.

— Votre père vous envoie pour présenter ses tableaux ? Pourquoi ne vient-il pas lui-même ?

— Non, *signore*, ce n'est pas sa peinture, c'est la mienne. Je suis peintre, moi aussi.

Son front se plissa désagréablement. Il hocha la tête sans aménité et je déroulai mes toiles sur une longue table au plateau inclinable, les disposant bien à plat. Il donna une pente au plateau de la table et recula pour mieux voir, sans faire de commentaires. Un tic prononcé lui faisait tordre le cou, ce que je m'efforçai de ne pas voir, par politesse. Il examina mes mains.

— Un moment.

Je m'assis et attendis qu'il revînt, escorté d'un homme assez maigre portant une barbe claire taillée au carré. Ils chuchotèrent devant moi, grossièreté qui me choqua. De ses yeux inexpressifs couleur de coquille d'escargot, l'homme maigre regardait mes doigts sans en avoir l'air. J'imposai à mes mains de ne pas bouger. Alors, ce devait donc être toujours ainsi, où que j'aille ? Ils savaient, tous. Le milieu de l'art et des artistes était un microcosme. Cela me confortait dans mon projet d'obtenir une commande avant que ma grossesse ne devienne évidente. Cette circonstance ne pouvait que confirmer leur préjugé, et le mot de « putain » dont on m'insultait à Rome me suivrait jusqu'ici. Je croisai les mains dans mon giron.

L'homme maigre me dit :

— Je suis le *signor* Bandinelli, commissaire de cette académie. Mon intendant m'apprend que vous nous avez apporté ces tableaux. Dans quel but ?

Je me levai.

— Eh bien, dans le but de m'y faire admettre, naturellement.

— Sont-ils de vous ? Entièrement exécutés par vous-même ?

— Oui, *signore.*

Il se retourna pour les étudier. Un moment passa, il s'éclaircit la gorge.

— La plupart des femmes peintres qui aspirent à la reconnaissance de leur talent ont l'esprit de se borner à copier l'art des grands maîtres sans y rien changer, et de s'en tenir là. Votre aspiration à une telle singularité d'expression (il désigna ma *Judith*), à des *invenzione* de cet acabit est de nature à déprécier votre douteux travail, ainsi que la hardiesse intempestive que vous mettez, vous, une femme, à postuler l'agrément de notre Académie.

— Mais à quoi bon refaire ce que d'autres ont fait ? demandai-je.

— La question n'est pas là, *signorina*, elle est que votre audace d'expression, appliquée à des sujets religieux, ne peut que nuire à leur contenu spirituel.

Graziela avait dit : « Regardez les gens bien en face et ne montrez nulle crainte. »

— Il se pourrait que le propos de l'art ne se limite pas seulement à célébrer des moments d'effusion spirituelle.

Où trouvais-je ainsi le courage de le contredire ? J'eus la présence d'esprit de sourire avec douceur.

Bandinelli prenait son temps, examinant Judith et Abra, sa servante. Il devait se rendre à l'évidence : ce n'étaient pas de faibles femmes animées par la seule intervention divine. Il était bien obligé de reconnaître la vigueur de leurs bras, leur détermination, le mouvement d'Abra clouant Holopherne sur place et celui de Judith le tirant par les cheveux. À en juger par la réaction première de Pietro, je savais que ce spectacle était de nature à indisposer la plupart des hommes.

— Elle est donc là, l'influence du Caravage ? Dans les ombres accusées du visage ? demanda l'intendant.

— Oui, il s'agit d'un effet dramatique, qui doit faire ressortir le côté d'où vient la lumière. Et aussi suggérer l'aspect furtif du crime.

Je m'en voulus un bref instant d'avoir à leur expliquer ce qui eût dû être évident.

Ils passèrent sur ma *Joueuse de luth* sans rien en dire et se gobergèrent de la nudité de Suzanne avec le même voyeurisme salace que les vieillards de la scène, émoustillés, sans doute, de savoir qu'elle était l'œuvre d'une femme à la réputation ternie. Le *signor* Bandinelli fronça les sourcils comme pour cerner une pensée fugitive. Mon tableau le désarçonnait. Je n'avais pas mis l'accent, comme tous les autres peintres l'avaient fait, sur les vieillards libidineux la surprenant au bain en se félicitant de l'avoir bientôt, tandis qu'elle-même, passive, attendait un sort inévitable. Il se refusait à admettre que le vrai sujet du tableau fût l'angoisse de la jeune fille.

— Pour une femme peintre, il est inconvenant et même dangereux de se livrer à de telles excentricités dans l'interprétation, dit le *signor* Bandinelli, se tournant vers l'homme à face de lune afin de recueillir son approbation.

— Le danger ne m'est pas inconnu, *signore*, dis-je, prenant l'intendant de court.

Je leur fis un signe de tête auquel ils répondirent de même, ce qui m'incita à rouler mes toiles. Je restai un instant immobile afin de leur laisser une dernière chance de m'encourager, si peu que ce fût.

Ils se contentèrent de me regarder sans aucune expression.

— Nous nous reverrons sans doute, leur dis-je, et mon cœur battait la chamade tandis que je me dirigeais vers la sortie.

8
Palmira

À mon entrée, Pietro leva les yeux de son ouvrage, et posa lentement son fusain. Je laissai choir mon rouleau de toiles et le repoussai du pied le long du mur. Réfugiée dans la cuisine, je fixai d'un regard vide un quignon de pain qui traînait, reste du repas matinal. Il s'approcha derrière moi, mit ses mains sur mes épaules et les tapota gentiment, comme on calme un enfant qui boude. Je déchirai le quignon de pain en deux.

— Qu'espérais-tu ? Tu n'as encore trouvé aucun protecteur à Florence, et jamais l'Académie n'a admis de femme en son sein.

Je me retournai vivement pour lui faire face.

— Et pourquoi ne le feraient-ils pas ? Il n'y a pas de loi qui l'interdise.

Son sourire ironique et biaisé me donna l'impression d'être une idiote. Une femme mariée peintre, en voilà une nouveauté ! Quelle drôle d'histoire. Quelle bouffonnerie. Elle a cru que l'Académie voudrait bien d'elle. Femme inconséquente ! Il allait en faire des gorges chaudes avec ses amis, à la taverne, et ils riraient ensemble en évoquant ce vieil adage : « Une femme, c'est comme des œufs. Plus c'est battu, meilleur ça devient. »

Je préparai un semblant de souper et m'en fus me coucher dans un silence hostile.

§

Le lendemain matin, m'éveillant d'un sommeil agité, je restai au lit à ruminer ce qui s'était passé à l'Académie, essayant de comprendre à quel moment j'avais trop ou mal parlé. « Une femme peintre... » « Sont-ils de vous ?

Entièrement exécutés par vous-même ? » Comme si c'était mon père qui m'avait tenu la main tandis que je prenais les pinceaux. La déception me rendait vaguement nauséeuse, et l'évidence me rattrapa : le bébé. Une chaleur m'envahit, dissipant le malaise ; un espoir joyeux, nouveau, encore inconnu. C'est donc cela, l'éveil de l'instinct maternel ? Je ne l'avais jamais pressenti auparavant. Jamais je n'avais éprouvé ce désir d'enfant qui taraude tant de femmes, mais maintenant que l'enfant était là pour de bon, j'espérais anxieusement que Pietro allait partager ma joie.

Quand il s'éveilla, je pris sa main, la posai sur mon ventre et lui dis doucement :

— Imaginons un fils, qui apprendrait le métier de peintre non seulement de son père, mais aussi de sa mère, de ses deux parents...

Il s'assit d'un bond.

— Alors c'est ça, la surprise ?

— Mmm... il se pourrait, oui. Cela ferait un genre de famille inédit à Florence.

— Tu attends un bébé ? Pour quand ? C'est pour bientôt ? Un fils ! Je vais avoir un fils bien à moi !

— Dans six mois, je pense.

— Il faut que je m'y prépare.

— C'est un peu tôt, dis-je en riant.

— Nous l'appellerons Pietro Giovanni Andrea Filippo Leonardo Michelangelo Stiattesi. Un beau nom pour un sacré gaillard !

Ma déception académique céda devant son enthousiasme. J'étais soulagée.

§

Je me sentais nimbée d'une aura mystérieuse. Il me fallait, pendant les six mois où cela était encore possible, travailler avant tout à ma peinture. Mais l'essence de térébenthine me rendait malade et certains jours, je ne pouvais rien faire. Malgré ma volonté de ne pas trop m'en formaliser, cela me parut constituer un fâcheux présage : la maternité contre la peinture. Pietro emporta son travail en cours, ses couleurs et ses brosses à l'atelier d'un ami, afin de m'épargner les odeurs de solvant.

Un jour, après son départ, je m'avisai de me couvrir le nez et la bouche d'une étoffe nouée en foulard. Il me trouva en cet appareil à son retour.

— Enlève ça, dit-il brutalement.

Il ne voulait même pas me regarder. Je ne comprenais pas en quoi ce foulard pouvait le gêner, mais son expression sinistre me dissuada de le lui demander. Peut-être ne voulait-il plus que je peigne ? Je posai ma palette, mes pinceaux et mes solvants dehors sur le balcon et me défis du foulard.

— Je ne veux plus jamais te revoir comme ça.

Dans la cuisine, m'activant à la préparation du repas du soir, je cuisinai des pâtes aux aubergines et des pois gourmands à l'huile. Mais je n'avais pas le cœur à manger.

Je disposai les coussins du banc de pose commodément pour m'y étendre, la main sur le ventre, dans l'espoir d'y surprendre un tressaillement. Nous gardâmes le silence tandis qu'il mangeait.

— J'ai tant besoin de peindre, fis-je doucement.

Il laissa choir bruyamment sa cuiller sur la table.

— Quand j'étais enfant, ma mère, ainsi que toutes les femmes qui ne pouvaient quitter la ville, mettait une étoffe nouée de cette manière dès les premières alarmes de peste. La dernière fois que je l'ai vue, elle portait ce foulard, et elle m'a embrassé à travers le tissu quand mon oncle nous a emmenés, Giovanni et moi.

Je manquai de m'étrangler avec ma salive.

— J'ignorais cela.

Une goutte de sueur dégringola de ma tempe.

— Comme je regrette ! Je ne le ferai plus.

Il s'approcha du banc, vint à moi et me prit la main.

— Cela m'a péniblement impressionné. Mais je n'ai jamais voulu dire…

— N'en parlons plus. J'ai trop mal au dos, de toute façon, pour me tenir devant mon chevalet.

Le jour suivant, je me mis à dessiner au lit, équilibrant mon carnet à dessin sur mon abdomen, prenant pour sujet le tableau de Pietro qui me faisait face sur le mur. Quand il rentra, il portait dans ses bras un berceau de bois garni d'une couverture matelassée. Il le posa près de moi, s'assit sur le lit et se mit à le faire osciller. Ses deux trouvailles étaient de seconde main, cela se voyait, mais pour moi, elles annonçaient le bonheur.

— Qu'est-ce qu'il y a, dans le berceau ?

Un pot en terre bouché de liège dépassait des plis de la couverture.

— Devine !

Il sourit et me le tendit. Je le secouai doucement.

— Ne fais pas ça ! Si le couvercle allait s'ouvrir !

— C'est quelque chose qui se mange ?

— Non.

— C'est quelque chose à manger pour le bébé ?

— Non. Ouvre-le.

Je retirai le couvercle de liège. Une fine poudre jaune emplissait le récipient.

— Ça sent une odeur de fleurs. C'est pour le bébé ?

Il se leva et se pencha en avant de manière à faire saillir ses fesses, qu'il me désigna. Cette pantomime était si drôle que, malgré mon dos douloureux, j'éclatai de rire.

— Quand son petit derrière sera irrité, tu le lui frotteras d'huile d'olive en mettant de cette poudre, m'enseigna-t-il, joignant le geste à la parole, saupoudrant dans le vide.

— Où as-tu trouvé cela ?

— Chez l'apothicaire. Franco nomme cela du « diapasme ».

— Qui t'a rendu si savant ?

— Non, pas savant. Juste intelligent.

Il redressa fièrement la tête. Ce savoir que lui possédait et non moi me laissa rêveuse.

§

— Comme je voudrais être capable d'autre chose que de rester au lit !

À la recherche d'une position moins inconfortable, je roulai sur le côté, mais sans succès. Pietro changeait régulièrement les tableaux suspendus en face de moi afin que je puisse continuer à m'occuper, mais le dessin me fatiguait, et je n'avais fait, ces derniers jours, que tenter d'alléger mon inconfort.

— Quand le bébé sera là, tu seras si occupée que tu apprécieras de pouvoir de temps en temps passer une journée au lit.

Mon terme était tout proche. L'affaire de quelques heures, peut-être. La peur remontait le long de mon corps, venait me serrer le ventre, et il me fallait tout mon courage pour la repousser. Pietro, les épaules basses, tournait comme un ours en cage.

— Arrête de t'agiter !

Je lui tendis une main qu'il vint saisir en se baissant, à cause du plafond mansardé. Il me fallait le regarder, contempler son visage une dernière fois, si mon sort devait être de mourir. Il m'avait déjà demandé cinq fois : « Veux-tu que je l'envoie chercher ? — Non. » Il parlait de la sage-femme. Le garçon des voisins attendait dans la cour qu'on l'envoie.

— Peut-être que debout, je me sentirais moins mal.

Il m'aida à me relever et me fit lentement déambuler dans la grande salle. Une douche inopinée de liquide tiède me dégringola le long des jambes. Humiliée, je regagnai ma couche. Un moment plus tard, une main de fer m'agrippa les entrailles à les déchirer. Je gémis jusqu'à ce que la contraction s'apaise.

Agenouillé à mon côté, Pietro me bassinait le front avec un linge mouillé.

— Comme tu es courageuse, *amore.*

— Non, je ne suis pas courageuse !

Il m'avait mise en colère. Que croyait-il ? Que c'est facile, le courage ?

— Ce n'est pas que je sois courageuse, c'est que je n'ai pas le choix.

— Alors, disons que tu prends courageusement le fait de ne pas avoir le choix.

Il eut un pâle sourire dans lequel je vis passer toute sa tendresse.

— Je veux le mettre au monde, cet enfant, Pietro.

La main de fer m'agrippa, me tordit, puis lâcha prise, plusieurs fois de suite pendant une heure. Après quoi une douleur terrifiante m'emporta, en comparaison de laquelle les premières me parurent bénignes. Je me raidis. Une autre suivit, plus atroce encore, et je hurlai :

— Maintenant ! Va la chercher !

Dans sa précipitation, il vint donner du front rudement contre la poutre, se précipita dans l'escalier et cria un ordre au garçon. Le temps qu'il revienne, la main de fer ne m'avait pas lâchée. La panique me dominait. Je murmurai, haletante :

— Si je devais perdre tout mon sang... comme maman... que ce soit un garçon ou une fille... Père m'avait enseigné le nom des couleurs au berceau. Rouge... ah ! le rouge... Le rouge de laque... Le rouge vénitien, le pourpre. Le rouge garance, qui vient d'une plante, papa me l'a appris. Et le vermillon, celui du cinabre espagnol... Le rouge de Pouzzoles, qui vient d'un volcan près de Naples. Le rouge Titien... Si... si je ne suis plus là pour le faire, apprends à notre enfant, garçon ou fille, apprends-lui tout cela, Pietro.

Il me prit la main.

— C'est toi qui vas le lui apprendre, j'en suis sûr.

— Si je meurs, si je meurs, Pietro, donne mes tableaux à mon père. Et puis non, pas à lui. À ma mère. Non, que dis-je... À Grazie... Aah !... à Graziela...

— Ne parle pas.

— Un à Graziela, un à Paola, les autres pour toi.

La sage-femme et son aide arrivèrent, porteuses d'un siège d'accouchement au fond évidé, muni de poignées et de lanières. On eût dit un instrument de torture conçu par l'Inquisition. Je fermai les yeux.

— Laissez-nous, maintenant, *signore*, dit la sage-femme. Allez plutôt allumer le feu.

Je hurlai, pleurai, et poussai.

— Non, ne poussez pas, m'ordonna la matrone. Il n'est pas temps encore, et de beaucoup.

Durant plusieurs heures, je fus docile à leurs injonctions, m'efforçant de ne pas pousser, les suppliant de me laisser, me reposant à de rares intervalles. Encore et encore... Où Pietro était-il passé ? Mais je ne m'en souciais plus. Je m'entendais crier sous l'emprise de la douleur. N'aurait-elle donc jamais de fin ?

— Faites que ça s'arrête ! Donnez-moi quelque chose, je sais que vous le pouvez.

— Non, ma fille. Tu es née pour connaître les douleurs de l'enfantement, comme toutes les femmes depuis Ève. C'est comme ça.

— Non ! Moi, je suis née pour peindre !

Encore une douleur, la plus longue, la plus cruelle. La sage-femme m'installa sur la chaise.

— Voilà que ça vient ! Poussez, maintenant !

Je ne fus plus qu'effort et déchirement d'expulsion. Il me semblait que tout mon corps se propulsait vers le bas. J'entendis hurler des animaux sauvages, et c'était moi. Puis, plus rien. Dormir, je ne voulus plus que dormir.

Je m'éveillai dans mon lit. Comment y étais-je arrivée ? Des vagues de souffrance physique me traversaient, lacérant mon ventre au passage, mais je la tenais contre moi. Elle, ma fille. Quelle est la nuance de son teint ? Un pastel chaud un peu soutenu. Un petit visage gros comme le poing. Une charmante petite oreille translucide, comme un modèle en cire exécuté à la perfection. Et Pietro, qui était là, à genoux à mon chevet. Il me susurrait *« che amore di bambina »*. Pietro, avec son énorme bosse violacée sur le front.

Nous lui donnâmes pour noms Palmira Prudenzia : Palmira comme la mère de Pietro, Prudenzia comme la mienne. Il n'avait pas du tout l'air déçu d'avoir une fille et non un garçon. Moi, j'étais parfaitement heureuse. Une fille. Une merveille, un miracle. Plus tard, quelle belle femme elle allait devenir ! Je vivais déjà intensément sa présence, mon petit gage d'amour. Pietro m'embrassa sur l'oreille.

— Elle est née pour habiter un palais, dit-il. Regarde sa peau, elle est délicatement veinée de bleu, comme le marbre du palais Pitti.

§

Quelque temps plus tard, j'écrivis à mon père.

Tu es grand-père. Elle se nomme Palmira Prudenzia. Ses lèvres ont la forme de l'arc de Cupidon, elle a un joli et fin menton pointu et une peau de satin. Si maman était encore de ce monde, elle ne manquerait pas de dire que c'est tout à fait moi au même âge.

À ce jour, son seul talent se borne à faire des bulles, mais qui sait ? Elle deviendra peut-être la plus illustre femme peintre de Florence. Te voilà patriarche, tu as inauguré une tradition de famille. Nous la mènerons voir les trésors artistiques d'ici, comme tu l'avais fait pour moi à Rome. Mais en tout cas, une chose est certaine : jamais son honneur ne sera bafoué sur la place publique, je m'en porte garante.

L'Académie n'a pas voulu de moi. Pas encore.

Je vais bien.

Ta fille, Artemisia

Il me répondit :

Chère Artemisia,

Le jour de ta naissance, je n'eus d'yeux que pour toi, tes petites mains émouvantes et fragiles. Il me souvient t'avoir observée pendant une heure, un jour que tu tentais de saisir un haricot de tes petits doigts roses. Si je me trouvais en ce moment à Florence, il en irait de même. Je chanterais pour l'égayer.

L'Académie est aussi traditionaliste que l'Église. Cela n'évolue jamais que d'un cheveu à la fois, mais un talent comme le tien ne peut manquer de s'imposer à eux. As-tu oublié la visite que tu devais faire à Michelangelo Buonarroti le Jeune ? Si tu l'avais vu, il n'aurait pas manqué de me le mander. Il habite via Ghibellina.

Apprends à Palmira le nom de son grand-père,

Orazio Gentileschi

Nous menâmes Palmira se faire baptiser le 25 mars, jour de l'an de l'ancien calendrier en vigueur à Florence, et jour où, traditionnellement, on menait tous les bébés nés dans l'année au Baptistère, face au Dôme. Une longue file de gens s'enroulait autour du bâtiment octogonal, des familles tenant dans les bras leurs nouveau-nés. Pietro haussait Palmira face aux magnifiques portes de Ghiberti, afin que leur travail de bronze doré pût s'imprimer dans son regard.

— D'après la tradition, Ghiberti a inscrit quelque part au-dessus des portes : « Regardez le merveilleux travail que j'ai produit. »

— Nous pourrions dire la même chose de Palmira, dis-je.

Pietro me sourit, les yeux emplis de fierté.

Sur les marches, une femme en haillons, pieds nus, échevelée, les yeux fous, sanglotait entre des *Ave Maria*. J'en avais déjà vu, de ces pénitentes florentines, mais aucune qui l'égalât dans son désespoir égaré.

— On la voit très souvent ici, ou à Santa Croce, ou à San Lorenzo, faisant ainsi publiquement repentance de quelque péché, m'expliqua Pietro.

Était-ce à cela qu'ils avaient voulu me réduire, avec leur procès ? J'en frémis rétrospectivement.

— Elle va même sur le Ponte Vecchio, poursuivit-il, partout où il y a du monde. Ce n'est pas de la vraie piété, elle se donne en spectacle, c'est tout. Si tu la regardes, elle va hurler de plus belle.

Je n'étais jamais entrée dans le Baptistère. La foule se pressait entre les portes de Pisano, à l'entrée sud. Pietro et moi nous tenions debout côte à côte, couple ordinaire parmi tant d'autres, qui venait présenter son enfant à Dieu. Autour de nous, une grande affluence se massait vers les fonts baptismaux. Des bébés criaient. Lorsque Palmira reçut le sacrement, nous ne faisions qu'un : père, mère, enfant.

Je pris le bras de Pietro et lui soufflai à l'oreille :

— Voilà. Elle a rejoint tous les grands artistes, les sculpteurs et les poètes de Florence qui ont été baptisés ici même. Dieu a béni leur œuvre.

L'espérance que je ressentais pour elle s'épancha dans les larmes. Les yeux brouillés, je regardai la mosaïque du Christ en majesté qui surplombait le maître-autel, et je me sentis rapetisser sous le jugement de son regard pénétrant. Sur sa droite, on voyait les justes accueillis au paradis, sur sa gauche, des démons dévorant les damnés. Les tourments de l'enfer étaient détaillés avec le même soin minutieux que les délices du paradis. La brillante mosaïque de verre présentait tout un arroi de supplices : bûchers, bastonnades, chaudrons bouillants, éviscérations, rendus dans toute la gamme des rouges, des bleus et des ors. J'abritai de la main le regard de Palmira afin de lui épargner ce spectacle, en un geste un peu superstitieux.

— De qui est le plafond ?

— Personne ne le sait, répondit Pietro.

Il datait d'un temps où des artistes anonymes travaillaient pour la plus grande gloire de Dieu. Tous ces gens, tous ces humains de chair et de sang, avec leurs peurs, leurs espoirs, qui furent sans doute pères de famille, c'était comme s'ils n'avaient jamais existé. De grands artistes, totalement tombés dans l'oubli. Ce puissant rappel du néant faillit engloutir toute la joie de cette journée. Plus personne ne savait leur nom.

❦

Palmira progressait en gazouillant dans son âge tendre, nichée au creux du berceau que nous poussions du pied tout en peignant. Ponctué par les tétées, le temps consacré au travail filait à toute allure, mais je me sentais sereine et joyeuse. Je pouvais rester des heures à regarder ses ravissantes petites lèvres souffler des bulles, ou ses ongles, minuscules écailles de cire, au lieu de me mettre à peindre : mon père me l'avait bien dit ! Parfois, lorsque j'étais absorbée dans un détail difficile à rendre exactement, un œil, une main ou un pied vu en perspective, ses pleurs me tiraient de ma concentration, et j'avais bien du mal, ensuite, à reprendre le fil de mon ouvrage. Dès qu'elle sut marcher à quatre pattes, elle essaya de manger du jaune de chrome à même une boîte que j'avais eu l'imprudence de laisser à sa portée, sur un tabouret bas.

— Regarde cet appétit pour la couleur, déjà ! dis-je à Pietro.

Palmira donnait à notre mariage une patine de banalité quotidienne.

Pietro nous fit poser toutes deux pour une *Madone à l'Enfant.* Il drapa autour de moi une mante qu'il avait empruntée je ne sais où, large étoffe de velours bleu bordée de vieux rose dans les plis de laquelle Palmira, au chaud dans mon giron, s'était endormie. Il me demanda de la regarder, ce que je ne me lassais pas de faire. « *Che bellina.* Mon enfant bénie », chantonnai-je. De temps en temps, je sentais ses petites jambes se détendre contre mon ventre. Cela dura des heures ; Pietro nous regardait intensément ; jamais je ne m'étais sentie si proche de l'amour.

Malgré cette félicité, je commençai à me lasser de tant d'immobilité. J'avais envie de bouger, je voulais à la fois tenir ma fille dans mes bras et être en train de la peindre. Ces innombrables femmes qui avaient posé pour des madones, des Ève, des Vénus, des Salomé et des Judith, que n'auraient-elles donné pour se retrouver devant le chevalet !

— As-tu déjà eu affaire à un modèle qui voulait être peintre ?

— Je ne me suis jamais occupé de ça.

— Cependant, il doit en exister dans la ville. Je me demande comment les rencontrer.

— Chut !

La séance de pose terminée, je posai Palmira dans son berceau pour aller regarder sa toile. J'en fus saisie : mon visage était bien trop ovalisé, mon cou beaucoup trop mince, mes doigts trop longs et fins.

— Mais ce n'est pas moi du tout ! Ton talent n'est pas en cause, bien sûr, tu es un trop bon peintre. C'est que tu l'as fait exprès.

Il étudia son travail et rougit.

— Qu'est-ce que je suis ? Une simple armature sur laquelle on dispose un tissu et qui accroche la lumière ? La seule chose que tu as observée, c'est le drapé. Pourquoi, Pietro ?

Il s'activait, nettoyait sa palette pour ne pas me regarder.

— J'ai mes raisons.

— Quelles sont-elles ?

Il réfléchit un instant, posa sa palette et se dirigea vers la porte. Je m'élançai pour lui couper la retraite.

— Dis-le-moi !

— Es-tu bien sûre de vouloir le savoir ?

— Oui.

Il avait l'air gêné, malheureux.

— Don Carlo te connaît. Tu l'as rencontré une fois, t'en souviens-tu ? Il se souvient de toi. Il sait ce qui est arrivé à Rome.

— Et alors ?

— Et alors, il s'agit de ta réputation. Je ne peux pas prendre une femme déchue comme modèle pour une madone.

— Déchue ? Pietro, tu ne le penses pas vraiment ?

— Moi, non, bien sûr. Mais peu importe mon opinion, dit-il doucement. Don Carlo... Le tableau risquerait d'être refusé, dénigré.

J'eus une faiblesse et dus m'appuyer à la table, lui tournant le dos. Il vint poser ses mains sur mes épaules.

— Je ne voulais pas te le dire.

J'eus un hochement de tête.

— Alors, cette histoire va me suivre toute ma vie ?

Je lui fis face, je me sentais meurtrie, mais non pas de son fait. Il attira ma tête sur son épaule.

— Un de ces jours, je vais te peindre dans une robe tissée d'or, et tout le monde te reconnaîtra. Ce sera si beau que je ne le vendrai à personne. Même pas à Côme de Médicis. Même pas... (il leva les bras au ciel) au pape !

Sa verve truculente me fit rire. Peindre pour nous-mêmes ? Quelle sotte idée, alors que nous avions tant de travail à accomplir.

— On continue demain, non ?

Je ne voulais pas qu'il trouve un autre modèle et qu'il ait pour elle les mêmes yeux que pour moi. Qui savait où cela pourrait mener ? Il ne savait que trop combien les femmes de Florence étaient belles.

Le jour suivant, et aussi longtemps qu'il eut besoin d'un portemanteau pour y draper l'étole bleue, je posai immobile et en silence, pour qu'il m'aime.

Le tableau se vendit un bon prix, et nous en fûmes contents. Lorsque nous allions visiter des églises, c'est lui qui tenait Palmira, et je lui donnais le bras. Aux Offices, que l'on avait récemment décidé d'ouvrir aux artistes un jour par semaine, Botticelli faisait pleuvoir sur nous toutes les douceurs de la vie. Dans sa *Vénus* à la coquille, je voyais notre fille devenue une jeune femme accomplie et ravissante, innocente de sa propre beauté. Devant le *Printemps,* Palmira tendait sa petite main potelée vers le manteau fleuri de Flore, qui la fascinait.

— Est-il possible qu'elle discerne un personnage préféré parmi tous ceux du tableau ? C'est encore un bébé !

— Plus pour longtemps. Bientôt, elle va exiger qu'on lui fasse de jolies robes, dit Pietro.

Les êtres développent-ils leurs virtualités propres si jeunes ? Michel-Ange enfant avait-il été touché par le *David* juvénile de Donatello ? Sa petite main se tendait-elle vers chaque niche abritant une sculpture, lui qui était destiné à manier le ciseau et le maillet ? Je ne me souvenais plus si j'étais bien jeune encore quand mon père m'avait montré mes premiers tableaux à Rome. Avais-je eu pour toutes ces formes et ces couleurs un regard avide ?

Pietro et moi avions pris l'habitude de peindre côte à côte, Palmira rampant entre les pieds de nos chevalets. Un jour, alors qu'elle faisait ses premiers pas, elle tomba et trébucha sur celui de Pietro, qui s'écroula sur elle.

— Allons, Palmira, allons, ce n'est pas grave. Maman est là, papa aussi.

Je tins contre mon sein ce petit corps secoué de sanglots, me sentant quelque peu impuissante. Pietro la remit sur ses pieds nus.

Le lendemain, il imagina et construisit un dispositif de sécurité pour l'enfant. Une longue perche tournant sur elle-même allait du sol au plafond, supportant une barre perpendiculaire fixée à la hauteur de la taille de Palmira. Nous l'attachâmes à la barre, et l'enfant put ainsi trottiner en rond et rester près de nous sans nous gêner lorsque nous étions à travailler. Je fus si touchée de son idée que j'écrivis cela à Graziela et Paola. Ce geste, je le comprenais comme la licence qu'il me donnait d'être à la fois peintre et mère. Combien d'épouses pouvaient créditer leur époux d'une telle générosité ?

9

L'*Inclinazione*

Je finis par accumuler assez de travaux et de confiance en moi pour aller voir Michelangelo Buonarroti le Jeune. Ne me sentant pas capable d'écrire une lettre d'un assez beau style, je demandai à Pietro de l'écrire pour moi, rappelant à Buonarroti la missive de mon père et lui demandant une entrevue.

— Ton père le connaît-il ?

— Oui, depuis longtemps.

— Eh bien, non.

— Pietro, s'il te plaît. Je ne sais pas écrire dans le beau langage qui convient. Dis-moi juste quoi mettre, je signerai « Artemisia Gentileschi, épouse du peintre Pierantonio Stiattesi ». Comme cela, il connaîtra ton nom également.

Il se laissa fléchir. Je taillai une plume et écrivis sous sa dictée, le priant d'aller plus lentement pour me laisser le temps de calligraphier chaque lettre.

La réponse me parvint sans tarder, m'invitant à l'aller voir dans sa demeure de la via Ghibellina. Pietro la lut, haussa le sourcil mais ne dit rien. J'y fus seule, trébuchai sur un pavé déplacé, me vis aspergée de boue par une carriole, et parvins, anxieuse et hors d'haleine, jusqu'à une porte d'apparence banale, dans une rue étroite. Un jeune serviteur me mena au premier étage, puis, par une petite antichambre nue, dans une salle d'apparat rectangulaire au plafond à caissons. Un homme vêtu d'un *lucco* vert sans manches transférait une liasse de papiers d'un haut cabinet à usage de bureau sur une grande table qui occupait le centre de la pièce. Le garçon m'annonça.

— Ah, *signora,* je vous attendais, dit-il d'une voix douce sourdant de sous une grosse moustache.

— Je vous prie de m'excuser, Votre Seigneurie, je me suis perdue en chemin.

— Mais non, je voulais juste dire que je vous attendais depuis que votre père m'avait écrit. Que n'êtes-vous venue directement dès votre arrivée à Florence ?

— Je ne savais pas que tel était votre désir.

— Peu importe. Montrez-moi ce que vous m'avez apporté.

Il me fit de la place sur la table parmi les livres et les cartons à dessin, sur le bois ciré bordé d'une marqueterie de marbre. Je disposai mes dernières études et quelques dessins. Il les examina avec soin, caressant sa barbe en pointe et murmurant des choses indistinctes, qui me semblaient être de bon augure. Nous fixâmes la *Judith* et la *Suzanne* sur des tables à dessin. Il redressa le plateau des tables, recula de quelques pas, et je laissai les toiles se dérouler. Une expression de surprise amusée le saisit.

— C'est bien ainsi que votre père m'avait dit.

J'osai lui demander :

— Vous plaisent-ils, *signore*?

Il eut un petit rire et me regarda gentiment, une tendresse irradiant de sa grosse barbe.

— Votre Suzanne est faite de chair véritable. Les lignes du cou, ce réseau de plis à l'aisselle, le bourrelet de chair au bas-ventre… Aucun homme n'aurait songé à peindre ces détails. Et cette Judith, quelle composition élaborée, et pourtant criante de vérité, comme si vous aviez vécu cette scène. La vision que vous donnez d'elle va changer la manière dont le monde comprend son histoire.

Mon cœur battait si fort que je croyais l'entendre.

— Merci, Votre Seigneurie…

— J'ai en ce moment le projet de transformer l'étage où nous sommes en mémorial dédié à mon grand-oncle, *Il Divino.* Cette salle montrera des évocations de son génie et de ses vertus. Je compte avoir la collaboration de nombreux artistes. Tous les caissons de ce plafond vont recevoir des peintures.

Levant le nez, je vis de profonds coffrages séparés par d'épaisses moulures décorées d'or sur fond blanc.

— Puis-je vous commander un panneau à maroufler ? me demanda-t-il.

Inclinant la tête, je lui fis une courte révérence, le plus gracieusement que je pus.

— C'était là mon plus grand espoir.

— Une figure de femme. Un nu. Je veux une allégorie : l'*Inclinazione,* c'est-à-dire le talent inné. Un don que vous avez en commun avec lui, *Il Divino.*

Je ne pus commander à mon visage l'air de modestie qui seul eût convenu devant un tel hommage.

Il me sourit paternellement et regarda mieux ma *Suzanne.*

— Votre contribution sera le seul nu féminin de cette salle. Il m'apparaît clairement que c'est là votre talent particulier, et ce sera votre privilège ès qualités. L'Académie proscrit la peinture de nu d'après modèle. Les peintres se voient contraints de recréer des figures de femmes à partir des jeunes garçons qu'ils font poser, et on ne peut se fier entièrement à leur imagination. Chacun de leurs tableaux ne peut représenter qu'une image de l'idéal. Le réalisme, qui est votre touche personnelle, leur reste inaccessible.

Ses yeux se plissèrent malicieusement à la pensée qu'il allait bientôt posséder une pièce unique.

Il ouvrit un exemplaire de l'*Iconologia* de Cesare Ripa, exactement comme mon père en aurait eu l'idée, et nous y trouvâmes l'*Inclinazione,* boussole en main, le chef surmonté de l'étoile qui la guide.

— Faites-la se détacher sur un ciel bleu assez dense. Donnez-lui de la fierté. Vous prendrez un modèle que vous choisirez, et une avance confortable pour les fournitures. J'en serai content, je le sais.

— Je vais commencer demain, en y mettant tout mon cœur.

❧

Ma première commande ! J'avais envie de sauter de joie et de l'envoyer dire à Rome. Je me demandai un instant si la lettre d'introduction de mon père n'y était pas pour quelque chose, mais ce doute ne dura pas. Portée par l'exaltation et l'optimisme, je me jetai à corps perdu dans les premières esquisses dès mon retour. Du fond de la pièce, les bras croisés, Pietro me regardait sans rien dire.

Je ne lui soufflai mot de ce que Buonarroti m'avait dit de mon talent inné.

— Où pourrais-je trouver un modèle féminin ?

— À l'Académie.

L'occasion me parut trop belle de leur montrer qu'un puissant personnage m'avait confié une commande, et que ces messieurs n'y étaient pour rien.

— J'irai demain.

— Qui va s'occuper de Palmira ? Je dois sortir travailler.

Sa voix était péremptoire.

— Je ne serai pas longtemps sortie.

— Je vais dessiner d'après sculpture aux Offices.

— Ils te laissent entrer ?

— Le portier est un ami. Il nous laissera entrer.

— Qui, nous ?

— Des amis à moi.

— Je ne puis emmener Palmira avec moi à l'Académie.

— Monte-la chez Fina.

Je voyais Fina tous les jours dans l'escalier ou au puits, et nous passions toujours un moment à causer, mais je n'étais jamais montée chez elle. Quand elle voyait Palmira, elle lui donnait de petits noms gentils, *Stella del mattino* si c'était le matin, ou *Diva del lungarno* quand l'enfant pleurait. Parfois, elle la caressait ou la chatouillait gentiment. La première fois que je lui avais mis Palmira dans les bras, son visage s'était illuminé de joie intérieure et elle avait susurré « *Fiore dolce* ».

Je courus chez elle. Fina avait laissé sa porte ouverte et chantait en lavant du linge. Sa belle voix de contralto me surprit. Manifestement, elle adorait chanter.

— N'est-ce pas un jour en tous points admirable, dit-elle, plus en manière d'affirmation que de question.

— Comment le savez-vous ? Vous n'êtes pas descendue.

— Le beau temps vient à vous si vous le laissez entrer. Toutes mes fenêtres sont ouvertes. Avez-vous entendu le chant de la grive ?

— Non, cela m'a échappé.

Fina portait le beau temps sur sa figure, et ses traits ordinaires, un peu bouffis, en devenaient plaisants.

— Vous entendre chanter ainsi, cela me rappelle ma mère. Elle chantait toujours à la maison. Et mon père aussi.

De rudes ballades d'aventuriers, des marches guerrières de condottieri et des chansons à boire. Mais ma mère chantait le répertoire des troubadours.

— Cela allège la vie, de chanter.

Ses appartements se réduisaient à une grande chambre sous les combles meublée d'un lit, d'une petite table, d'une malle, et d'un réchaud à huile. La pièce possédait une cheminée, un évier et un cuveau pour la lessive. Un seul meuble attirait le regard, une élégante chaise haute qui avait connu des jours meilleurs, dont l'assise et le dossier étaient recouverts d'un velours grenat clouté de cuivre et bordé de franges de soie élimées. Un vestige de temps plus fastes. Des vêtements étaient entassés çà et là.

— Tous ces vêtements sont-ils à vous ?

— Sainte Vierge, non ! Me prenez-vous pour une grande dame ? Ils appartiennent aux familles qui vivent en bas.

Je l'aidai à remuer avec une palette en bois le linge qu'elle arrosait d'eau chaude dans le cuveau.

— Vous lavez pour les autres ?

— Oui, et pour Pierantonio aussi, jusqu'à ce qu'il vous épouse.

— Depuis quand le connaissez-vous ?

— Depuis le ventre de sa mère.

J'étais curieuse de l'enfant qu'il avait été, et de toutes les anecdotes qu'elle pouvait raconter à son sujet, mais il me faudrait attendre de la connaître mieux.

Elle se pencha à la fenêtre pour tordre quelques vêtements propres et les étendre sur une corde tendue entre deux barres fichées dans la muraille.

— La *signora* Bruni, du rez-de-chaussée, ne veut pas que je les mette dans la cour, car elle reçoit des visites et craint que cela fasse mauvais effet, alors je les suspends au-dessus de la rue. Cette femme est bien bête, car de cette manière, toute la rue peut contempler son linge !

— J'ai un travail à vous demander, mais il ne s'agit pas de linge.

— Je ne sais pas faire grand-chose d'autre. Que voulez-vous que je fasse ?

— Voici. Je suis peintre moi aussi, et on vient de me donner une belle commande…

— Peintre ? Comme votre mari, alors ?
— Oui.
— Vous en vivez ?
— Oui.
— *Mamma mia,* je comprends que si ça rapporte, il vous laisse faire. Mais tout de même, une femme qui gagne de l'argent avec sa peinture, ça passe l'imagination. Vous êtes sûre qu'il ne s'agit pas de séances de pose ? Vous êtes belle, vous pourriez.
— Non, Fina. Je peins. Est-ce si inconcevable ?
Elle hocha la tête et avança sa lèvre inférieure vers le soupçon de moustache qui ombrait sa bouche.
— Je dois me rendre à l'Académie de dessin demain, et il ne veut pas se charger de Palmira en mon absence. Pourrais-je vous l'amener ?
— Ah, c'était donc ça, hein ! Mais bien sûr, amenez-la-moi. Vous savez que je l'adore, votre petite *principessa.*
— J'aurai sûrement à vous le redemander encore, Fina, si cela ne vous dérange pas. Je vous paierai, évidemment.

§

Le lendemain, l'intendant à face de lune de l'Académie me toisa, renifla et me dit :
— Que venez-vous faire ici ?
Je n'étais pas disposée à me laisser faire, cette fois-ci.
— Je souhaite savoir si vous avez des modèles femmes, Votre Seigneurie.
— Nous tenons une liste à l'intention des artistes qui en ont besoin.
Il sortit une liasse de papiers liée par une lanière de cuir et la dispersa sur le bureau.
— Vous pouvez y mettre votre nom.
Il poussa un encrier dans ma direction.
— À supposer que vous sachiez écrire.
Récure donc ton cerveau moisi, pensai-je.
— Comme Votre Seigneurie se le rappelle sûrement, je suis peintre. Je souhaite retenir un modèle pour une commande que le *signor* Buonarroti m'a confiée, une commande

pour son mémorial. Vous n'êtes pas sans en avoir entendu parler.

Il eut une moue désagréable et rafla prestement les papiers.

— Les modèles sont réservés aux membres de l'Académie.

— Le *signor* Buonarroti en est-il membre ?

— Bien entendu.

— C'est donc à son intention que je viens choisir un modèle.

Il renifla bruyamment.

— Consultez la liste, alors, répondit-il d'un ton désagréable.

Ne pas avoir l'air humble. Empêcher ma bouche de prendre cette expression molle que ma mère haïssait. Faire ce que j'ai à faire, remercier, et voilà tout.

Je copiai laborieusement une vingtaine de noms et d'adresses et retins le *messaggero* de l'Académie pour qu'il porte à chacune l'annonce que je choisirais un modèle chez moi le vendredi suivant.

Beaucoup de femmes passèrent à la maison ce jour-là tandis que Pietro était allé chez le barbier, puis dessiner aux Offices comme de coutume.

Je les fis se déshabiller l'une après l'autre, mais fus chaque fois déçue. J'aimais le visage de l'une, les seins et les épaules de telle autre, le torse et le ventre d'une troisième. Peut-être était-ce là la manière des hommes quand ils regardent les femmes dans la rue. Je fixai mon choix sur Vanna, une jolie femme blonde à la peau de miel, lisse et bien faite, avec juste la bonne nuance de force combinée à de la souplesse et à de la grâce. La seule chose qui me gênait chez elle était un tic de reniflement opiniâtre.

Je me sentais en veine d'optimisme et de générosité, si bien qu'il me vint une idée pour garder Pietro plus souvent à la maison qu'aux Offices et lui donner un avantage sur ses amis peintres de l'Académie.

— Mon mari, Pierantonio Siattesi, est un bon peintre. Cela vous ennuierait-il qu'il vous dessine lui aussi tandis que je ferai mes esquisses ? Vous dessiner nue, bien sûr.

Elle réfléchit un moment.

— Vous doublez le prix ?

— La moitié en plus.

— D'accord. Si c'est vous qui me dirigez et que vous restez dans la pièce.

— Bien entendu.

— Et pas un mot à l'Académie, ni l'un ni l'autre.

— C'est convenu.

Le matin suivant, Pietro et moi attendions assis derrière nos planches à dessin montées sur nos chevalets tandis que Vanna commençait un lent rituel de déshabillage, pliant soigneusement chaque vêtement l'un après l'autre. Elle évitait ostensiblement le regard de Pietro, mais une certaine langueur de ses gestes trahissait, de façon presque animale, la femelle consciente du regard d'un homme. Je lui donnai quelques indications à voix basse, elle prit la pose, et je me mis à travailler.

Pietro, lui, ne bougea pas. Mon regard allait de Vanna à mon dessin, mais depuis un assez long moment, je le savais immobile. Je tentai de lire, dans l'expression de Vanna, quel genre de regard Pietro avait pour elle. Ce que je déchiffrai chez elle, dans le port de tête, menton fièrement relevé mais regard baissé, c'était une certitude hautaine, l'orgueil de sa beauté. Je m'absorbai bientôt dans mon travail et le silence ne fut brisé que par le crissement de nos fusains sur le papier, les reniflements de Vanna et les raclements de gorge de Pietro. Au bout d'un moment, il éloigna son chevalet du mien afin de choisir un autre angle. C'était une bonne idée. Nous ne serions pas tentés de regarder le dessin l'un de l'autre.

Quand je mis fin à cette première séance de pose, Vanna laissa son regard couler sur Pietro et lui donna à voir son dos en se rhabillant. Elle reçut mon argent avec une dignité raide.

— Voulez-vous que je revienne demain ? dit-elle entre deux reniflements.

— Oui, tous les jours à partir de maintenant.

Ce soir-là, Pietro et moi étudiâmes nos esquisses. Il avait une main plus solide, plus sûre que la mienne, et il avait bien rendu la sensualité débordante du modèle, mais quelques détails, que j'avais notés, lui avaient échappé : l'attache haute du sein sous l'aisselle, les fossettes des mains.

— Ton tracé est plus affirmé que le mien, lui dis-je. Et tu as mieux réussi le raccourci du pied en perspective. Regarde ici, et là, et là encore. Pourquoi est-ce si difficile pour moi d'y parvenir ?

Il leva nonchalamment une épaule mais ne trouva rien à me dire.

§

Le matin suivant, Pietro ajusta sa planche à dessin sur son chevalet et y punaisa une feuille de papier. Lorsque Vanna entra, ils échangèrent un regard qui me mit sur des charbons ardents. Il sortit sans crier gare, prétextant avoir à faire ailleurs. Cela ne lui ressemblait pas de gâcher ainsi la chance d'une séance de travail.

Vanna se dévêtit.

— Non, pas aujourd'hui, c'est inutile. Retirez juste vos souliers et relevez le bas de votre jupe. Asseyez-vous sur cette table et laissez pendre vos pieds.

— Il ne veut pas que vous soyez peintre, dit Vanna.

— Qu'en savez-vous ?

Elle haussa les épaules.

— J'en suis sûre, c'est tout.

— On vous paie pour poser, pas pour exprimer vos certitudes.

Toute la journée, je travaillai le dessin des pieds et des chevilles, chassant toute autre pensée de mon esprit. Je dessinai des pieds vus des deux côtés, de trois quarts gauche, de trois quarts droite, de face, encore et encore, puis je peignis quelques petites études. J'en fus finalement contente, aussi donnai-je congé à Vanna pour ce jour-là.

Immédiatement après son départ, Pietro rentra, enthousiaste et tout animé. Il lança son pourpoint sur une chaise, m'attrapa par la taille et me fit danser autour de la pièce.

— J'ai une commande, j'ai une commande ! Je commence demain.

— *Buono*. Pour qui ?

— Une église, à Monte Uliveto.

Il se versa un verre de vin.

— Alors, tu ne pourras plus dessiner le modèle. Quel genre de travail est-ce ?

— Une fresque.

— Tu n'en as encore jamais fait.

— Si, lorsque j'étais apprenti.

— Murs ou plafond ?

Il s'assit, je le contournai afin de pouvoir lui masser les épaules.

— Un mur.

— C'est bien. Est-ce toi qui choisis ton sujet ?

— Non. C'est...

Il prit une gorgée de vin, jetant un coup d'œil à mes dessins de pieds.

— ... de la restauration de fresque.

Allait-il seulement y trouver son compte ? Je savais déjà, à voir la manière dont il arracha un quignon de pain et se mit à regarder des dessins, qu'il valait mieux ne pas poser de questions. Mais je me sentais vaguement mal à l'aise.

Dans les semaines qui suivirent, il ne partit jamais avant que Vanna ne fût arrivée. Ils échangeaient quelques mots, puis il passait la porte. Cette commande qui l'éloignait, peut-être était-ce une coïncidence, ou peut-être un geste élégant de sa part, destiné à me laisser les coudées franches avec le modèle. Je n'osai le lui demander. Simplement, je travaillais. Plus les arrière-plans sont dépouillés, m'avait expliqué mon père, plus la figure de premier plan doit être précise. Comme je n'avais prévu derrière elle qu'un ciel et des nuages, il me fallut donc faire de Vanna trois fois plus d'esquisses que je n'en avais jamais réalisé pour aucun autre tableau.

❦

— Il y a trop de choix ! s'exclama Buonarroti en riant. Trop pour mon pauvre cœur de vieil homme !

Il avait étalé tous les dessins par terre dans la vaste salle d'audience et faisait les cent pas afin de mieux les détailler. J'attendais, il faisait craquer le parquet. Il finit par choisir un nu de face, adossé, plutôt qu'assis, à un nuage gris, les jambes pendantes, le pied arrière reposant sur des nuées blanches, le pied avant vu en perspective. Je me sentis transportée de joie.

— Il va aller là, dit-il, me désignant, au plafond, un coffrage de coin qui surplombait directement la porte.

Il m'en donna les cotes par écrit.

— Bon, suivez-moi, j'ai quelque chose à vous montrer.

Souriant d'une malice qu'il était seul à comprendre, il me fit signe de le suivre dans un escalier étroit qui débouchait sur une petite cour nue, uniquement occupée par un puits en son centre. Il alla tout droit à une caisse posée à même les pavés.

— Cela vient juste d'arriver hier.

Il souleva le couvercle de la caisse, dispersa des brins de paille. Niché dans les paillons, un bas-relief apparut, une *Vierge à l'Enfant* se tenant devant un escalier.

— Sa toute première œuvre. Il n'avait que seize ans.

— Michel-Ange ?

Je retenais mon souffle, n'osant en croire mes yeux. Ce marbre inestimable reposait là, devant moi, dans une simple caisse. Je me penchai et n'osai toucher que le bord de la caisse, aussi sacrée pour moi que la mangeoire de Bethléem. La Vierge allaitait l'Enfant Jésus avec une grâce empreinte de modestie, et celui-ci, la tête à demi enfouie sous le vêtement de sa mère, la main et le bras abandonnés en arrière, ses petits doigts refermés en corolle, me rappelait Palmira, dans sa posture d'abandon heureux et confiant.

— Combien il a su tirer d'expression d'une simple plaque de marbre ! Cette Vierge m'enseigne que la maternité est sacrée.

Des larmes brouillèrent ma vue.

Je remarquai le pied, et vis que l'attache de la cheville était trop forte pour un si petit pied. Même lui, il avait eu du mal avec les pieds, dans sa jeunesse !

— Ce bas-relief était la propriété des Médicis, mais Côme vient de l'offrir à la galerie du mémorial, et le voilà donc revenu chez lui, dit-il doucement.

Michel-Ange le Jeune arborait le même air de tendresse que j'avais vu à son ancêtre sur la fresque de la Sainte-Trinité.

— Vous ressemblait-il ? lui demandai-je.

— Venez donc vous en rendre compte par vous-même.

Il me mena à un petit *studio* du rez-de-chaussée. Des corbeilles pleines de correspondances s'alignaient le long des murs, rangées sur des bancs autour de la pièce. Un portrait trônait au milieu d'un mur. Son visage présentait les mêmes profonds sillons joignant les ailes du nez à la moustache, les mêmes rides d'expression au front, les mêmes trois plis en éventail au coin des yeux, le même regard pénétrant et doux. Tout concordait avec le modèle vivant qui se tenait à mes côtés.

— N'est-ce pas porter une lourde responsabilité aux yeux du monde que de ressembler à un tel homme ? L'avez-vous connu ?

— Il était déjà vieux et j'étais bien petit. Un jour, il m'a dit : « Travaille, Michelangelo, travaille, et ne perds pas ton temps. »

— Voilà un avis bon à prendre, fis-je, rêveuse, contemplant le portrait.

§

Sur le chemin du retour, la tête me tournait. J'avais vu la première œuvre de Michel-Ange, j'avais pu regarder son vrai visage, et son parent, par surcroît, me chargeait d'honorer cette belle mémoire par mon travail. Chargée de cette importante commission, et lestée des pièces d'argent de l'avance, je me trouvais mener une vraie vie d'artiste dans la ville même où l'art était roi.

Je fis halte chez Franco, notre apothicaire. Ses rayonnages croulaient sous les pots et les flacons cachetés de cire, des racines et des rameaux secs pendaient de son plafond. Des cubes de pigments s'alignaient sur des plateaux, chaque couleur identifiée sur l'emballage par une empreinte de pouce. Je pouvais acheter tout ce que je voulais.

— *Buon giorno, signora.* Comment se porte la petite *bambina* ? s'enquit Franco.

— Elle pousse vite. C'est notre joie.

— Vous venez chercher du diapasme ?

— Non, des pigments.

Je pris de l'albâtre pour les teintes de chair, et du cinabre espagnol pour les rehauts. Je choisis aussi des stigmates de safran à pulvériser, et de la poudre d'ocre à faire sécher avant broyage. J'ajoutai du gris et du blanc de plomb pour les nuages, et lui demandai :

— J'ai un grand ciel bleu à faire.

— J'ai ce qu'il vous faut : un très beau *azzuro dell'Allemagna,* du bleu de Prusse, me proposa Franco, délogeant simultanément de la langue une miette de nourriture restée captive de sa gencive.

— Non, Franco, cette fois, je veux de l'outremer pur.

Il me sonda sous ses sourcils broussailleux.

— Du lapis-lazuli, cela coûte une fortune. Le prix de l'or. C'est pour Pierantonio ?

— Peu importe.

Il hésita, sa langue refit un tour de gencive.

— Si vous n'en avez pas, dites-le-moi tout de suite, j'irai ailleurs.

Je lâchai ma bourse sur son comptoir d'une hauteur calculée afin de faire tinter les pièces d'argent.

Il bafouilla un peu, puis se retourna pour ouvrir un meuble dont il tira un mouchoir noué aux quatre coins. Il le dénoua, et les pierres apparurent.

— Elles viennent d'Orient, dit-il, quasi religieusement. Imaginez-vous par combien de mains cela a dû transiter avant d'arriver jusqu'à nous ?

— Certes, chacune d'elles est précieuse. Combien font-elles ?

— Laquelle ?

Il toucha légèrement la plus grosse, comme pour me la suggérer.

— Toutes.

Il ouvrit des yeux ronds, nous tombâmes d'accord sur un prix, et il demanda :

— Puis-je savoir à qui donc est destinée une telle peinture ?

Je réunis et serrai mes achats, repris mes dessins et, sur le point de franchir la porte, lui assénai dans un sourire ambigu :

— À Florence !

§

Je louai les services d'un menuisier, qui construisit pour moi une structure étroite et haute, selon les cotes données par Buonarroti, propre à encadrer une figure humaine grandeur nature, ainsi qu'un chevalet géant et un meuble bien à moi, où je pus serrer mes brosses, mes pigments et mes dessins. Notre famille comptait désormais deux peintres à part entière. Un jour, qui sait, elle en compterait peut-être trois.

Je passai un fond sur une toile pour la préparer et broyai d'avance mes pigments, me réservant de les diluer à l'huile de lin à mesure de mes besoins. Tandis que Vanna posait, j'entrepris la mise en place des volumes en couleurs. Les semaines filaient gaiement, dans la joie de faire naître la forme par le jeu de la couleur et de l'ombre.

Mon travail me transportait, j'étais tout au plaisir de créer, et oublieuse du reste, lorsque la voix de Palmira me parvint d'une contrée lointaine :

— Maman ! J'ai faim, maman !

Je sursautai. L'après-midi était déjà bien avancé.

— Oh, pardon, ma toute belle. Nous allons manger tout de suite.

Je me hâtai de lui donner un bol de *pasta pici* de la veille, fis mariner des pois gourmands dans l'huile d'olive et sortis un morceau de *pecorino* et des poivrons. Vanna allait se joindre au repas. Je tartinai de miel une tranche de *pecorino* et la tendis à Palmira.

— Heureusement qu'il y a un enfant, chez vous, dit Vanna, sans cela vous ne songeriez même pas à arrêter de peindre pour nous donner à manger.

— Elle remplace pour moi ces nouvelles horloges qui sonnent.

Je lui tendis une assiette de figues.

— Avez-vous déjà souhaité peindre ?

— Jamais. Pourquoi se tourmenter avec des bêtises ? Les hommes peignent, les femmes posent, c'est comme ça que le monde tourne.

— Si tel est votre sentiment, pourquoi avez-vous répondu à mon annonce, sachant que j'étais une femme ?

— J'ai besoin d'argent. Je suis seule avec deux garçons à élever. Les autres recours, vous les connaissez aussi bien que moi.

Bien que je fusse curieuse d'apprendre ce qui avait bien pu advenir du mari, si mari il y avait eu, je m'abstins, par discrétion, de le lui demander.

— Croyez-vous que vous allez devenir connue rien qu'en posant ?

— Oui. Personne ne saura mon nom, mais tout le monde me verra sur le mur ou le plafond de quelque palais où jamais on ne me laisserait entrer.

— Et cette idée suffit à vous satisfaire ?

— Oui, parfaitement.

Elle semblait à la fois sur la défensive et pleine d'espérances, ce qui constituait un curieux mélange expressif.

— Il se pourrait que quelqu'un me voie en peinture et me reconnaisse dans la rue, qu'il souhaite faire plus ample connaissance. Et même qu'il me parle, qui sait ?

— Oui, sans doute. Il faut songer à l'avenir.

— Vous voulez parler d'un temps où nous serons mortes toutes deux ?

Elle redressa les épaules, faisant saillir ses seins.

— Moi, telle que vous me voyez, je vais durer plus longtemps que la mémoire de bien des peintres qui ont fait mon portrait.

Je ne trouvai rien à lui répondre. Elle ne se formait de la vie que des notions superficielles. Ce que je contribuais à créer était, à ses yeux, inconsistant, et donc destiné à disparaître.

— Vos petits garçons, ils aiment les figues ? Emportez-en pour eux.

Elle prit l'air offensé.

— S'il vous plaît, prenez-les ! Le figuier de la cour nous en fournit bien plus que pour nos besoins.

§

— Le réalisme de votre œuvre risque d'en choquer certains, dit Buonarroti en regardant mon tableau achevé, qu'il avait, pour le mieux voir, juché sur une cimaise de la salle d'apparat.

— Vous parlez de réalisme à propos d'une femme nue assise sur un nuage ?

Il rit, amusé.

— C'est une femme. Une vraie femme, de chair et de sang, une exquise et rose créature.

— Je suis certaine que votre jugement lui fait plaisir.

— L'Académie, Bandinelli, Côme, ils vont tous être étonnés, reprit-il, me comptant sur son bureau trente-quatre florins d'or qu'il glissa dans une bourse de velours brun avant de me les tendre.

Dans un grand sourire, il ajouta :

— Savez-vous quelle est la partie d'elle que j'aime le plus ?

Ses seins ? Ses hanches ? Je n'aurais su dire. Je hasardai :

— Son visage ?

— Non pas. C'est ce petit avant-bras gauche si joliment potelé, avec l'adorable renflement du coude. Vous êtes un nouveau Rubens. Et je suis fier d'être le premier à Florence à l'avoir découvert.

— Je vous en serai éternellement reconnaissante.

Me tournant le dos, il fourragea parmi les papiers et les plumes d'un tiroir de son bureau, et en sortit un pinceau de la largeur de mon doigt. Le manche, long et mince, était de châtaignier huilé, et les poils noirs étaient enserrés dans une virole de laiton. Il me le tendit.

— C'est pour vous, prenez-le. Il a appartenu à mon grand-oncle.

— À Michel-Ange en personne ?

Il se pencha vers moi paternellement, amusé, en faisant « oui » de la tête.

— C'est en tout cas le seul grand-oncle peintre que je me connaisse. Donc, il faut bien que ce soit lui.

— C'est un trésor. Je n'oserai jamais m'en servir.

— Oh, mais si, faites-le ! Qu'il vous rappelle que Dieu sait ce qu'Il fait en bénissant le génie.

Il leva un index sentencieux.

— Il ne faut jamais cacher un talent sous le boisseau.

Il revint à mon tableau.

— « Toutes les beautés disposées ici-bas à l'intention de ceux qui savent voir rappellent la source divine dont nous sommes issus. » C'est extrait d'un de ses poèmes.

— Qui ? le taquinai-je. Dieu ? Dieu écrit des poèmes ?

— Dieu, sans doute, non, mais Michel-Ange en écrivait.

— Ma foi, c'est un peu la même chose.

§

Rentrée chez nous, j'étalai devant Pietro les trente-quatre pièces d'or, les retournant toutes sur leur avers. Je m'abstins toutefois de lui montrer le pinceau. J'entendais encore le conseil de Graziela : « Soyez sagace. »

Tandis que j'attendais sa réaction, un curieux sentiment d'incomplétude m'envahit, quelque chose que je n'avais éprouvé à l'achèvement ni de ma *Suzanne* ni de ma *Judith*. *Inclinazione* était belle, certes, et même frappante de réalisme, mais il lui manquait quelque chose. J'avais eu bien du plaisir à la peindre, le plaisir visuel de créer des formes et de juxtaposer les couleurs, et le plaisir tactile de travailler la riche pâte des pigments sur ma palette. Mais il y manquait le plaisir de l'esprit. Ce tableau n'avait pas d'*invenzione*. Il ne racontait rien. On m'avait payé mon métier de peintre, mais pas mon art. Je décidai de ne pas en parler à mon père.

— Je n'arrive pas à y croire, dit Pietro quand il rentra et vit l'argent.

Il le comptait, bouche bée.

— Les autres artistes employés par Buonarroti pour peindre des panneaux de figures allégoriques n'ont reçu que dix florins chacun.

— Comment le sais-tu ?

— Tout finit par se savoir. Il s'agit de notre métier, après tout.

Ce soir-là, quand nous fûmes au lit, il ne bougea pas plus qu'un gisant de marbre.

10

L'Académie

M'étant lavé les cheveux et débarrassé les ongles de toute trace de peinture, je lustrai mes chaussures au saindoux et entrepris de laver ma plus belle robe, de couleur lie-de-vin. Le corps de robe résista assez bien au trempage, mais la jupe en sortit comme un chiffon dégoulinant. Morte d'appréhension, je montai le tout chez Fina.

— Mon Dieu, ma fille ! Mais on ne trempe jamais comme ça dans l'eau une robe de ce prix ! Il suffisait de frotter les parties à nettoyer. En voilà du gâchis ! Nous allons avoir du mal à réparer cela.

— Est-elle perdue pour tout de bon ?

— Remettez du bois sur le feu.

Elle me montra comment repasser l'étoffe entre deux des fers à la semelle en ogive qu'elle mettait à chauffer dans l'âtre. Me voyant causer plus de faux plis que je n'en aplanissais, elle finit par m'ôter l'ouvrage des mains.

— Levez juste la jupe, qu'elle ne traîne pas par terre. Mon plancher n'est guère propre.

Nous y passâmes le plus clair de l'après-midi.

— Dorénavant, je vous donnerai tout mon linge à laver. Moyennant paiement, bien sûr.

— Et pour quelle grande occasion avez-vous sorti cette belle robe, dites-moi ?

— L'Académie de dessin m'a convoquée. L'invitation disait : « Les membres sont conviés à exposer leurs œuvres lors des cérémonies de la Saint-Luc. »

— Oh ?

Elle me regarda bizarrement.

— Buonarroti, mon commanditaire, a montré mon tableau aux sociétaires de l'Académie. J'ai bon espoir d'y être admise.

— Et Pierantonio ? A-t-il été invité lui aussi ?

Elle regardait la jupe avec sévérité.

— Non.

— Et qu'en pense-t-il ?

— Il ne me l'a pas dit.

— Eh bien, moi, je vous dis : méfiez-vous.

— Me méfier ? Comment me méfierais-je, et de quoi, puisqu'il a bien fallu lui montrer l'invitation !

En la lisant, il avait froncé le sourcil, et sa bouche avait tiqué vers la droite. Je lui avais dit :

— Ce gros intendant à face de lune boursouflée, il aurait mieux fait de ne pas mettre mon nom sur la liste des modèles. Crois-tu que c'est ce qui me vaut cette invitation ?

Pietro m'avait regardée comme on considère un fol qui vous importune dans la rue, et m'avait simplement répondu :

— Comment le saurais-je ?

J'aidai Fina à retourner la lourde jupe.

— Je tâcherai de faire attention.

Le grand salon d'exposition de l'Académie était occupé par quelques groupes d'hommes qui causaient à voix haute devant les peintures.

Le *signor* Buonarroti me vit entrer et s'avança vers moi, mains tendues.

— Un jour, murmura-t-il à mon oreille, vous régnerez ici, croyez-moi.

Il me présenta à l'intendant qui avait voulu m'inscrire parmi les modèles.

— Nous nous connaissons déjà, il me semble.

Je ne pus retenir un sourire ironique en lui tendant la main.

— Mais certainement.

Le *signor* Bandinelli m'accueillit avec chaleur, à ma grande surprise, m'invita à me pencher sur les œuvres exposées et s'en fut accueillir d'autres artistes.

Le *signor* Buonarroti me désigna le grand-duc Côme de Médicis, vêtu d'un pourpoint à crevés laissant apparaître la soie émeraude de la doublure, et d'un haut-de-chausses de couleur assortie. Une lourde broderie de fils d'or empesait le devant du pourpoint, et il portait par-dessus une petite collerette de ruché blanc.

Mon Dieu, que j'eusse aimé faire son portrait, avec tout ce vert éclatant et cette exquise élégance, rendre la matière de la soie en posant sous la couleur une couche de patine aussi légère que la précieuse étoffe, à l'aide d'un pinceau si fin que son tracé se confondrait avec les fils mêmes de la soie... Mais il n'y fallait pas songer. Le seul pigment vert d'intensité comparable était la malachite de Macédoine, et elle ne restait brillante qu'à condition d'être broyée gros. Impossible, dès lors, de rendre par son truchement la finesse de la soie : des particules du minéral resteraient visibles dans la pâte de la peinture. Quel dommage ! Cela formait un portrait magnifique, mais destiné à rester imaginaire.

Malheureusement pour lui, Côme, bien que jeune, car il n'avait pas encore trente ans, était desservi par un physique moins qu'ordinaire. Son gros nez bulbeux faisait de l'ombre à sa bouche, et un ridicule petit triangle de barbiche ponctuait sa boudeuse lèvre inférieure, rougie de fard.

— Adressez-lui votre plus respectueuse révérence, me chuchota Buonarroti. Allons, nous y sommes.

Il me prit par le bras. Incrédule, stupéfaite, je fis un pas en avant, le grand-duc me vit, mais au moment précis où Buonarroti se disposait à me présenter à lui, l'intendant rappela son monde à l'ordre en frappant le sol de sa canne de cérémonie.

Tous se mirent sur deux rangs face à face, le *signor* Bandinelli à l'une des extrémités. Je me tenais auprès de Buonarroti. Face à nous, un clerc vêtu de brun austère, barbu et joufflu, me souriait.

Le *signor* Bandinelli s'éclaircit la gorge.

— Sociétaires et hôtes de cette Académie de dessin, grand-duc Côme de Médicis ! Nous nous réjouissons de pouvoir annoncer, en ce jour solennel de la Saint-Luc, patron des artistes et des artisans, les nouvelles admissions pour l'année 1615.

Je ressentis un creux à l'épigastre et crispai sans le vouloir ma main contre ma poitrine.

— Les sociétaires de l'Académie, reconnus éminents parmi les artistes de la ville de Florence, jouissent des privilèges suivants : l'enseignement du dessin, de la peinture, de la sculpture, de l'architecture, de la rhétorique et des mathématiques, l'admission aux colloques qui se tiennent d'ordinaire aux Offices ou, sur leur demande, aux visites commentées d'autres collections privées, la libre disposition des ateliers, de la bibliothèque, du magasin des costumes et accessoires, et des modèles. Que ceux qui vont être nommés sortent du rang afin de recevoir leur brevet de membre et viennent signer le registre.

— Antonello Ignazio Barducci.

— Jacopo d'Arcibaldo Daviolo.

L'intendant leur donnait à chacun un parchemin. Chaque nom était salué d'un tonnerre de coups de canne sur le sol et d'une salve de bravos.

Je sentais mes orteils se recroqueviller, je respirais avec peine...

— Antonio Guido da Fiorentino.

— Gianlorenzo Frapelli.

Mon souffle était suspendu...

— Francesco Alfonso Grepini.

Le sang me battait aux tempes...

— Giacomo Luigi Romano.

J'eusse voulu disparaître sous le plancher...

— Et Artemisia d'Orazio Gentileschi Lomi.

Une fraction de seconde, mon nom seul résonna dans la pièce. Puis ce fut le tonnerre des cannes, et les « *brava !* ». Mon cœur devenu fou sauta hors de ma poitrine et voulut englober le monde. Je m'avançai et signai d'un grand paraphe formé des lettres *A, G* et *L*. Me retournant, je ne lus que des sourires sur le visage de tous ces hommes, même sur celui du grand-duc, et remarquai l'expression de fierté heureuse de Buonarroti, incarnant plus que jamais l'apparence du *Divino*. J'eus le désir de les étreindre tous.

Personne ne fit allusion au fait que j'étais la première femme à être admise. Juste ce mot au féminin, *brava*.

Un dos hostile, cependant, se tournait au fond de la salle, un dos raidi de désapprobation, ou était-ce les sourcils noués de l'homme qui l'accompagnait ? Quelqu'un n'avait donc pas donné de la canne ? Qui était-il donc, celui que j'aurais à convaincre par des mots et non seulement par mon pinceau ? J'aurais tout loisir de m'en préoccuper plus tard. On m'entourait, on me félicitait. Le *signor* Bandinelli me dit :

— Le moment était venu pour vous d'être des nôtres. Votre *Inclinazione* à elle toute seule nous suffirait pour vous accueillir.

— À elle seule ? Je vous suis très humblement reconnaissante, *signore.*

Il n'appréciait toujours ni ma *Suzanne,* ni ma *Judith,* voilà ce que je comprenais.

On passa à la ronde du vin et des confiseries ; Buonarroti me présenta à tous comme l'auteur de l'*Inclinazione.* C'était donc mon habileté, mon métier de peintre qui les disposait en ma faveur, et non pas mon *invenzione,* c'est-à-dire le côté le plus personnel et le plus méritoire de mon talent.

Alors que nous étions presque devant le grand-duc, l'intendant nous barra le chemin.

— Venez avec moi, *signora,* que je vous montre les lieux.

Malgré le ton doucereux, c'était un ordre. Il me dirigea de la main vers d'autres nouveaux sociétaires et nous fit monter en groupe vers la bibliothèque, les ateliers et les cabinets des dessins. Il nous montra le squelette servant à l'étude de l'anatomie, la salle des plâtres, et se lança dans un interminable récit détaillé des activités académiques. Rien de ce qu'il nous assenait n'était immédiatement utile, ni même justifié. Je m'échappai dès que je pus afin d'aller m'acquitter de mes droits d'entrée et m'inscrire au cours de belles-lettres et de rhétorique. Lorsque je redescendis, l'assistance s'était dispersée, le grand-duc était parti, tout était fini. Je crus sortir d'un songe.

Sur le chemin du retour, je serrai le parchemin sur mon cœur, portée par une envie de danser. Il fallait que je raconte tout cela à mon père ! Et aussi à Graziela et Paola.

Mais il allait falloir parler à Pietro, et cette perspective glaçante éteignit ma joie.

Je courus par les ruelles, jouant des coudes entre deux mendiants sur la place Salvemini. Je m'arrêtai à la *macelleria* de l'ami de mon mari, devant laquelle des poulets et des oies non encore plumés, pendus à des crochets de fer, se vidaient lentement de leur sang dans la rue. Évitant les flaques, j'entrai acheter du saucisson de sanglier, le régal de Pietro, et un luxe que nous nous accordions rarement. Il me fallait du vin. Je demandai au patron du *vinaio.*

— Une flasque de votre meilleur ! Nous avons un événement heureux à fêter.

Ma voix sortit de sa torpeur le chien de la boutique, qui somnolait sur l'escalier de la cave.

Je croisai des enfants qui jouaient dans la rue et des moines de la Fraternité de la Miséricorde, tout de noir vêtus, qui escortaient une bière jusqu'à Santa Croce. Je traversai la vaste esplanade en diagonale, évitant pour une fois d'aller saluer le tombeau de Michel-Ange, pourtant situé juste à l'entrée de l'église, à cause de la pénitente échevelée, cette folle qui hurlait en se flagellant sur le parvis. Peut-être Pietro allait-il comprendre ma joie ? Tous m'avaient crié *« Brava ! »*. Que dire à mon mari pour gagner son indulgence ?

Les métrages de soie qui claquaient au vent de la rue des Teinturiers semblaient autant d'oriflammes vives déployées en mon honneur. Je me hâtai vers chez nous, gravis l'escalier quatre à quatre, hors d'haleine, plus que deux étages, plus qu'un, et entendis Palmira hurler. J'ouvris la porte. Accroupie dans un coin, elle pleurait à fendre l'âme, enroulée dans ma robe de chambre. Je courus à elle.

— Palmira, mon trésor, où est papa ?

Je réalisai avec horreur qu'il n'était pas au logis. Dieu sait depuis combien de temps il l'avait laissée seule. Pourquoi ne l'avait-il pas confiée à Fina ?

Je la pris dans mes bras, embrassai mille fois ses pauvres joues rougies, son front, ses oreilles, ses petits poings. Ses larmes salaient ma bouche.

— Ma précieuse petite beauté, *poverina,* ne pleure plus !

Son petit corps était agité de sanglots. Je la berçai contre moi.

— Tout va bien, maman est là.

Elle finit par se calmer, et sa petite main humide étreignit la dentelle de mon corsage. Elle remonta le long de ma natte jusqu'à mon cou, mais je sentais que sa colère n'allait pas l'abandonner de sitôt. Sûre de m'avoir à son entière disposition, elle prit une grande inspiration, avança une lèvre boudeuse et me dit :

— Je veux une robe comme ça.

— Tu l'auras, et d'autres, aussi. Je te le promets. Maman fait partie de l'Académie, à présent. Et toi aussi, peut-être, un jour.

Je lui donnai la moitié d'un œuf dur et lui servis dans le bol bleu qu'elle aimait du bouillon aux courgettes. Dès qu'elle eut fini son repas, elle gigota pour se libérer de mes bras, remit ma robe de chambre sur ses épaules et fit quelques tours de piste dans cet accoutrement, traînant le vêtement par terre. Elle savait fort bien qu'en aucune autre circonstance je ne lui eusse toléré ce caprice.

Je pris une assiette d'étain pour y disposer en rond des tranches fines de saucisson de sanglier, qui ressemblaient à des monnaies noircies. Je garnis le centre de l'assiette de quartiers de poire et de la moitié restante de l'œuf.

— Regarde comme c'est joli ! On dirait une étoile.

Une autre assiette pour l'huile d'olive. Du pain. Comment lui annoncer la nouvelle ? Que ma voix ne vibre pas du triomphe que je ressentais, surtout. J'essayai des phrases à haute voix : « Je viens d'être reçue... » sur le ton naturel dont on annonce qu'il va pleuvoir, mais ma voix me trahissait. Je parsemai l'huile d'origan ciselé, formant les lettres *A* et *D*, comme « Académie » et « Dessin ». Je posai mon parchemin d'admission à côté de l'assiette, les grandes lettres de l'en-tête A et D bien visibles, je nous servis deux verres de grappa et j'attendis.

— Il faut être bien sage ! dis-je à Palmira, et je griffonnai une petite caricature la représentant dans ma robe de chambre, le vêtement traînant derrière elle sur toute la page.

— C'est moi, maman ?

Elle oublia un instant qu'elle était en train de bouder, et ses yeux étincelèrent de plaisir.

— C'est mon petit trésor adoré. Comment s'appelle-t-elle ?

— *Tesoro*.

— Et quel autre nom encore ?

— Palmira.

Et j'entendis, à sa voix de miel, que j'étais pardonnée.

§

Je chipai une rondelle de saucisson et redisposai les autres de façon à combler le trou. De délicieuses petites bouchées. Pour m'occuper, j'entrepris de ranger mon meuble à peintures, mais je revenais sans cesse à l'assiette de saucisson, comblant à mesure les vides, et à chaque rondelle manquante les raisons de l'absence de Pietro me devenaient plus claires. Il me parut certain qu'il savait. Je brouillai à l'aide d'un bout de pain les lettres *A* et *D* que j'avais tracées sur l'huile, repoussai les apprêts du repas et sortis du papier à écrire.

Père,

Voilà des nouvelles qui devraient te faire grand plaisir. Je viens d'être admise à l'Académie de dessin ; jusqu'ici, aucune femme n'avait eu cet honneur.

La première fois, quand j'ai apporté ma Judith et ma Suzanne, ils se sont moqués de moi, ils m'ont dit qu'il n'appartenait pas à une femme de peindre selon l'invenzione. Puis j'ai montré mes tableaux au signor Buonarroti. Je te remercie de lui avoir écrit à mon sujet. C'est un homme bon et gentil. Il m'a commandé un grand panneau de nu pour mettre au plafond d'une galerie qu'il est en train d'arranger en mémorial pour Michel-Ange. Il semble qu'après l'avoir vu, les membres de l'Académie ont changé d'avis. Mais je me garde de triompher. L'avenir est toujours incertain.

Palmira Prudenzia a presque trois ans. Elle a les yeux noirs et les boucles brunes de Pietro. Elle est comme du vif-argent et pose sans cesse des questions. « Comment grandir plus vite ? » nous a-t-elle demandé l'autre jour ! Me voilà maintenant, en plus d'être mère, membre de l'Académie, et j'ose à peine y croire. Mon seul souci est la manière dont Pietro va s'accommoder de mon admission.

Bien à toi comme toujours,

Ta fille, Artemisia

Le crépuscule tomba, éteignant la couleur de toutes choses. J'allumai une bougie ainsi que la lampe de ma mère, afin que notre foyer ait l'air accueillant. Souvent, ma mère préparait le souper pour mon père, mais celui-ci ne rentrait que bien après qu'il eut refroidi. En l'attendant, maman se mettait à chanter près de la lampe pour se donner du courage, mais moi, j'entendais bien toute la mélancolie qui l'étreignait. Les quartiers de poire noircissaient à l'air. Ne supportant pas leur déroute, je les mangeai tous sauf deux. Après tout, c'était le soir de mon triomphe. La première femme reçue à l'Académie... Cela méritait bien d'être fêté.

J'étais en train de faire manger à Palmira les deux derniers quartiers lorsque Pietro entra comme un boulet de canon, arrachant son pourpoint. La colère se lisait sur ses traits fins.

— Tu aurais pu attendre, dit-il.

— Pourquoi l'as-tu laissée toute seule ? Quand je suis rentrée, elle pleurait. Et pourquoi me dis-tu que j'aurais pu attendre ? Qu'entends-tu par là ?

— Attendre que moi, je sois admis !

Il lança son pourpoint par-dessus son épaule et passa près de la table sans un regard pour mon parchemin. La flamme de la bougie vacilla. Je l'entendis claquer la porte de la chambre et tirer le verrou.

— Pietro, que fais-tu ?

Je frappai du poing sur la porte.

— *Per l'amor di Dio,* qu'est-ce que cela veut dire ? Ne me traite pas ainsi !

Palmira courut à moi et entoura mes jambes de ses petits bras.

— Tu devrais être content. Cela va nous valoir plus de commandes, à tous les deux.

J'entendis par l'interstice de la porte un sanglot étouffé.

— Que souhaites-tu, dis-je à la porte, que je cesse de peindre ? Que je ne réalise pas ma vocation ? Que j'arrête de respirer ?

Empoignant Palmira, je fis les cent pas entre la salle et la cuisine.

Ma fille avait niché sa tête dans mon cou, comme si elle avait compris. Je l'assis à côté de l'évier et caressai son visage d'une main, tout en lavant la vaisselle de l'autre dans l'auge de pierre. J'installai un lit pour Palmira dans la grande salle et l'y couchai doucement. Elle ramena les poings sous le menton, comme un petit écureuil. Rassemblant la couverture autour d'elle, je lui murmurai :

— Ma précieuse fille à moi, je te jure que jamais je ne laisserai quiconque te livrer à un mariage sans amour. Tu n'auras jamais à subir un mariage de raison, ni à t'arranger de ce que le mauvais sort te concédera.

Je m'appuyai au mur. N'était-ce pas exactement cela, la vie, s'arranger de ce que le mauvais sort vous octroie ? Sans mon père, sans Agostino, j'aurais pu épouser un homme qui m'eût aimée, qui eût été fier de moi. Mais si j'avais fait un mariage d'amour, je serais encore à Rome, je n'aurais jamais eu la chance de parvenir jusqu'à l'Académie. Je pensai à Graziela. Les mariages d'amour n'étaient pas non plus exempts d'aléas. J'avais toujours désiré deux choses plus que tout : l'amour et l'art, et voici que l'un avait tué l'autre. Pourquoi cette malignité du destin, qui m'avait toujours repris en mal ce qu'il m'avait donné en bien ?

Dans un grand geste libérateur, je vidai l'eau de vaisselle par la fenêtre, dans le bassin.

11
Judith

Ayant décidé que ni Pietro ni l'intendant à face de lune ne me barreraient le chemin du grand-duc de Médicis, je mis en chantier une autre *Judith tuant Holopherne,* en reprenant la même composition mais en changeant les visages et en introduisant plus de richesse dans les costumes. Cette fois-ci, Judith serait vêtue de lamé d'or, ce qui, à Florence, semblait plaire, et aurait retroussé sur ses bras, afin de mieux exécuter sa besogne, de plus lourdes manches. Connaissant le goût florentin pour les bijoux et l'apparat, je ceignis le foulard d'Abra d'une tresse d'or et ajoutai au bras de Judith un bracelet d'or filigrané enserrant un camée d'Artémis sculpté dans une gemme verte. Sachant que l'industrie des tissus fins faisait l'orgueil de cette ville, j'élargis le plan de mon tableau afin de donner plus d'ampleur aux courtines de velours rouge d'Holopherne. Je les bordai même d'un liseré de fils d'or. Soucieuse de mettre en relief l'aspect sensuel de la scène, je posai sur le sein opulent de Judith une minuscule tache de sang, et quelques autres encore sur sa robe de lamé, tout cela dans le but de plaire à Son Altesse sérénissime, le grand-duc.

Le plus délicat de l'affaire fut d'élaborer une lettre d'envoi, laquelle, accompagnant le cadeau, constituait également une offre de service en vue de commandes ultérieures. Je fus trois jours entiers à m'escrimer sur cette rhétorique de fournisseur. Assise à notre grande table, je gâchais du papier, tandis que Palmira jouait avec une figurine découpée dans un de mes nombreux brouillons.

Je me rabattis alors sur une missive plus facile à écrire :

Chère Graziela,

Palmira a trois ans, sa curiosité est sans bornes. Elle m'a demandé l'autre jour pourquoi les fourmis avaient des poils ! Fina, notre ange gardien du dernier étage, lui a appris une chanson qui parle d'un enfant qu'un oiseau d'or a transporté au-delà des mers, et elle m'assiège de cette chanson. Cela me rappelle les oiseaux que vous dessiniez dans les marges des psautiers. Enluminez-vous encore des manuscrits ? Votre toit a-t-il été réparé ?

Il semble indifférent à Pietro que je sois peintre, mais son ressentiment est extrême de me voir inscrite à l'Académie de dessin avant lui. Je viens de terminer une autre Judith pour Côme de Médicis. Graziela, pardonnez-moi, j'ai fait de la garde de son épée un crucifix. Voilà qui va leur donner à penser pour les siècles à venir... Si Côme accepte mon tableau, s'il lui vient fantaisie de m'en commander un autre pour son palais, je pressens bien des orages domestiques. Priez pour moi.

Je suis pour toujours votre fervente disciple,

Artemisia.

Après cela, la missive à Côme sembla venir sous ma plume plus aisément.

§

Au bout d'une semaine, je fis porter lettre et tableau. Côme m'invita au palais Pitti quand il me plairait, exquise attention de sa part.

Pietro grogna.

— Ce n'est pas étonnant. Que peut-il arriver d'autre à qui brade ainsi son art ?

— Tu aurais pu faire de même.

— Lui jeter mon travail à la tête ? Il est plus digne de travailler pour des patrons moins illustres en attendant que la reconnaissance vienne spontanément.

— Attendre ? Et jusqu'à quand ? Nous sommes tous mortels, Pietro. Le sablier coule inexorablement, au rythme de notre souffle.

— Ne sois pas sinistre.

— Ce ne sont pas là pensées morbides, je vois les choses comme elles sont.

Nous étions au début de l'automne, ce bref répit estival dont Florence est toujours bénie entre la touffeur de l'été et les pluies de novembre. Plutôt que de dépenser de l'argent pour une voiture, je traversai à pied le Ponte Vecchio. Réduit à un filet boueux, l'Arno se traînait ; l'ocre des bâtisses qui le bordaient ne se reflétait plus dans ses eaux vertes. Une malsaine végétation palustre encombrait ses rives, et des nuages de moustiques s'élevaient en tourbillonnant des basses eaux stagnantes. Mais je ne m'en souciai guère.

Si Pietro avait été là, cette puanteur de vase et ces moustiques eussent assombri son humeur, jusqu'à lui faire même rebrousser chemin, en se couvrant du prétexte d'attendre un jour plus approprié pour passer le pont, avant d'oublier tout bonnement son projet. On eût dit qu'il se lançait à plaisir dans des entreprises qui lui étaient défavorables, comme, par exemple, ce travail de restauration de fresque, qui ne déboucha sur aucune nouvelle commande. Jamais il n'usa du vernis d'ambre vénitien que je lui avais conseillé, alors que nous savions tous deux combien son travail en eût été embelli. Cela, je ne pouvais le comprendre. Celui qui place sa passion, son métier au-dessus de tout le reste, travaillant de ses mains et de tout son cœur, doit y mettre aussi son âme, entière et pure. L'art l'exige.

Je poursuivis ma route à travers le nuage de moustiques.

La massive et sévère silhouette du Pitti bordait le côté gauche de la rue de Guicciardini. Cette demeure austère semblait plus faite pour abriter un despote qu'une dynastie amie des arts, mais je savais cependant qu'il n'en était rien. Arrivée devant l'énorme poterne, je dis mon nom au portier, qui consulta une liste. Il me conduisit au premier, à l'étage noble, dans les salles d'audience. Je pus me rendre compte, au panorama qui s'ouvrait d'une fenêtre, que le palais était encore plus vaste en réalité qu'il n'en avait l'air vu de la rue car il se prolongeait du côté de la colline herbeuse par deux ailes en retour d'équerre enserrant une cour charretière.

Je franchis une première galerie de sculptures antiques et fus conduite, sous une arche de marbre, dans une riche pièce à corniches blanc et or, tendue de brocart vieux rose et profusément ornée de peintures. Je ne pus m'offrir le luxe de les contempler, je devais toute mon attention au grand-duc. Ses invités et lui-même banquetaient face à la cour, faisant bombance de ce qui me parut être du faisan rôti farci aux olives et aux artichauts. Des plumes de faisan disposées en arceaux encadraient des montagnes de coings confits, de dattes, d'amandes et de figues. Je n'avais jamais imaginé à Rome que l'on pût ainsi traiter la nourriture en œuvre d'art.

Un intendant m'annonça, je m'approchai et fis la révérence. Côme dit, étendant un bras dans ma direction en guise d'invite :

— La voici donc, la main de femme qui manie un pinceau si puissant. J'escomptais vous voir à l'Académie.

— Votre Altesse, vous me faites bien de l'honneur, répondis-je, tenant ma révérence et gardant les yeux fixés sur les motifs du pavement de marbre qui nous séparait. J'implore votre pardon pour troubler ainsi vos hôtes.

— *Signorina*, c'est moi qui me tiens pour honoré d'un tel cadeau.

Me parler ainsi, quelle courtoisie ! Il me sembla que l'usage florentin était de réserver, ironiquement, l'adresse de « *signora* » aux matrones d'un certain âge. Que savait-il de moi, au juste ?

— Vous dirai-je que votre Judith montre un visage bien sévère ?

— Elle se recueille en elle-même. Comme toutes les héroïnes, elle ressent profondément la nécessité de sa mission.

— Comme vous, j'imagine, ressentez la vôtre, reprit-il en riant. Quel malheureux vous a donc servi de modèle pour cet infortuné, j'ose vous le demander ?

— Il ne s'agit point là de vengeance personnelle, Seigneur.

Sainte Vierge, faites que je ne l'offense pas à mon insu !

— Si vindicte il y a, c'est seulement contre la tyrannie.

Il ne me répondit que par un lent hochement de tête.

— J'accrocherai votre *Judith tuant Holopherne* dans ma salle de l'Iliade.

Il rit.

— C'est un endroit d'où il faut en général tirer mes invités de plaisirs plus lénifiants. Soyez assurée que votre œuvre sera bien entourée, mais aussi qu'elle ne doit pas rester un cadeau. Vous serez généreusement récompensée.

— Votre illustre Seigneurie m'honore encore plus.

— Je n'entends pas non plus qu'elle reste le seul témoignage du talent de cette main et de l'esprit qui la gouverne.

L'espoir vibrait dans ma poitrine.

— Qu'une autre œuvre de même éminente facture lui fasse pendant, et vous serez doublement récompensée.

— Une autre *Judith* ?

— Oui ! D'autres épisodes de son histoire méritent sans nul doute votre pinceau.

— Soyez assuré que cela va devenir ma tâche la plus pressante, et mon plus grand plaisir.

§

— Maman, pourquoi les pigeons volent ? me demanda Palmira, trottinant à mon côté par les rues, les places et les églises, alors que j'étais à la recherche d'une idée.

— Je suis sûre que c'est pour échapper aux petits garçons et aux petites filles qui veulent les tourmenter.

Quel autre moment choisir, dans l'histoire de Judith, que celui de la décollation d'Holopherne ? N'est-ce pas l'instant qui offre le plus d'intensité dramatique ? J'avais à l'esprit l'interprétation picturale de mon père, dans laquelle les deux femmes se serrent l'une contre l'autre au-dessus de la tête coupée. Je l'avais copiée lors de mes années d'apprentissage. Les personnages étaient admirablement disposés, mais je n'aimais pas l'idée de leur rapprochement physique.

Au fond de la Loge de la Signoria trônait la *Judith et Holopherne* en bronze de Donatello. Je ne l'avais jamais aimée. Au lieu d'être couché, Holopherne était assis sur le matelas, tandis que le bras de Judith brandissait un cimeterre. La composition était brouillonne, l'effet, sans grâce.

Je m'arrêtai devant le *David* de Michel-Ange. Son expression terrible, qui visait au loin la place della Signoria, semblait crier au géant Goliath : « Comment oses-tu croire que tu vas me défaire par l'épée ? » Voilà le vrai courage ! Et l'assurance. Les Florentins aimaient David parce qu'il représentait un faible affrontant plus fort que lui. Ils avaient tendance à se considérer ainsi eux-mêmes dans leur relation au monde, et on retrouvait cette idée chez Judith.

Tandis que Palmira pourchassait les pigeons, faisant lever des vagues de claquements d'ailes, je me tins dans mon coin préféré, celui qui avait vue sur le profil que j'aimais, le gauche, puisque David penche la tête pour regarder Goliath. Comment exploiter cette courbe magnifique de la ligne du cou ? Vu de côté, il semblait sur ses gardes mais non pas inquiet, juste attentif, la fronde sur l'épaule. Si je mettais en scène, dans ma nouvelle *Judith*, le moment qui suit immédiatement la décollation, avec la tête d'Holopherne déjà déposée dans le panier d'Abra, cela me laissait la possibilité de peindre les deux femmes (peut-être se faisant face) alarmées par un nouveau danger, un bruit venu du camp, par exemple. Voilà qui constituait un vrai défi : rendre un son en peinture. Judith pourrait alors regarder sur sa gauche, en direction du danger, comme le fait David, et je pourrais donc lui donner cette même forte ligne de cou.

Au lieu de fronde, elle aurait jeté sur son épaule le cimeterre, exactement sur la bordure de dentelle de sa chemise blanche. Cette idée me séduisait : le tranchant de l'épée entamant un peu la dentelle, ces deux univers si différents, celui de l'épée et celui de la dentelle, se frôlant dangereusement. Voilà. C'était une idée nouvelle, une conception bien à moi. Et cette conception n'était pas faite pour un siècle où les femmes devaient cacher leur talent afin de ménager les hommes, et singulièrement leur mari.

§

Un jour, de bon matin, alors que j'avais entamé ce travail depuis quelques mois déjà, j'emmenai Palmira avec moi sur la via Maggio, la rue des antiquaires, de l'autre côté de l'Arno. Je savais que cela allait lui plaire. Chez un brocanteur, j'achetai un miroir de métal encadré de bois, un miroir à poser sur une table, dont on pouvait régler l'inclinaison, et le disposai de manière à pouvoir comparer mon cou et celui de Judith – celui de Vanna, en fait, puisque j'avais à nouveau recours à ses services. Le cou de Vanna tel que je l'avais peint était trop frêle. Judith ne saurait être gracile et féminine à ce point. Je me félicitai d'avoir donné congé au modèle pour ce jour-là, quoiqu'elle eût exigé son salaire. Je repris le cou de Vanna et le recouvris du mien, qui, non content d'être plus épais, commençait à s'alourdir, vers le haut, des prémices d'un double menton.

Le lendemain, Pietro était encore à la maison quand elle arriva. Elle regarda le tableau et s'écria :

— Qu'avez-vous fait ? Vous avez tout gâché ! Ce n'est plus moi !

— Non, c'est Judith. Mais elle aura vos yeux, votre bouche et vos cheveux.

Elle renifla, offensée.

— Ce cou est très laid.

Les larmes aux yeux, l'air navré, elle demanda l'arbitrage de Pietro.

— Vous ne trouvez pas ça hideux ?

— C'est le cou de David, répondis-je, lui coupant la parole. Sur la place della Signoria.

— Et vous trouvez qu'il y a de quoi être fière ? Personne ne va pouvoir me reconnaître, affublée de ce cou d'homme. Pietro, comment l'avez-vous laissée me gâcher ainsi ?

Pris entre deux feux, il haussa les épaules et leva les bras au ciel.

— Vanna, je vous prie, mouchez-vous et prenez la pose. Je n'ai plus besoin de vous que pour quelques jours.

Elle réfléchit un instant.

— Doublez mes gages, alors. Je ne reste que si vous doublez mes gages.

Nous nous entre-regardions, chacun attendant qu'un autre se décide à parler. Pietro marmonna :

— Fais-le.

— Bien, bien !

Je lui tendis la boucle d'oreille de Graziela.

— Mettez-la, que je voie l'ombre qu'elle donne.

Je la renvoyai aussi vite que je pus, et pris modèle sur mon propre profil.

§

Je peignis avec facilité les nuances changeantes de la robe de velours brun de Judith, les rangs de perles d'onyx cousues sur le riche plastron de passementerie, le peigne de cornaline et d'or de ma mère, la garde de l'épée de Judith et son pommeau sculpté en tête de Gorgone hurlante, tout cela venait bien. Mais la difficulté m'arrêta lorsque j'en arrivai à la tête d'Holopherne gisant dans le panier d'Abra. Je fixais mon esprit sur le Goliath du Caravage, mais ne parvins à donner à la face grisâtre et livide d'autres traits que ceux d'Agostino. Cela me dérangea fort, car je ne voulais pas que la haine vînt s'immiscer dans ma peinture. Je savais que le ressentiment et la crispation auraient alors définitivement abîmé mon style et aliéné ma liberté d'expression. Quoique j'en fusse tourmentée, je travaillais assidûment, et je perdais du temps, sans vouloir m'avouer vaincue. Je refusais d'être associée pour l'éternité à la représentation d'Agostino, surtout sachant que ce tableau devait prendre place parmi mes autres œuvres, que l'amour seul avait inspirées.

J'écrivis à Graziela et lui confiai que mon élan était arrêté. Comment se débarrasse-t-on de la haine ? Je ne fus pas tranquille avant d'avoir reçu sa réponse.

Cara mia,

À supposer que cet homme ne vous ait pas séparée de l'amour de Dieu, ce qu'il n'a évidemment pas pu faire, la seule chose capable d'entretenir cette haine n'est autre que votre propre pensée à son égard. Seul votre orgueil le maintient dans votre mémoire et dans vos pinceaux. Dissipez cet orgueil et vous dissiperez la haine. Il n'est guère intelligent d'être à la merci d'une haine que la douleur a engendrée. Faites attention à cela, Artemisia, car elle pourrait bien vous voler toute l'énergie que requiert votre art. Le trouble que vous ressentez vous avertit que ce sentiment est indigne de vos buts les plus nobles, ce qui, tesoro, est le début de l'humilité.

Grazie a Maria, les réparations du toit ont commencé. Sœur Paola se demande si vous avez été voir la Trinité-des-Monts à Florence. Elle vous fait savoir que le grand Christ qui figure dans l'une des chapelles a incliné un jour la tête devant saint Giovanni Alberto, qui était agenouillé en adoration. Je suis bien désireuse d'apprendre tout ce que vous aurez vu de Florence, chaque tableau, chaque sculpture, chaque église, place ou campanile, que ce soit au soleil, sous la pluie et même dans la pénombre. Si vous en avez le temps et si cela peut vous distraire, essayez de traduire en mots ce qu'a vu votre œil d'artiste.

Sœur Paola vous mande, tout comme moi, qu'elle vous aime infiniment.

À vous dans le Christ,
Graziela

Mes yeux brûlaient de larmes contenues, les mots se brouillèrent. Je réalisai seulement alors combien toutes deux m'avaient manqué.

Je lui répondis séance tenante, lui décrivant cette *Vierge à l'Enfant,* le premier bas-relief de Michel-Ange, son *David* musculeux, le juvénile et triomphant *David* de Donatello, le Dôme, l'*Adam et Ève* de Masaccio, la *Vénus* de Botticelli. Les mots me manquaient pour traduire le sentiment de dévotion que toutes ces grandes œuvres faisaient naître en moi. J'y renonçai et sortis me promener avec Palmira, esquissai quelques pochades de ce que j'avais essayé de décrire et un dessin de Palmira courant après les pigeons. Je joignis tout cela à ma lettre.

§

Le temps consacré à la peinture était sans cesse entrecoupé de tâches domestiques : acheter, puis préparer de la nourriture, les repas se succédant toujours trop vite à mon gré, laver la vaisselle. Je ne savais jamais à l'avance si Pietro serait ou non à la maison. Lorsqu'il eut terminé la restauration de la fresque, il déménagea je ne sais où l'un de ses chevalets et une partie de son matériel. Il me dit seulement :

— Tu auras plus de place.

Une région très intime de mon être se racornissait comme le raisin qu'on n'a pas cueilli à l'approche de l'hiver. Mon mari se mettait à vivre comme mon père, s'habillant avec plus de panache qu'avant, peignant, dînant et menant grand tapage en compagnie de ses amis, et désertait la maison, se privant de la joie de voir grandir sa fille. Je me souvenais de mon père chantant dans les rues à l'aube avec Agostino ou le Caravage, ivres et volubiles, se vantant de hauts faits extravagants, se congratulant d'être des peintres de génie ; je revoyais papa se cogner lourdement dans les pièces, puant l'alcool, et renverser les chaises pour aller lourdement s'effondrer sur son lit. C'était donc là le sort qui m'attendait ?

L'hiver fut particulièrement rigoureux, au point qu'il neigea. L'eau de notre puits gela, et, certains matins, il fallait casser la glace à l'aide d'une barre de fer. Palmira eut de la fièvre et des frissons, elle se mit à tousser et j'en fus terrifiée. J'interrompis toute activité de peinture durant le mois qu'elle fut alitée. Au début, elle pleurait beaucoup et s'étranglait de sanglots, puis elle devint trop faible même pour pleurer. L'angoisse de la perdre ne me quittait ni du jour ni de la nuit. Pietro resta plus souvent à la maison, il montait des seaux d'eau dans lesquels je trempais des compresses pour calmer la fièvre. Il était soucieux, descendait sans cesse chez l'apothicaire, et alimentait le feu tandis que la toux déchirante de Palmira me tenait à son chevet. Il passa toute une nuit debout à arpenter la pièce, prenant et reposant machinalement des objets, désemparé.

— Viens t'asseoir à côté de nous, lui dis-je. Ça peut lui faire du bien, qui sait ?

Il hésita, approcha une chaise paillée à haut dossier droit, s'assit et posa ses mains sur les jambes de Palmira, par-dessus la couverture.

— Je me souviens d'une maladie que j'ai eue petite fille, je somnolais dans une sorte d'abrutissement et j'entendais les voix de mes parents flotter comme dans un brouillard. Je ne comprenais pas ce qu'ils disaient, mais il m'était doux et rassurant d'entendre leurs voix mêlées.

Pietro repoussa une mèche de cheveux collée à la tempe de Palmira et qui lui venait dans l'œil, puis il lui caressa la jambe et finit par poser sa tête à côté d'elle sur le lit. Ce fut le geste le plus tendre que je lui eusse vu faire.

— Dis quelque chose, qu'elle entende ta voix.

Il tourna la tête vers sa fille, une sorte de désarroi noya son regard.

— Palmira, ton papa est là, dit-il. Ça va aller.

Je hochai la tête pour l'encourager.

— Je t'adore, ma petite colombe.

Mon cœur se gonfla comme si les mots m'avaient été destinés, et je voulus répondre à cette douceur, faire durer cet instant. Je passai mes doigts dans ses cheveux, geste apaisant qu'il aimait. Il ferma les yeux. Quand sa respiration devint lourde et rythmée, je me couchai à demi près de lui, posai la tête sur son épaule et arrangeai mon châle autour de nous deux.

Nous dûmes dormir ainsi quelque temps, une vraie famille, proches comme lors du baptême de Palmira. Lorsque celle-ci bougea, nous nous éveillâmes ensemble, et la raideur que nous sentions dans le dos et la nuque n'était rien comparée à celle qui, de nouveau, nous dressait l'un contre l'autre. Pietro me jeta son regard le plus noir et le plus secret, offusqué de s'être dévoilé à montrer tant d'affection. Je l'embrassai juste sous la tempe. Il eut son sourire en coin, un sourire confus et doux.

❦

La maladie de Palmira la quitta au printemps, et Pietro recommença à sortir plus souvent. Je ne savais pas où il allait. Je n'osais pas le lui demander. La douleur m'envahit à nouveau. J'avais pris un mois de retard dans ma commande, et il me restait toujours la tête d'Holopherne à peindre. Je me gourmandai : il faut peindre d'arrache-pied.

Mais je ne pouvais m'y résoudre. La peur de perdre Palmira me l'avait rendue plus précieuse encore, et je passai beaucoup plus de temps avec elle qu'avant. Tenir sa petite main dans la mienne lors de nos promenades le long du fleuve me remplissait d'une félicité indicible.

— Regarde la lumière sur l'eau, Palmira. Tu vois comme elle danse ? Elle n'est pas seulement verte. Elle est bleue, et rousse, et grise aussi. Regarde les couleurs vibrer.

— Je ne les vois pas.

— Reste immobile et tu vas les voir. Ne regarde qu'un seul endroit à la fois.

Mais c'était beaucoup lui demander que de rester tranquille, dans sa joie d'être en promenade.

On voyait sur l'autre rive une sorte de donjon crénelé à trois arches. J'inventai des fables : on tenait là prisonnière une princesse, son chevalier servant, inconsolable, avait été transformé en un grand oiseau blanc au long col, qui vivait désormais sur le talus herbeux du donjon et aimait toujours sa belle. Aux basses eaux d'été, nous passions à gué sur le déversoir, nous tenant la main, et elle aimait sentir l'eau fraîche courir autour de ses chevilles. Parfois, elle s'amusait à pêcher avec une épuisette.

Je lui parlai de Graziela et de Paola, qui vivaient dans un couvent, à Rome, en haut d'une colline. J'achetai à un marchand forain deux écuelles de bois, que je garnis de mâts faits d'une brindille et de voiles en papier. Nous découpâmes aussi deux poupées, que Palmira noircit au fusain, à l'exception du visage et des mains. Elle les nomma « sœur Graziela » et « sœur Paola ». Je lui enseignai à tracer les lettres de leurs noms, et elle les écrivit sur l'envers. Jamais elle ne disait leurs noms sans mettre « sœur » devant, comme on donne son titre à une grande dame. J'attachai une ficelle à chaque écuelle, et nous regardâmes flotter, descendre le courant et tressauter gaiement nos religieuses de papier, les suivant de la berge, parfaitement heureuses de notre jeu. À voir Palmira remorquer ainsi Graziela au bout d'une ficelle, je m'avisai soudain que les paroles de mon amie s'étaient avérées : si ma fille était guérie, c'est que je n'avais pas été séparée de l'amour de Dieu.

Deux semaines à peine avant l'échéance de ma commande, sans même y réfléchir, j'élargis la face d'Holopherne et lui allongeai le nez. Il était devenu assyrien, et ni plus ni moins que cela. J'ôtai la teinte verte de son visage pour la remplacer par un gris mat de pierre ou de métal, le même que celui de la tête hurlante du pommeau de l'épée, voulant ainsi suggérer qu'il avait hurlé de même un instant auparavant, quoiqu'on le vît bien tranquille dans son panier. Je lui accordai de reposer en paix.

§

Je devais présenter le tableau au grand-duc un soir, lors d'une cérémonie de cour au palais Pitti. Pietro n'y assista pas. C'était là une sotte décision car toutes les collections étaient réunies au palais et tous les artistes protégés par Côme s'y trouvaient aussi, causant à l'envi de composition, d'interprétation et de technique. Il aurait pu rencontrer un commanditaire. Je l'aurais présenté à Côme comme un très bon peintre. Mais Pietro ne voulut même pas en entendre parler.

Ils m'envoyèrent une voiture. En y montant, j'entendis sur mon corsage le tissu se déchirer. Fina m'avait confectionné un corps de robe vert bouteille assez ajusté avec des manches amovibles, ce qui me permettait de faire croire, grâce à plusieurs jeux de manches, que je portais une robe différente à chaque réception. Je ne pus découvrir l'endroit de l'accroc, me bornant à l'espérer invisible.

Arrivée au palais, j'eus l'impression d'une véritable explosion de couleurs : toutes ces robes, tous ces tableaux et ces fresques aux plafonds... Je traversai l'enfilade des pièces de réception jusqu'à l'immense salle carrée de l'Iliade. Les murs en étaient recouverts de tableaux accrochés sans ordre apparent sur trois rangées de hauteur, tous magnifiquement encadrés, une véritable fête pour les yeux. J'y retrouvai ma *Judith*, encadrée elle aussi d'un bois doré richement travaillé. De la voir ainsi voisiner avec tous ces chefs-d'œuvre, j'en eus le souffle coupé. De qui étaient-ils ? De Raphaël ? De Titien ? Du Tintoret ? Rubens ? Andrea del Sarto ?

Je fis ma révérence au grand-duc. Il avait inversé les couleurs, cette fois-ci : pourpoint et hauts-de-chausses émeraude, manches à crevés compliqués laissant voir du satin pourpre. On disposa ma nouvelle *Judith*, voilée d'un drap, à côté de la première, sur une cimaise de noyer sculpté. Je m'accrochai à un dossier de chaise. Lorsqu'on la dévoila, je n'eus d'yeux que pour Côme. Il tirait machinalement sur son petit triangle de barbiche, l'air content de soi, considérant tour à tour chaque tableau.

— *Brava, signorina. Magnifico,* dit-il, et l'assemblée, docile, approuva d'un seul murmure. Je viens de faire une découverte. Nous avons, en Artemisia Gentileschi Lomi, l'esprit rationnel d'un homme uni à la main sensuelle d'une femme.

Je ne pus m'empêcher de regarder mon œuvre moi aussi. La lumière des bougies tombant des appliques accusait les reliefs du visage et de la gorge de Judith, le foulard et la manche d'Abra, mettant même en évidence le passepoil blanc qui raccordait au corsage de la servante les plis de sa jupe. Je fus frappée d'avoir si bien réussi l'ombre portée du cou sur la poitrine. Je me trouvais parfaitement contente de moi.

— *Non c'è male,* entendis-je derrière moi.

Je haïssais cette expression toute faite dont les Florentins abusent pour dire : « Pas mal. »

— Bien mieux que cela, continua Côme, ces deux tableaux illustrent les deux facettes de l'âme féminine : active et contemplative. Encore *brava* !

Les autres, ayant compris que « pas mal » n'était plus de mise, se répandaient en compliments : « très beau », « exceptionnel », qu'ils accompagnaient de courbettes de courtisan...

Un homme à barbe grise, vêtu de culottes marron et qui pouvait avoir dans les cinquante ans, s'approcha et me sourit. Il me sembla vaguement reconnaître ce long nez droit et cette barbe qui épousait la courbe du menton comme le dos d'une cuiller d'étain ; mais ce qui le distinguait plus encore, c'était la grosse loupe qui ponctuait, sous l'œil gauche, sa joue ronde. Je fus certaine, à ce détail, de l'avoir déjà vu quelque part.

— Un bel avenir vous attend, *signorina,* dit-il, un avenir digne en tout point des beautés de votre personne.

Ses yeux bruns semblaient ne pas mentir.

Que lui répondre, à part lui exprimer ma confuse gratitude ?

— Peut-être auriez-vous des choses à me raconter à propos de cette superbe collection ?

Une flottille de dames glissait dans ma direction sur le sol de marbre, toute vibrante de brocarts violet cru, outremer et vert brillant, tel un nuage d'insectes phosphorescents au-dessus d'une mare. Elles m'entourèrent, leurs hautes fraises empesées toutes tremblotantes, et l'homme aux culottes marron se retira.

— On dit que vous venez de Rome, demanda l'une d'elles, agitant le manche d'un éventail de papier décoré.

— Ou de plus loin encore ?

Je me sentais prise au piège.

— Je demandais justement au gentilhomme que voilà de me parler des tableaux. Il me disait connaître…

— Qui cela ? Le *signor* Galilée ? Mais il ne connaît rien en fait de peinture ! C'est le mathématicien de la cour. Sa cervelle ne résonne que de la musique des sphères et de la rumeur des équations !

— Dites-nous donc, chère dame, me demanda une autre de ces créatures en un chuchotement acide, vous est-il advenu, lorsque vous viviez dans le Sud, de rencontrer… enfin, d'être dans le cas de connaître un homme de teint aussi foncé que celui qui gît sur le matelas ?

Les autres gloussèrent.

Je redressai le dos et ne répondis qu'un « non ! » bien sec, signifiant par la brièveté de cette réponse n'avoir pas même saisi l'insulte que sous-entendait la question.

§

Je fus reconduite en voiture sans escorte. Au moment de traverser l'Arno, je portai à mes narines le brin de lavande qu'il était de coutume d'offrir aux dames avant qu'elles ne traversent le fleuve afin de leur éviter de s'évanouir à sa puanteur. Aucun homme ne m'avait plus jamais dit que j'étais belle depuis Agostino, je m'en rendis compte avec déplaisir.

La ville était baignée de ténèbres épaisses comme une tenture de velours. Pas de lune, pas d'étoiles. Seules quelques lanternes scintillaient à la porte des plus riches demeures, et çà et là dans la niche de quelque saint protecteur.

Je pris Palmira chez Fina et la redescendis dans mes bras, à demi éveillée. À presque quatre ans, elle se faisait bien lourde. Son pied battait ma cuisse à chaque marche.

— J'ai fait un rêve, maman. J'étais avec toi dans le palais, je portais une belle robe rouge, murmura-t-elle.

— Quel beau rêve !

— Il y avait des perles cousues dessus.

Le temps d'arriver chez nous, elle s'était rendormie.

Pietro n'était pas là. J'allumai une bougie et ouvris l'un des battants de la porte-fenêtre du balcon, malgré le remugle s'élevant du fleuve. Quelque part sur la berge, un crapaud-buffle coassait, incapable, comme moi, de trouver le sommeil. Côme de Médicis me faisait penser à une grosse grenouille seigneuriale de couleur émeraude, entourée de libellules diligentes qui l'éventaient du battement de leurs ailes. Je m'étais tenue à ses côtés, dans son palais, au cœur même de Florence, entourée de chefs-d'œuvre, de peintres, de futurs mécènes, et le grand-duc lui-même venait de me commander une Marie Madeleine.

Oui, je venais de remporter une belle victoire, aussi douce à savourer qu'un sujet en pâte d'amande, mais ce n'était qu'une victoire temporaire. Les années à venir allaient égrener pour moi un chapelet de fêtes à la cour, de récitals de harpistes ou de poètes, de pâtisseries élaborées et de confiseries aux épices, et chaque fois, ce serait pour le vernissage d'un tableau que Côme m'aurait commandé. Parfait. Excellent. Je faisais exactement ce dont j'avais rêvé, me perfectionnant chaque jour dans mon art, et les honneurs commençaient d'affluer. Je suspendis le brin de lavande à l'un des crochets du plafond qui recevait nos ustensiles de cuisine. J'avais l'intention de le broyer finement dans mon mortier, une fois séché, à l'aide d'un pilon, puis de le mettre à infuser dans de l'eau de notre puits afin d'en tirer une eau de senteur dont je me promettais d'user à la prochaine réception. Peut-être le mathématicien de la cour s'y trouverait-il ?

J'écrasai un moustique mais ne pus me résoudre à fermer la fenêtre. J'ôtai mes vêtements, passai ma chemise de nuit. Les cris ténus que font les chauves-souris qui volettent au-dessus des eaux me semblèrent exprimer toute la solitude du monde.

Qu'allais-je faire ? Raconter tout cela à mon père ? Oui, sans doute. Lui, au moins, ne manquerait pas de se réjouir de mon triomphe, contrairement à Pietro. Il est vrai que mon père m'avait toujours considérée comme sa chose, le procès en témoignait : « … ce commerce charnel m'ayant porté un tort considérable à moi, pauvre plaignant, du fait que je ne pouvais plus vendre les talents de peintre de ma fille aussi cher qu'avant… » Je souffrais encore d'avoir été traitée comme une marchandise, mais je savais qu'il ne faut pas écouter le ressentiment. Peut-être l'aigreur allait-elle finir par imprimer ses rides sur mon visage, peut-être allait-elle se manifester sous la forme de ce ton de provocation amère qu'adoptent souvent les femmes. Je ne pouvais prendre le risque d'indisposer ainsi un éventuel commanditaire, comme j'avais failli le faire avec les gens de l'Académie. Il me fallait me composer un personnage public. Ce n'était pas Pietro qui vendait mon talent, mais moi-même. Voilà qui créait une énorme différence, même sans compter le procès, et si j'étais restée à Rome, il en fût allé tout autrement. Je commençais à envisager mon histoire sous un angle nouveau.

Pietro ne rentra pas. J'eusse aimé parler calmement avec lui de cette soirée, ou sinon avec quelqu'un d'autre, pourquoi pas avec cet homme qui m'avait dit que j'étais belle, s'amuser un peu aux dépens du grand-duc et de sa cour, des fameux mécènes, de la musique, des mets servis, des afféteries du grand monde, et si c'eût été Pietro, finir par se déshabiller doucement à la lueur de la bougie en mâchonnant une dernière figue, profiter de ces moments d'intimité sereine que parfois la vie nous dispense comme une coupe inclinée de suaves raisins mûrs. Tout cela, certes, je le désirais, mais seule la peinture m'était essentielle.

Je fus tirée du sommeil par le cri plaintif et spectral d'une chatte en chaleur, et rafraîchis un moment à l'air ma peau moite. Je me sentis aiguillonnée d'un grand désir de toucher et d'être touchée, d'être comme un chat sous la caresse. De me nicher contre la paume d'une main, d'éprouver l'effleurement et la densité d'une chair.

Nerveuse, je me levai et fus prendre le pinceau de Michel-Ange au fond de mon *cassone*. Je le sortis de son chiffon protecteur. Il ne m'avait pas encore servi. Je le tins en l'air, dans un geste suspendu de paysagiste ou de portraitiste – peindre qui ? L'homme qui avait la tête dans les étoiles. Le grand col de dentelle empesé qui doublait la courbe de son épaule, son long nez aristocratique, son regard intelligent et bon. J'eus la révélation de notre première rencontre : je l'avais déjà vu lors de ma réception à l'Académie. Il me faisait face. Il souriait.

Je me couchai sur les coussins du banc de pose et caressai mon cou des poils du pinceau, ce cou que Vanna trouvait si laid. Et puis après ? Ce n'était pas l'avis de tout le monde. Qui plus était, je possédais quelque chose que personne d'autre n'avait. Les poils du pinceau, doux comme de la fourrure de chat, caressaient ma gorge, le revers de mon oreille, ce léger contact presque insupportable d'intensité, fantôme de la main même du *Divino* sur le pinceau, puis plus bas, le long de mon cou, yeux clos sur la lumière de la bougie, me fermant à tout ce qui n'était pas l'exquise sensation, entre mes seins, repoussant l'étoffe de ma chemise, traçant d'abord de grands cercles, puis les resserrant, des cercles de plus en plus précis, autour des mamelons, le spasme qui s'éveille dans mon ventre, tour à tour tension et détente, un rythme qui m'emporte, une vague qui déferle et va briser. Je m'arquai, puis me détendis toute, immobile, heureuse et rêveuse un long moment.

12

Galilée

Les fêtes de la Saint-Jean s'annoncèrent dans la splendeur d'une aube déjà bleue. Lorsque je sortis sur le balcon, l'air tiède et suave de juin m'invita à respirer largement. Les chères grives de Fina s'égosillaient en l'honneur du saint patron de la ville.

— Nous allons avoir une journée extraordinaire. Es-tu sûr de ne pas vouloir m'accompagner au palais Pitti ? demandai-je à Pietro par-dessus mon épaule.

Il enfilait de nouvelles chausses couleur cannelle.

— Côme nous a invités tous les deux. Il y aura un banquet avec des ménestrels, et la Commedia dell'Arte. Après la fête, nous pourrons nous promener dans les jardins.

— Je te laisse volontiers la musique et les jardins, répondit-il d'un ton léger. Moi, je vais au *calcio*.

Et, se moquant de lui-même dans un demi-sourire :

— Je veux avoir mon content annuel de violence bestiale et de crânes défoncés.

Il avait beau ironiser sur ce divertissement barbare, chaque Saint-Jean, il y allait, et n'était pas le dernier à donner de la voix. Il m'était arrivé de l'accompagner place Santa Croce les années précédentes ; c'était une joute à quatre meutes d'hommes s'affrontant sauvagement à coups de pied et de poing autour d'un ballon, chaque équipe portant le nom d'une église de l'un des quatre quartiers de la ville, et cette échauffourée avait lieu sous le vocable de saint Jean-Baptiste. L'année précédente, les Frères de la Miséricorde avaient dû évacuer deux joueurs sur des civières.

En ce jour de fête, et mon invitation valant pour deux personnes, je me sentis autorisée à emmener Palmira. Je pensais que cela la ravirait. Et puis, je m'en serais voulu de contraindre Fina à rester chez elle alors que sur toutes les places de la ville on chantait et on donnait des concerts.

Nous descendîmes tous trois ensemble, Pietro se rengorgeant et chantant d'une voix de baryton tonitruante. Toute la ville était dehors. Nos chemins se séparèrent au carrefour de Lungarno et de la rue des Teinturiers. Pietro pinça pour rire l'oreille de Palmira.

— Montre-toi bien sage devant le duc, hein ?

Et à moi, avec un baiser déposé au hasard près de la tempe :

— *Ciao, amore.*

Il le disait rarement, aussi en fis-je mon miel. Son humeur tendre et badine m'incita presque à le suivre, mais une invitation chez les Médicis était chose sérieuse. Je comptais bien qu'en nous retrouvant le soir venu nous nous raconterions tout, et que cela nous donnerait de revivre les joies de cette journée.

Fort heureusement, les échoppes des orfèvres du Ponte Vecchio étaient fermées, sans cela, j'aurais eu droit à la séance inévitable de « Ooh ! » et autres *« che bella ! »* devant chaque éventaire. C'était sa première visite au palais Pitti, et dès l'escalier, Palmira ouvrit de grands yeux. La splendeur des costumes de cour l'impressionnait tant qu'elle resta coite comme un petit lapin, me signalant à voix basse telle robe ou tels atours. Les gens semblaient avoir beaucoup moins de réalité à ses yeux que les étoffes. Je savais que, sitôt rentrée, elle serait intarissable sur le sujet.

Dans l'immense salle Blanche, elle resta fascinée devant les douzaines de lustres de cristal à deux rangées.

— Maman, ils vont les allumer ?

— Sans doute pas. Les invités vont partir avant le soir pour assister au dernier tournoi de *calcio.*

Des plateaux d'amuse-bouche s'alignaient sur les crédences : tranches de melon au jambon cru, canapés de pâté de foie de faisan sur un plateau décoré d'un éventail de plumes de paon. Palmira fut séduite par la nouveauté de ce luxe, mais n'osa pas y goûter. Elle préféra les petits chaussons à la confiture. Les tables étaient disposées en fer à cheval face aux fenêtres donnant sur la cour. Au linteau de toutes les ouvertures, on avait suspendu des bouquets de lavande et de basilic afin d'éloigner les taons et de masquer les odeurs d'écurie.

Je remarquai l'archiduchesse Maria Maddalena assise au centre de la table. Elle portait une coiffure noire sans aucun ornement, une sorte de coiffe de nonne descendant en pointe sur le front. Cela n'embellissait guère son visage en lame de couteau. Un énorme et sombre rubis, suspendu à une chaîne d'or trop courte, semblait vouloir l'étrangler. Ses enfants s'avancèrent derrière elle pour lui parler à l'oreille. Il me sembla qu'elle les renvoya sans leur avoir prêté grande attention. Je ne savais rien d'elle. Comment une femme de ma sorte, considérée comme une gourgandine, même de haut vol, aurait-elle osé lui faire sa révérence ?

On servit au dîner de la pintade rôtie, du gras-double en sauce aux poivrons et des épinards, des pêches cuites fourrées de pâte d'amande constituant le dessert. C'est ce que Palmira aima le mieux.

En sortant de table, je conduisis ma fille sur une terrasse où le *signor* Galilée se tenait au sein d'un groupe. J'étais sûre de le reconnaître, quoiqu'il ne fût pas, comme la fois précédente, vêtu de brun. Il s'était habillé pour cette soirée avec autant de recherche que les courtisans, en long *lucco* bleu sans manches. Les manches de la chemise blanche qu'il portait dessous bouffaient comme des nuages. Des fils d'argent épars luisaient dans sa chevelure châtain. Allait-il se souvenir de moi ?

Les autres le traitaient avec déférence et l'écoutaient sans l'interrompre, et si quelqu'un d'autre intervenait, c'est encore vers lui que les regards se tournaient ; on semblait se régler sur ses avis. J'écoutai un moment. Le débat, assez animé, portait sur les mérites relatifs de la sculpture et de la peinture ; manière de se divertir qui tranchait nettement avec la chienlit qui se déroulait au même moment sur l'autre rive de l'Arno. Voilà un sujet sur lequel j'avais des choses à dire. Laissant Palmira à sa poupée de son, qu'elle faisait danser sur la balustrade, je me joignis au groupe des hommes.

— Une statue, objet en trois dimensions, rendra toujours mieux l'impression de la réalité qu'une peinture, qui n'en possède que deux, dit un gentilhomme.

— La statuaire, étant à même de créer plus complètement l'illusion, est donc le premier des arts.

— Je ne suis pas du tout de cet avis, dis-je, me tenant quelques pas derrière Galilée.

Au moment où il me reconnut, son sourire s'élargit jusqu'à la loupe qu'il avait sous l'œil gauche. Il recula pour me faire place dans le cercle.

— Comment la *signorina* voit-elle la chose ? risqua un homme, surpris qu'une femme puisse émettre des opinions.

Quoique je ne connusse aucun de ces personnages, je me lançai bravement, adoptant le style maniéré qu'ils affectaient.

— Le relief, qui dispense à la vue l'illusion, est à la portée de la peinture aussi bien que de la sculpture, car celle-là peut recourir à toutes les couleurs de la nature pour suggérer la forme, alors que celle-ci n'a que l'ombre et la lumière. La sculpture, bien évidemment, offre un relief au toucher, là où la peinture doit rendre le même effet sans bénéficier de cet avantage. Le but qu'elle se donne étant plus difficile à atteindre, il en découle une supériorité.

— La *signorina* a raison, intervint Galilée. La nature étant le sculpteur de toutes choses, qu'y a-t-il de si méritoire à traduire ses effets au moyen des ressources qu'elle offre elle-même, pierre ou marbre, pour recréer le volume ?

Il se tourna vers moi pour quêter mon approbation.

— Des deux arts, la peinture est le plus grand, et ce pour plus d'une raison. Parce qu'elle ne dispose que de deux dimensions, elle est d'autant plus loin de la réalité, et plus les moyens d'imitation sont éloignés du modèle à reproduire, plus méritoire est l'effort qui y tend.

Un homme demanda :

— Peut-on étendre ce principe à tous les arts ?

— Bien sûr. Nous devons admirer le musicien qui réussit à nous émouvoir du sort de l'amant malheureux en chantant sa passion et sa douleur, bien plus que s'il nous faisait écouter directement les sanglots de cet infortuné.

Il m'adressa un sourire amusé.

— Le chant n'est pas l'expression naturelle de la douleur, ce sont les larmes et les sanglots qui le sont.

— Alors, si l'on vous suit, *signor* Galilée (je lui décochai un coup d'œil l'avertissant que j'allais frapper un grand coup), on doit tenir le son du luth pour supérieur au chant et à la peinture, en ce qu'il est d'autant plus éloigné de l'expression humaine.

Tous les gentilshommes le taquinèrent de s'être ainsi laissé dépasser dans la controverse. Il eut à leur égard un geste indulgent et pacifique, et me demanda :

— Bien que je doive me tenir pour sévèrement battu, puis-je espérer de mon vainqueur le plaisir d'une *passeggiata* dans les jardins ?

Je tendis la main vers Palmira, qui sauta comme un cabri pour venir s'en emparer.

— Ma fille, Palmira.

— Quelle belle enfant ! C'est tout à fait sa mère en miniature.

Nous descendîmes jusqu'à la rampe de gazon qui menait au jardin. Là, dans une sorte d'amphithéâtre de verdure, des gamins jouaient au *calcio*. Le vert des cyprès et des topiaires était plus vif, l'herbe plus douce, la brise plus fraîche et les oiseaux plus mélodieux que tout ce que j'avais pu connaître jusqu'alors.

— La nature entière semble avoir reçu une couche de patine qui magnifie les couleurs.

— Voilà le peintre qui parle.

— Où mène cette allée ? demandai-je.

— Au jardin des délices, je l'espère. En fait, aux labyrinthes de verdure.

— Oh, Palmira, tu vas adorer cela.

Cependant, nous croisions de nombreux promeneurs, et elle était perdue dans la contemplation de leur vêture.

— La dernière fois que je vous vis, vous étiez sur le point de me poser une question, dit-il.

— Oui, à propos des tableaux du palais, et ce que vous en saviez ; mais à présent, c'est d'autre chose que je voudrais être entretenue.

— Et de quelle chose ?

Palmira était tombée en arrêt devant un papillon noir et fauve, et nous lui laissâmes le temps de le contempler à son aise. Il s'envola.

— Dites-moi ce que vous savez de l'archiduchesse.

— Elle est autrichienne. C'est une dévote fanatique. Elle n'aime que les messes basses les plus austères et les vêpres interminables. Et paradoxalement, c'est une femme qui fait son miel de tout ce que l'histoire du christianisme peut offrir de pathétique, de dramatique, d'excessif. En son temps, elle eût suivi saint François.

— Ou bien l'exemple de Marie Madeleine ? Si le hasard l'avait fait naître en d'autres circonstances, bien sûr.

— Oh, en toutes circonstances, je crois. Il y a des femmes qui se font un devoir de porter le péché du monde et de l'expier en repentir éternel.

— Qui renoncent au monde et s'abîment en prière comme les pénitents, mais qui n'en portent pas moins tous leurs bijoux ?

— C'est bien vrai.

— Je vous remercie. Sans doute aurai-je l'usage de cela quelque jour.

Galilée nous dirigea d'une main vers une sente qui prenait entre deux haies fleuries. Le parfum entêtant du jasmin s'épanouissait dans l'air chaud.

— Vous en aurez l'usage pour peindre un tableau ?

— Oui. Une Marie Madeleine que le grand-duc m'a commandée. Je voudrais préciser et mettre en lumière un autre aspect du personnage que celui, assez rebattu, de la pécheresse touchée par la grâce et le repentir spontané. Ce que je crois, c'est qu'un profond, un douloureux retour sur soi a pu causer chez elle cette crise spectaculaire. Avez-vous vu l'*Adam et Ève* de Masaccio qui est dans la chapelle Brancacci ?

— Oui, certes.

— Ève y pense et y souffre de tout son corps. De la même manière que Masaccio lui a donné cette expression, je veux faire du corps de ma Madeleine le siège d'une pensée. Laquelle, je n'en sais encore rien, mais ce sera à coup sûr une pensée plus complexe que la simple angoisse de se savoir pécheresse.

— Oserai-je vous suggérer d'aller voir la *Madeleine* que Donatello a sculptée en ronde-bosse au Baptistère ? Elle possède une sorte d'outrance que ne désavouerait pas l'archiduchesse.

— Mais c'est impossible à cette époque de l'année ! Il me faut attendre mars prochain, le baptême annuel.

Il s'arrêta pour réfléchir.

— Une permission spéciale de Son Altesse sérénissime pourrait vous y donner accès. Il m'est facile de l'obtenir, et je serais très honoré de vous y accompagner aujourd'hui même, vous et votre charmante petite fille.

— Aujourd'hui même ? N'est-ce pas abuser ?

— Mais non. Tous les invités vont se retirer tôt pour assister au *calcio* du soir.

Nous écourtâmes notre promenade, il s'en fut discrètement parler à Côme en particulier. Dès que nous vîmes un groupe prendre congé, nous fîmes respectueusement nos adieux, et en route vers l'autre rive de l'Arno, en calèche, à la grande joie de Palmira. Elle n'était encore jamais montée en voiture découverte. Galilée pêcha quelque chose dans les profondeurs d'une bourse et tendit son poing fermé à l'enfant.

— Palmira, dit-il, ouvrez la main, je vous prie.

Après m'avoir demandé la permission d'un coup d'œil, elle s'exécuta. Il laissa tomber dans sa paume un bonbon vert-jaune de forme irrégulière, et m'en offrit un.

— C'est du cédrat. J'en fais pousser dans le jardin de ma villa.

Palmira creusait les joues sur le bonbon, avec force bruits de succion.

— Et nous, pourquoi n'en avons-nous pas, des bonbons, maman ?

— Si nous en avions, ceux-ci ne te paraîtraient plus aussi exceptionnels. C'est la rareté qui fait la valeur des choses.

Galilée me regarda un long moment avant d'en mettre un dans sa bouche.

Le fleuve, moins boueux que de coutume, portait sur des eaux presque bleues toutes sortes d'embarcations massées aux abords d'une barge où jouaient des musiciens sous des oriflammes dorées. En ce jour de fête, les *remaioli* ne draguaient pas le sable des fonds afin d'en rehausser les berges. Chacun de ces terrassiers fluviaux avait fait de son étroite barcasse une petite maison d'agrément flottante. On entendait sur l'autre rive les trompettes du défilé du *calcio*. Palmira ne se tenait plus d'enthousiasme.

Nous nous arrêtâmes au Baptistère et le *signor* Galilée mit pied à terre.

— Je ne serai pas long. Je connais un peu le sacristain.

Il disparut dans une maison de la place.

Palmira commençant à s'agiter dans la calèche, je lui permis de descendre en lui recommandant de ne pas s'éloigner. Elle se mit à pourchasser trois pigeons. Vive comme elle l'était, elle aurait très bien pu disparaître dans la foule en un clin d'œil. Je la suivis donc afin de ne pas la perdre de vue parmi les musiciens, les marchands de fruits et les joueurs de dés installés sur des guéridons. Elle était très attirée par une *porchetta* roulante qui exposait, telle celle d'Holopherne, la tête coupée d'un cochon, dont on servait, rôti, le corps farci de ses propres abats, détail dont je me gardai bien de faire part à ma fille.

La pénitente en haillons était assise à gémir sur les marches de la cathédrale. Son angoisse ne me paraissait pas feinte, contrairement à ce qu'en pensait Pietro. Aucune femme n'aurait choisi de vivre cette existence misérable sous cette apparence abjecte sans y être contrainte par quelque nécessité intérieure plus forte que sa volonté. La curiosité de Palmira l'emporta sur sa timidité, et elle s'approcha de la malheureuse. Celle-ci redoubla de lamentations perçantes et Palmira, terrifiée, courut se jeter dans mes bras en pleurant. Plus elle pleurait, plus la femme en remettait, si bien que je dus secouer un peu Palmira afin que cesse cette émulation.

— Ce n'est pas bien. C'est une pauvre vieille femme qui a du chagrin et il ne faut pas aller l'importuner.

— Mais tu as vu comme elle est sale ! Ses pieds sont tout noirs, maman !

— Toi aussi tu aurais les pieds tout noirs si tu n'avais pas de chaussures. Maintenant, sois sage. Le *signor* Galilée revient. Il est très gentil avec nous, alors il ne faut pas être vilaine.

Je lui arrangeai la figure avec mon mouchoir.

— Je vais te montrer l'endroit où on t'a baptisée quand tu étais un petit bébé.

Nous emboîtâmes le pas à Galilée et au sacristain, et ils se mirent à deux pour entrebâiller l'une des massives portes de bronze du Baptistère afin que l'on pût s'y glisser de profil. Nous attendîmes dans la pénombre que nos yeux se fassent à la lueur que versait le grand vitrail, et je pus alors distinguer des détails qui m'avaient échappé lors du baptême de ma fille : le motif géométrique de marbre blanc et vert des murs, les piliers plats. Palmira admirait la gigantesque croix d'argent richement travaillée qui trônait sur l'autel. La laissant à sa contemplation, je traversai la vaste nef avec Galilée. La *Marie Madeleine vieillie* de Donatello était là, entre deux colonnes de marbre rose. Tout en elle me sauta à la figure : sa maigreur, ses yeux enfoncés et fous dans des orbites sans fond, ses joues ravinées, parcheminées par le désert, ses mains jointes en prière. Elle se tenait debout sans grâce ni artifice, pieds nus, écartant ses jambes grêles, son lamentable corps seulement couvert d'une chevelure qui lui tombait aux genoux. Dans la caverne de sa bouche, deux dents seulement restaient, telles des pierres tombales. Le compas ouvert de ses pauvres jambes desséchées, ses orteils grotesquement contractés, tout contribuait à l'enraciner dans la terre, alors qu'elle n'aspirait qu'au ciel. J'en eus froid dans le dos.

— C'est la femme qui est dehors, s'écria Palmira.

Enfouissant son visage dans les plis de ma jupe, elle hurla un sanglot qui résonna contre les murs de l'édifice désert. Il n'y avait plus moyen de la calmer. Je dus la faire sortir en vitesse. Mortifiée, je me tournai vers le *signor* Galilée.

— Pardonnez-moi, *signore*, je crois qu'il vaut mieux que nous sortions.

Je pris la main de ma fille et la traînai dehors, non sans me retourner pour jeter un dernier regard à la Madeleine, cette misérable sans merci qu'un très vieux péché de dix-sept siècles tourmentait encore jusqu'à la folie.

— Ne vous donnez pas la peine de nous raccompagner, *signor* Galilée. Nous n'habitons pas très loin. Je regrette infiniment de vous avoir importuné.

13

Vénus

L'après-midi suivant, un messager m'apportait une lettre :

Révérée signorina,

Je vous présente d'humbles excuses pour l'incident qui vous a hier embarrassées, votre fille et vous. Je prends sur moi la faute de n'avoir pas songé qu'une enfant risquait d'être effrayée par une telle effigie, quoiqu'il me paraisse certain que la présence de cette malheureuse sur les marches du Baptistère n'a pu que contribuer à l'émoi de votre fille.

Me sera-t-il permis d'espérer réhabiliter l'honnêteté de mes intentions en vous invitant à souper au palais Pitti à l'occasion du jour anniversaire de la naissance de Giovanni, le fils de Côme, dans une semaine à compter de samedi ? J'ai l'assentiment de Côme pour vous envoyer chercher en voiture, et il me charge de vous mander que votre compagnie lui sera agréable. Je vous baise la main avec ferveur et vous supplie de me continuer vos bonnes grâces ainsi que les entretiens de votre bel esprit, et vous convie à honorer de votre présence ce soir-là notre observation de la planète Vénus, si le temps est clair. Je suis, signora, votre très humble serviteur,

Galileo Galilei

Le cachet de cire montrait un animal héraldique entouré de lauriers et couronné en chef, ainsi que la devise « Académie de science ».

Observer la planète Vénus ? Pourquoi celle-ci en particulier ? Qu'allait en penser Pietro ? Et moi-même, qu'en pensais-je ? J'hésitais. S'il s'intéressait à moi, ce ne pouvait être que paternellement : il avait, après tout, l'âge d'être mon père. L'ayant importuné, je ne pouvais pas me permettre de me montrer ingrate. Il y avait aussi l'avantage non négligeable de paraître à la cour des Médicis. Chaque gentilhomme présent pouvait devenir un mécène en puissance, y compris les deux fils du duc, Ferdinando et Giovanni, lorsqu'ils auraient l'âge de gouverner. Je répondis oui.

Mais, le soir, je revins sur ma décision. Je ne connaissais pas exactement les intentions du *signor* Galilée. Si Pietro m'accompagnait, la situation paraîtrait moins équivoque. Lorsqu'il rentra de l'atelier où il travaillait, je lui fis part de l'invitation, tout en éminçant des oignons.

— Viendras-tu avec moi ?

— Il faut que je voie l'invitation.

Le couteau manqua une rondelle.

— Il n'y a pas d'invitation. Un homme portant la livrée des Médicis est venu, et m'a débité un compliment en vers. Voilà qui m'a semblé très raffiné.

Je regardai l'oignon intensément et m'appliquai à le trancher soigneusement.

— Quand cela a-t-il lieu ?

— Samedi prochain. Il faut y être à la fin de l'après-midi et en début de soirée. On regardera dans un télescope.

— Non, je vais aller aux courses de chevaux.

Les courses de chevaux. Cela voulait dire qu'il rentrerait soit d'humeur joyeuse et généreuse, soit au contraire, pingre et morose.

§

Le jour anniversaire de la naissance de Giovanni de Médicis, la ville était transformée en fournaise sous un plafond de nuages. Une chaleur intense montait des pavés, réverbérée par les murs de pierre. L'air était lourd à faire tomber les libellules.

Dans la salle Blanche, un valet me plaça à côté de Galilée, à un bout des tables disposées en fer à cheval. Dès qu'il me vit, il se leva, s'inclina et me tint ma chaise.

— Suis-je pardonnée de vous avoir abandonné aux seules ressources du sacristain ? lui demandai-je. J'ai bien peur de ne m'être pas mieux conduite que ma fille.

— Pour ma part, j'ai bien peur de vous faire faux bond à mon tour, *signorina*.

— Comment cela ?
— Les nuages.
Il jeta un coup d'œil par la fenêtre.
— Vénus ne se montrera pas ce soir.
— Mais peut-être les nuages vont-ils se dissiper ?
D'un doigt, il me désigna, sur le toit d'en face, une bannière qui pendait, désespérément flasque, sur sa hampe.

Rien dans sa conversation n'était de nature à m'éclairer sur ses intentions. Plus d'une fois je le surpris à passer machinalement l'ongle de son pouce sur la pulpe de ses doigts, oublieux de la conversation générale. Il avait véritablement la tête dans les étoiles, comme les dames de cour l'avaient dit.

On servit un entremets d'anchois à l'huile d'olive et au citron, et des fleurs de courgettes en beignets. L'assemblée causait et mangeait avec lenteur, économisant ses gestes. Même les rires semblaient ralentis et désabusés. Pas un souffle d'air n'entrait par les fenêtres ouvertes. La sueur coulait en ruisseaux dans le cou des valets. Les invités se tamponnaient le front avec leur serviette. Le *signor* Galilée mouilla son mouchoir et me le passa autour du poignet afin de me rafraîchir.

Nous eûmes le premier service, des tourtes de porc aux oignons, dattes et amandes parfumées au safran, tout en écoutant des ménestrels interpréter un air entraînant composé par Lorenzo de Médicis. Ils chantaient *« Chi vuol esser lieto, sia di doman non c'é certezza »* : « Hâte-toi d'être heureux, car le futur est incertain. » Quel thème, pour un anniversaire ! Certains s'esclaffèrent et posèrent leur éventail de papier pour mieux applaudir, mais à moi, cette chanson me sembla de mauvais augure. Je songeai à Pietro, qui était aux courses, à jouer son argent. Le *signor* Galilée semblait lui aussi en proie à de noires idées, quoique je n'eusse pu deviner lesquelles. Il frottait son pouce frénétiquement contre ses doigts.

Côme escorta son fils autour des tables, le présentant à la compagnie comme un vrai jeune homme, alors qu'il devait avoir tout au plus sept ou huit ans. Arrivé à ma hauteur, le grand-duc dit :
— Voici Artemisia Gentileschi, un grand peintre. Elle travaille en ce moment à un tableau pour votre mère.

Je me sentis penaude car je ne l'avais pas même commencé, et j'avais peur qu'il ne m'en demande des nouvelles.

— Vous aussi, mon fils, vous voudrez avoir de ses œuvres quand vous réunirez des collections.

— Quand ce jour viendra, je serai heureuse de peindre pour vous.

Ils s'éloignèrent.

De ma place, je voyais fort bien l'obtuse et terne archiduchesse. Elle tenait son rang avec orgueil, mais n'avait jamais pour ses enfants les petits signes tendres que la mère de Côme, la grande-duchesse Cristina, leur prodiguait avec naturel. Dépourvue d'élan et de sincérité, la mère eût été bien empêchée de faire ce que fit la grand-mère, qui récita à son petit-fils un poème écrit en son honneur.

Me penchant vers Galilée, je lui murmurai :

— Cette archiduchesse qui trône à table avec toute la gravité de sa tête d'œuf n'aurait rien à gagner à la maigreur et à la sauvagerie que Donatello a prêtées à son bas-relief.

— Mais quel est votre but, flatter un mécène ou exprimer une idée ?

— Exprimer mon idée, qui n'est pas celle qu'une femme puisse être marquée à vie par des macérations excessives. Je voulais en faire une héroïne, mais une pénitente n'est pas quelqu'un qui accomplit un exploit dont elle aura sujet d'être fière sa vie durant.

— Comment allez-vous traiter cela ?

Je pris une longue et profonde inspiration.

— Je ne sais pas.

La dame qui était assise à côté de moi s'éventait, mais bientôt se fatigua de cet effort et se contenta de regarder par la fenêtre.

— Les tableaux les plus réussis sont ceux qui dépeignent le moment crucial d'une histoire, dis-je, pensant tout haut. Ma première idée était de montrer le moment d'anxiété qu'elle connaît lorsqu'elle attend devant la demeure de Simon, une fiole d'albâtre à la main, espérant pouvoir entrer et oindre les pieds du Maître de son huile précieuse, mais je n'en suis plus si sûre, maintenant.

— Vous avez donc lu les Écritures ?

Son pouce arrêta son manège.

— Non. J'ai juste imaginé cet instant devant la maison.
— Mais vous connaissez la Bible.
— Après la mort de ma mère, ce sont les religieuses de la Trinité-des-Monts, à Rome, qui m'ont élevée.
— Est-ce à dire que vous prenez le message de la Bible comme une vérité littérale ?
— Je ne suis point théologienne pour vous répondre. Je ne sais que peindre. La Bible fournit un riche florilège d'histoires dont peintres et sculpteurs se plaisent à exploiter le merveilleux et le spectaculaire, mais (parvenue à ce point de mon discours, je souris) on peut aussi le dire du chant, que vous tenez pour le premier des arts. Quant à me prononcer sur la véracité des récits bibliques, voilà qui excède mon propos et mes capacités. Je ne me soucie que des œuvres d'imagination.
— *Bene.*
Il se laissa aller dans son siège.
— Et ce que me dicte mon imagination, c'est que Marie Madeleine entretenait avec Jésus une relation bien plus intense que ne le faisait sa sœur, Marthe, la femme active, celle qui pourvoyait aux repas. Jésus a d'ailleurs dit à Marthe que c'était Madeleine qui avait choisi la meilleure part.
Les mains de l'archiduchesse étaient accablées du poids de ses énormes bagues.
— Mon propos est justement de montrer que la vie active de Marthe, son souci de bien faire, de bien gérer la vie matérielle, est moins exemplaire, au moment où le Maître enseigne ses disciples, que celle de Madeleine, qui est de pure contemplation. Marie Madeleine est celle des deux sœurs dont la nature a permis d'accéder à un plan spirituel qui est en général l'apanage des hommes.
Il leva son verre, qui resta suspendu à mi-chemin, et ne but pas.
— Des hommes seulement ?
— On peut le dire, oui, presque toujours. Prenez les disciples, tous ceux qui expriment une pensée raisonnée, ou même une pensée de questionnement : ce sont tous des hommes. Les femmes de la Bible nous montrent des exemples de foi et de spiritualité, mais en sachez-vous qui

se soient engagées dans un dialogue et une recherche avec le Maître comme l'a fait Marie Madeleine ?

— Que faites-vous de la Vierge ?

— Quelle parole de la Vierge témoigne donc d'une conscience spirituelle ? Quel témoignage avons-nous d'un esprit qui frémit et qui cherche ? Avons-nous un *Notre Mère* comme il existe un *Notre Père* ? Ce qui s'en rapprocherait encore le plus, c'est le *Magnificat*.

— Voilà des positions théologiques qui ne réjouiraient guère les Pères de l'Église !

— Loin de moi l'idée que Marie n'est pas sainte, mais il faut bien reconnaître qu'elle a traversé les siècles dans un grand silence. Madeleine, au moins, a laissé témoignage d'un esprit capable d'élargir les perspectives qui s'ouvraient, et d'en disserter.

— Si j'osais, je vous dirais que vous lui ressemblez en cela, ce qui fait de vous une femme extraordinaire, selon votre propre définition.

— En quelle manière ?

— Un esprit qui cherche. Un esprit qui innove dans sa réflexion.

Je pris acte de ce compliment d'un signe de tête.

— Mais il est difficile de traduire tout cela en peinture. Et quant à ceux qui ne se soucient pas d'approfondir le tableau qu'ils regardent, ils n'en auront aucune idée.

On nous présenta encore un interlude d'acrobates juchés sur des échasses, puis les valets servirent le second plat : des pigeons rôtis bardés de lard maigre, suivis de figues fourrées de raisins noirs sirupeux. Plus personne n'avait faim. Il faisait toujours aussi chaud.

— *Signorina*, ou plutôt, puis-je vous appeler Artemisia ?

— *Signora*, mais je préfère Artemisia.

— Oui. Votre intervention dans notre débat sur la peinture et la sculpture m'a beaucoup impressionné.

— C'était une conversation passionnante, quoique bien peu dans mes habitudes.

Avais-je connu semblables échanges avec Pietro ? Nul souvenir ne m'en revenait.

— Vous rendez-vous compte de l'envergure de vos succès ? Première femme reçue à l'Académie, une femme qui fait tomber l'obstacle des préjugés et des conventions. Une femme qui possède sa propre vision du monde. Cela est admirable.

Je souris à ses observations. S'il avait fait moins chaud, j'aurais sans doute trouvé à lui faire une réponse sage et modeste.

Les invités s'égaillèrent sur les terrasses et dans les jardins, en quête d'ombre et de fraîcheur. Galilée ne sembla pas vouloir se lever de table. Il sortit de sa bourse un mouchoir noué qui contenait les fameux bonbons au cédrat.

— Une gâterie de vieux !

Retroussant les coins du mouchoir, il me les présenta.

— Ils sont jolis, ils ont tous une forme différente. On dirait des éclats de vitrail. Ou des gemmes brutes.

J'en pris un.

— Les cédrats ont bien donné cette année. Je les cultive chez moi, dans de grands pots en terre cuite. J'ai aussi des bonbons à l'orange et au citron.

— Vous cultivez des arbres à bonbons ?

Il rit gentiment de sa maladresse d'expression.

— Ils sont confits par sœur Marie Céleste, du couvent de San Matteo in Arcetri.

Il renversa le mouchoir sur la table.

— C'est ma fille.

— Oh, je ne vous savais pas marié !

— Je ne le suis pas, dit-il en laissant filer un silence. Je ne l'ai jamais été.

Sans être le moins du monde un Adonis, c'était pourtant un homme intelligent et gentil, un homme dont les compliments étaient sincères, quelqu'un dont une femme intelligente pouvait très facilement s'éprendre.

— Curieux, non, pour un homme de mon âge ?

— Peut-être pas, pour un amoureux des étoiles comme vous l'êtes.

— J'ai également une autre fille, et un fils. Leur mère et moi sommes restés en bons termes, mais nous n'avons jamais vécu ensemble. Elle est mariée, à présent, et vit à Padoue.

Je levai discrètement les yeux afin de lire sur son visage un quelconque indice de ses sentiments envers cette femme, mais son regard était impénétrable.

— Nous avons assez parlé de mon métier. Parlez-moi du vôtre.

Il me regarda avec circonspection.

— J'aime à croire que vous avez l'esprit ouvert à ce que vos yeux vous montrent, et non pas crispé sur l'obéissance aux dogmes officiels.

— Le devoir d'un peintre, tout comme celui d'un homme de science, est d'observer le monde par soi-même.

— Alors je vais tout vous dire, quoique mes détracteurs m'obligent à la prudence, et que je sois obligé de ne publier mes travaux que sous le manteau de l'hypothèse.

Il se pencha vers moi, parlant vite.

— En observant les astres, grossis par mon télescope, j'ai pu constater qu'il existe sur la Lune des cratères et des montagnes, tout comme sur notre Terre, et qu'il y a des taches sur le Soleil.

— Des taches ?

— Des fumées, des vapeurs, que leur couleur plus sombre rend visibles, et cela m'amène à l'essentiel.

Il posa ses coudes sur la table afin de mieux souligner ses dires avec les mains, malgré la chaleur.

— Ces taches se déplacent sur la surface de l'astre, ce qui suggère que celui-ci, étant immobile, tourne en fait sur son axe.

Il prit le plus gros des bonbons et le fit tourner sur lui-même.

— Immobile, le Soleil ? Mais comment fait-il pour se lever et se coucher ?

— Ce n'est que l'illusion que nous en avons, vu de la Terre.

Il leva l'index, négligeant ma stupéfaction au profit de son élan professoral.

— Et qui plus est, la planète Jupiter possède quatre lunes (il disposa quatre petits bonbons autour du gros), en dépit de ce que prétendent les théologiens, à savoir que Dieu n'aurait jamais permis que les éléments du système planétaire excèdent le nombre sacré de sept. Nous devons accepter ce dont nos yeux nous rendent compte.

— Et donc ne pas croire aveuglément le récit biblique ?

— Certainement pas en toutes choses. Je me suis couvert par écrit de cette clause de précaution auprès de la grande-duchesse Cristina, que je n'ai guère convaincue, quoique son fils me soit tout acquis. Je fus jadis son précepteur et il me reste attaché.

— Vous arrivez à voir ces lunes dans votre verre grossissant ? Ne sont-elles pas un effet d'illusion, elles aussi ?

— Elles existent bel et bien. Je les vois à travers mon télescope bouger contre la surface de Jupiter, ce qui prouve... enfin, ce qui suggère que des corps célestes tournent autour d'autres sphères que la Terre.

— C'est inouï ! C'est le monde à l'envers ! On nous a toujours enseigné que tout tourne autour de... de nous ! Voulez-vous dire alors que les enseignements de notre Sainte Mère l'Église ne sont pas obligatoirement vrais ?

Il haussa les épaules, fit la moue.

— Vous professez une doctrine bien étrange et bien dangereuse, *signore*. Comment pouvez-vous être si sûr de vous ?

— Par des observations répétées et des déductions logiques. Si Aristote revenait parmi nous, et si j'avais l'occasion de lui montrer tout cela dans mon télescope, il déchirerait lui-même ses écrits et reconnaîtrait que sa théorie n'est que la vision égocentrique et primaire d'un esprit étroit.

— J'aimerais beaucoup voir ces... ces lunes (et, ce disant, je désignai les quatre bonbons).

— Je vous les aurais fait voir cette nuit même si le ciel avait été dégagé. Avec les nuages que nous avons là, nous ne pouvons rien voir. Un autre jour, quand les conditions seront parfaites, je vous les montrerai. Ainsi que les cratères de la Lune et les phases de Vénus.

— Les phases ?

— Du croissant à l'orbe entier.

— Alors Vénus est donc une lune ?

Il sourit largement en hochant la tête.

— On peut en effet le dire. Elle est, pour le Soleil, une lune qui tourne autour de lui.

— Cela signifie que la déesse de l'amour croît et décroît ?

Je vis plusieurs expressions se succéder rapidement sur son visage : il fut d'abord décontenancé d'avoir perdu le fil de son histoire, ce qui me fit sourire, puis il hésita à suivre ma pensée ou la sienne, et enfin s'efforça de reprendre pied.

— Ces phases nous indiquent, voyez-vous, que Vénus tourne autour du Soleil, exactement comme la Lune autour de la Terre.

Il posa un bonbon censé représenter Vénus, et baissa la voix.

— Et du fait qu'une planète tourne autour du Soleil, et que, par ailleurs, les taches solaires nous donnent à penser que cet astre tourne sur lui-même, il est donc probable que c'est le Soleil qui tient tout cela ensemble, toutes les planètes, sous l'emprise de sa rotation.

Il fit tourner tous les bonbons autour du plus gros.

— Donc nous bougeons ?

Je regardai par la fenêtre, incapable de me représenter cette idée nouvelle.

— Je ne sens pas que nous bougeons.

— Et pourtant, Artemisia, nous bougeons bel et bien, à une vitesse inimaginable. Nous n'avons que l'impression de rester sur place.

Il parlait avec douceur, comme s'il aidait un enfant à marcher sans tomber.

— Pourquoi donc alors cette bannière, dis-je en la désignant par la fenêtre, pend-elle contre sa hampe au lieu de flotter tout droit ? Et cette femme, sur la terrasse, pourquoi sa chevelure est-elle inerte ?

— Parce qu'il existe d'autres forces contraires.

Il s'appuya au dossier de son siège.

— Votre esprit est original et affûté.

Cela me fit sourire.

— Le point de rencontre de l'art et de la science, c'est le royaume de l'imagination, le chaudron où s'élaborent les idées nouvelles, le lieu où vous et moi nous sentons pleinement vivants.

Bien qu'il professât des doctrines impies, une affinité d'esprit nous rapprochait. Je détournai le regard pour lui cacher mon admiration.

— L'artiste et l'homme de science gagneraient tous deux à cultiver le scepticisme à l'égard des dogmes de la pensée, dit-il.

— Je vous admire pour le risque que vous prenez, *signore*, lui murmurai-je.

— Galilée, je vous prie, pas *signore*.

Nous allâmes dehors nous accouder à la balustrade, face à une rangée de sombres cyprès qui pointaient comme des flèches de clocher vers ce ciel qu'il aimait tant.

— Nous prenons tous deux des risques, dit-il.

Son expression s'assombrit.

— Il faudra bientôt que j'aille rendre compte de mes découvertes au pape, afin de le libérer des systèmes d'Aristote et de Ptolémée, et aussi au cas où j'aurais besoin par la suite de sa protection.

— Aller à Rome ? C'est se jeter dans la gueule du loup !

— J'ai bien peur d'être déjà entre ses mâchoires…

— Devrai-je trembler pour vous lorsque vous y serez ?

D'un geste de la main, je lui interdis de répondre.

— Quelle que soit votre réponse, je sais que je vais avoir peur. Vous êtes trop confiant. Tous les précurseurs se font des ennemis. L'entourage du pape est habile à retourner contre eux les propos des gens plus vite que l'on mouche une chandelle. C'est la cité de tous les périls. Elle peut se targuer d'adopter vos idées un jour, et les condamner le lendemain. Rome aime certes les caractères forts, mais elle aime plus encore leur chute.

— Comment êtes-vous dans le cas de savoir cela ?

— N'oubliez pas que je suis romaine.

Nous restâmes silencieux un long moment, chacun songeant à la Rome qu'il connaissait.

Quelques invités nous rejoignirent.

— Pas d'observations célestes, ce soir, *signore*?

— Le ciel ne comble pas toujours nos vœux, répondit Galilée.

Il rentra chercher un luth.

— Le luth est le premier des arts, lui rappelai-je. Supérieur à la peinture. Supérieur aux sanglots. Jouez donc quelque chose de mélancolique, en prévision de votre départ.

Les notes flottèrent dans la nuit tombante, et je savais que cette soirée resterait en suspens, elle aussi, dans ma mémoire, comme une étoile cachée par les nuages.

Tout le monde s'en allait. Galilée sortit avec moi et me fit monter dans l'une des calèches disponibles. Il posa sa main sur la mienne sur le rebord de la portière.

— Soyez sûre que je ne manquerai pas de vous tenir informée de mon retour.

Ses yeux inquiets et doux luirent dans le halo de la lanterne.

— En attendant, lui dis-je, j'essaierai de sentir que la Terre tourne.

14

Marie Madeleine

À l'heure de la sieste, je demandai à Pietro, couché avec Palmira somnolant auprès de lui :

— Qu'est-ce qui est le plus important pour un peintre ?

— Savoir observer, tout commence et finit là.

— Et si ce que voit le peintre lui déplaît ?

— Il lui faut quand même le regarder.

— Tu veux dire par là qu'il ne faut jamais détourner le regard, quand bien même on ressentirait un grand malaise ?

— Qu'est-ce que cela signifie ?

— Ma Madeleine repentante.

Je pris des mines de plomb et un petit carnet de croquis relié.

— Veux-tu rester ici un moment avec Palmira ? Je vais essayer de retrouver cette pénitente folle.

— Pour quoi faire ?

— Je ne sais pas exactement. Je m'en rendrai compte en la revoyant. Je serai rentrée avant la fin de ta sieste.

❦

Elle n'était pas à Santa Croce. Je fis le tour du Dôme et du Baptistère. Pourquoi était-elle partie juste au moment où j'avais besoin d'elle ? Je la retrouvai à San Lorenzo. Je m'installai de façon à la voir bien en face entre un cheval et sa carriole.

Ses chevilles nues reposaient sur le sol et elle se balançait, psalmodiant son remords en une pénible plainte, possédée par la honte au point d'en avoir oublié tout respect humain. Qu'avait-elle bien pu commettre de si effroyable pour s'être attiré ainsi une vie entière de mortification ? Personne ne méritait ce tourment sans fin ni merci, sauf peut-être un tyran. Je pleurai avec elle, sur elle, sur Ève, sur mes chagrins passés et sur ceux à venir. Je rangeai ma mine de plomb. Il était indécent de dessiner cette souffrance vivante. S'il avait existé un peintre à Béthanie, il n'aurait été ni juste ni digne qu'il imposât son pastel ou son fusain dans l'intimité des pleurs de Madeleine lavant les pieds du Christ. L'art doit parfois attendre que le temps émousse les spectacles les plus crus de la vie.

Je partis à reculons entre les maisons de la place.

Si l'instant où s'opère la conversion produit cette abjecte déréliction, alors je ne voulais pas le peindre. Ce qui me passionnait, en revanche, c'était l'instant qui précède immédiatement la conversion, cette minute suspendue d'avant le renoncement, quand Éros est encore le maître, mais que Madeleine commence à entrevoir ce que va devenir sa vie si elle poursuit le même chemin, et que l'épouvante la saisit d'avoir à se dépouiller de ses désirs. Je l'imaginais encore vêtue d'une de ces robes somptueuses dont raffolaient les Florentins, sa chevelure dénouée devant symboliser la sensualité mal refrénée. Je voulais aussi, comme l'avait fait Donatello, suggérer la folie latente en montrant un seul pied nu, qu'elle eût à son insu déchaussé, non pas un pied mignon mais un robuste pied d'ouvrière dépassant de la robe.

Enthousiasmée par mon idée, je pressai le pas.

Il me fallait lui donner de l'ironie, de l'ambiguïté, des contradictions. Elle devait avoir au front les plis du souci, des larmes dans les yeux, les paupières rougies et gonflées des pleurs versés sur sa honte, mais elle devait aussi porter des bijoux, car un miroir posé non loin d'elle laisserait deviner de récents apprêts de courtisane. L'ambiguïté devait alors résider dans ses larmes. Que pleurerait-elle au juste ?

Rue des Teinturiers, comme j'approchais de la maison, je vis des lés de soie couleur vieil or qu'on avait mis à sécher aux plus hautes fenêtres sur des cadres de bois. C'était la couleur idéale pour Marie Madeleine ! Une jeune femme en tirait tout un métrage d'une cuve, et le soleil, reflété sur la teinture, donnait à ses bras nus une nuance superbe. Je fus un moment à contempler cette belle fille solide à la peau dorée, large d'épaules, mais dont le visage affichait une grande souffrance sous sa couronne de cheveux frisés. Si seulement j'avais pu capturer son allure et son expression, en lui demandant simplement de regarder au loin, et non en bas vers la cuve…

Je m'approchai.

— Quelle couleur magnifique ! Est-ce que ça ne rend pas votre travail plus attrayant ?

— Non, *signora*. Vous aimeriez respirer des vapeurs d'ammoniac et vous ébouillanter les mains à longueur de journée, vous ?

Elle avait les yeux rouges et larmoyants. Elle était parfaite. On aurait juré qu'elle avait beaucoup pleuré.

— Qu'aimeriez-vous faire, alors ?

— Je préférerais tisser, ou coudre.

— Un métier où l'on est assis ?

— Oh, oui !

— Et si l'on vous payait juste pour ne pas bouger ?

Elle me coula un regard méfiant.

— Je suis une femme honnête, *signora*, pas une…

— Je suis peintre. Je voudrais que vous me serviez de modèle. Je vous trouve belle.

Elle se rebiffa.

— Mon père ne me croira jamais.

— Laissez-moi lui parler.

Elle me conduisit au fond d'une boutique étroite. La réponse du père fut un « non » tonitruant.

— Et ta cuve, qui s'en occupera ? lui demanda-t-il, sans plus me regarder.

Ou du moins, c'est ce qu'il me sembla, car il louchait fortement. Je me demandai à quoi le monde pouvait bien ressembler pour cet homme, qui devait n'en percevoir qu'une distorsion fuyante, et je le plaignis.

— Je suis bien certaine que pour un tiers du salaire que je lui propose, vous trouverez facilement quelqu'un pour la remplacer.

— Je lui interdis de se déshabiller, quel que soit le prix.

— Bien au contraire, je voudrais lui faire porter une robe faite de cette merveilleuse soie mordorée, celle-là même qui est dans le bain de teinture. On la dirait tissée de fils d'or pur. Je suis sûre que c'est ce que l'on fait de mieux à Florence, non ?

— Bien sûr que c'est ce qu'il y a de mieux. Nous sommes teinturiers ici de père en fils depuis deux cents ans.

— N'aimeriez-vous pas que Maria Maddalena de Médicis, l'archiduchesse en personne, apprenne que c'est vous qui avez produit cette teinte merveilleuse ? C'est pour elle que je vais peindre ce tableau. Comment vous nommez-vous, *signore* ?

— Marco Rossi.

— Et votre fille ?

— Umiliana.

— *Bene.* Tout est arrangé.

Je lui tendis ma main, paume ouverte. Surmontant ses dernières hésitations, il y claqua la sienne comme si j'avais été un homme. Je lui souris et me tournai vers Umiliana.

— Prenez un bain, lavez aussi vos cheveux, et venez lundi matin. C'est au bout de Lungarno, juste avant la place Piave. Vous verrez un portail de bois avec une tête de lion sculptée. Il y a un puits carré et un figuier dans la cour. Sonnez la cloche dont la corde a trois nœuds.

❧

Le lundi, Umiliana m'apporta une pêche. Je la partageai en trois, pour Palmira, la jeune fille et moi-même.

— Je ne savais pas que vous aviez un enfant, *signora.* Je regrette, si j'avais su, j'en aurais apporté une pour elle et une pour vous.

— Ne vous en faites pas. Regardez comme la couleur du fruit est belle à l'intérieur. On dirait presque votre soie dorée. Une couturière va passer aujourd'hui pour prendre vos mesures, et nous l'enverrons à l'échoppe de votre père acheter la soie.

— Il en sera content.

— Vos cheveux sont lisses aujourd'hui, lui dis-je.

— C'est parce que je n'ai pas travaillé ce matin. C'est la vapeur qui les fait friser.

— Ah, mais c'est que je voulais qu'ils soient comme ça, un peu indisciplinés. Dorénavant, chaque matin, avant de venir, penchez donc votre tête au-dessus d'une cuve bouillante.

Et elle le fit sans jamais y manquer, quoiqu'elle ne trouvât pas cela seyant. La première semaine, j'essayai avec elle plusieurs poses, et elle se révéla souple et complaisante, désireuse de bien faire.

Chaque jour elle demandait « avez-vous la robe ? », et Palmira se montrait tout aussi impatiente qu'elle.

— Demain, maman ?

— N'ayez pas d'inquiétudes. Nous allons l'avoir bientôt, leur répondais-je à toutes deux.

La robe finit par être livrée un matin, et je l'étendis sur la grande table recouverte d'un linge propre. Palmira sautait d'excitation comme un cabri, Umiliana, impressionnée, siffla doucement entre ses dents et recula. Elle faisait presque la grimace.

— *Dio mio,* n'ayez crainte, lui dis-je en riant, venez plutôt que je vous aide à la mettre.

Sans un mot, elle se dépouilla promptement de ses vêtements, qui jonchèrent le sol autour d'elle, et leva les bras. Je haussai la robe par-dessus sa tête et la lui passai ; Palmira, les yeux ronds d'envie, suivait ce cérémonial. Quand la robe fut bien mise en place et lacée, ce fut du délire : ma fille, ne se contenant plus, agitait les bras en glapissant « on dirait une reine ! », et elle multiplia les révérences. Puis, d'un geste gracieux, elle désigna le siège au velours élimé que Fina m'avait prêté pour l'occasion et dit :

— Et voici son trône.

— Veux-tu m'apporter mon miroir, petite chérie ?

Palmira s'en fut le quérir et le rapporta cérémonieusement, le tenant à deux mains.

Umiliana eut en se voyant un sourire incrédule, presque honteux.

— Une robe comme celle-là, jamais je n'en aurai de ma vie, c'est sûr.

— Moi non plus, sans aucun doute.

Je lui dénudai une épaule en abaissant son décolleté. Elle demanda :

— Qu'allez-vous en faire quand vous aurez fini ?

— Oh, je serai sûrement obligée de la vendre.

— En voilà de l'embarras juste pour faire un tableau !

Elle caressait le galon du corselet d'un doigt tout en se mirant.

— Non, c'est véritablement indispensable pour que l'on comprenne le sujet même de cette peinture.

— Je voudrais bien que Giorgio puisse me voir ainsi.

— Qui est Giorgio ?

La robe qu'elle portait lui donnait de l'audace, mais sa timidité naturelle reprit le dessus.

— C'est mon...

— Mais oui, bien sûr, fis-je en souriant. Lorsque nous aurons fini, il pourra venir voir le tableau avant que j'aille le livrer. Mais pas longtemps.

— J'en suis bien contente.

Je fis prendre à Umiliana une pose de trois quarts, assise à une table, les plis opulents de la jupe de soie occupant une bonne partie du premier plan. Le miroir à cadre de bois posé sur la table m'inspira une idée : refléter non pas ce qu'on la voyait être, mais ce qu'elle était condamnée à devenir un jour, ravinée, les cheveux blancs, la figure décharnée. Voulais-je suivre ainsi la vision de Donatello ? Au spectateur de juger ce que le miroir reflétait : ce qu'elle allait devenir si elle continuait à pécher, ou si elle se repentait. Là devait résider l'*invenzione*. Je disposai sa main gauche de manière à suggérer qu'elle repoussait le miroir vers l'ombre, comme cherchant à se protéger des prévisibles ravages du temps.

— Maintenant, posez votre main droite sur votre sein gauche. Un peu plus haut. Non, ne crispez pas les doigts, la main doit juste reposer. C'est bien. Le pouce engagé dans la naissance du sillon.

— Ça ne fait pas naturel.

— Cela suggère que vous êtes tourmentée. C'est exactement ce que je veux. À présent, imaginez qu'il fait un temps de canicule, que vous êtes obligée de tremper vos bras dans une cuve fumante. Quelle expression cela vous donnerait-il ?

Elle contracta son visage en une grimace douloureuse.

— Vous en faites un peu trop. Ah, voilà, c'est mieux. Comme si on venait de vous raconter une histoire très triste. La plus triste que vous puissiez imaginer. Que Giorgio vient de vous quitter.

Son visage devint pathétique, puis elle éclata sans crier gare d'un fou rire nerveux.

— Je vous demande pardon, *signora.*

Elle reprit son sérieux et se remit à poser.

— Très bien. Regardez juste vers l'extérieur et non pas vers le bas. Regardez la fissure qui descend du plafond. Parfait. Ne bougez plus.

❧

Je découvris (ainsi qu'elle-même) au cours des semaines qui suivirent qu'Umiliana était capable de tenir une pose des heures durant sans interruption, y compris une expression de détresse. Cela cadrait parfaitement avec mon sujet : Marie Madeleine effrayée d'avoir à renoncer à tout ce qui avait été sa vie.

Un matin, ayant vu Pietro partir travailler dans ses vêtements tachés de peinture, elle fit cette remarque :

— Deux peintres dans la même maison. C'est bien étrange.

— N'y a-t-il pas plus d'un teinturier chez vous ? Mon père aussi est peintre. Nous trouvons naturel de faire tous notre métier.

— Comment font les gens pour avoir l'idée de faire autre chose que ce qu'ils voient faire, alors ?

— Ils en ont l'idée s'ils se sentent eux-mêmes différents. S'ils ne se sentent pas à leur place. S'ils ont un projet, un désir qui n'appartient qu'à eux.

Je fus quelque temps à craindre que cet intermède de travail facile ne lui rende plus cruel le retour aux cuves de teinture, que l'écart entre ses aspirations et la réalité ne s'en creuse davantage, et cela par ma faute. Pourtant, il ne faut jamais perdre de vue que l'espoir, dont tous les humains éprouvent la constante sollicitation, possède la vertu de nous garder l'esprit ouvert et celle de nous aider à traverser les passes difficiles. Umiliana me demanda :

— Comment vos clients savent-ils auquel de vous deux s'adresser quand ils veulent une peinture ?

— Je pense qu'ils le savent pour avoir vu nos travaux respectifs.

— Ses tableaux à lui, où sont-ils ?

D'un geste circulaire, je désignai les murs.

— Tout cela est de lui.

Elle regarda sérieusement les peintures pour la première fois.

— Lequel de vous deux est le meilleur ?

La tête de Palmira apparut au-dessus de la table.

— Aucun des deux.

— Vous ne vous disputez jamais pour savoir qui est le meilleur ?

Palmira nous regardait, laissant couler de sa cuiller la bouillie qu'elle mangeait.

— Non, nous ne nous disputons pas. Allons, commençons la séance.

— Comment dire lequel de deux peintres est le meilleur ?

Je pris un moment pour réfléchir.

— C'est souvent impossible à trancher. Chaque peintre est différent et réussit des choses différentes.

Je considérai une *Sainte Famille* de Pietro que j'avais toujours vue au mur depuis le jour de mon arrivée. Marie était ravissante, une sensualité inattendue chez une vierge irradiait de son regard baissé et de son cou nu. J'avais toujours déploré le peu d'émotion que ce tableau suscitait en moi. Marie n'était pas un individu, une personne.

— La frontière qui sépare l'échec de la gloire est très ténue. On ne peut jamais savoir de quel côté on se situe. Un peintre pris séparément peut sembler excellent, mais confrontez-le au génie, et son travail apparaîtra alors médiocre. Tout cela est fort complexe.

C'était là sans doute plus d'explications qu'elle n'en demandait, mais je me sentais stimulée par sa curiosité intellectuelle.

Quand vint l'été, Umiliana m'apporta des bouquets de romarin et de marjolaine du jardin de sa mère. À l'automne, ce fut du *pecorino* frais dont les bergers descendant des alpages fournissaient la boutique de Giorgio, et qui était encore laiteux. En hiver, des poires, des pommes et des châtaignes à rôtir.

— Ça n'a pas beaucoup avancé, aujourd'hui, disait-elle souvent d'un ton joyeux en allant voir la toile quand la séance de l'après-midi s'achevait.

Le dernier jour, j'écrivis *Optimam partem elegit,* ce qui, en latin, signifie « Elle a choisi la meilleure part » sur le cadre du miroir, dans une belle calligraphie d'or.

— Et voilà, vous êtes belle comme la *Vénus* de Botticelli, lui dis-je quand le tableau fut achevé.

— Il ne reste plus rien à faire dessus demain ?

— Il faut juste que je le signe.

— Je peux regarder ?

Je réalisai alors que, durant tous ces mois passés à poser, elle était restée derrière le chevalet et ne m'avait jamais vue appliquer la couleur. Je l'avais exclue, bien malgré moi, de l'action principale.

— Bien sûr.

Je rechargeai mon pinceau en pigment d'or, tournai la toile pour plus de commodité et inscrivis « Artemisia Lom » sur le barreau de la chaise de Madeleine. Ignorant si elle savait lire, je dis ce nom à haute voix.

— Votre nom est Lom ?

— Non, Lomi. C'est un vieux nom de famille. Il manque la dernière lettre. Mettez-vous là, devant moi. Donnez-moi votre main.

J'y plaçai le pinceau, et couvris pour la guider sa main de la mienne. Nous traçâmes le *i* ensemble.

— Et maintenant, toute seule, vous allez poser un petit point au-dessus de la dernière lettre.

Cette écrasante responsabilité lui fit pincer les lèvres ; elle affermit sa main droite en tenant son poignet de l'autre main et vint lentement toucher la surface de la toile. Puis, elle se tourna vers moi, prenant une profonde inspiration qui lui pinça les narines. Elle avait les larmes aux yeux.

— Merci.

Qu'une chose si simple pût être si chargée de sens… Ce qu'elle venait de vivre était d'un prix immense à ses yeux. Je la pris dans mes bras, et aperçus par-dessus son épaule Palmira, qui n'y comprenait rien.

— Quel nom de peintre avez-vous dit, avant de signer ? demanda Umiliana.

— Botticelli. Sa *Vénus* se trouve dans le palais des Offices. Vous n'y êtes jamais allée, n'est-ce pas ?

— Non.

— Je vais écrire un mot, en tant que sociétaire de l'Académie, pour signaler que vous êtes mon modèle, comme cela vous pourrez entrer et bien tout regarder. C'est impardonnable de passer sa vie dans cette ville sans en voir les tableaux ni les sculptures.

— Des statues, mais j'en vois partout ! Je ne les aime pas. Tous ces personnages ne font que des horreurs. Celui-là, dans la Loge della Signoria, il tient une tête de femme coupée avec des serpents à la place des cheveux, et toutes ces espèces de filaments dégoûtants qui sortent du cou. Pouah ! Quand je dois passer devant, je regarde de l'autre côté. Pourquoi sont-ils tous si cruels ?

— C'est vrai, maman, pourquoi ? insista Palmira.

Je fus surprise qu'elle ait entendu et compris. Je n'avais pas pris garde à sa présence.

— Je ne peux pas vous répondre. Ce n'est que le choix des sculpteurs, j'imagine.

Je préférais qu'Umiliana n'ait pas vu mes *Judith*.

— Bon, oublions les statues. Mais allez voir les peintures, et regardez la grâce de ces femmes. Examinez la façon dont elles sont assises ou dont elles se tiennent debout. Cela pourrait bien vous être utile plus tard. Quand vous y serez allée seule, vous pourrez emmener Giorgio. Mais allez-y d'abord. Je vous interrogerai sur ce que vous aurez vu.

§

Le lendemain, je rendis visite à l'intendant de l'Académie.

— Avez-vous toujours votre liste de modèles ? lui demandai-je. J'aimerais y ajouter un nom.

Il pencha sa face de lune de côté, l'air content de soi, et se permit un sourire pincé, comme s'il avait remporté une victoire.

— Certainement, *signora.*

Les mots coulaient de sa bouche comme des malédictions enrobées de miel.

Il étendit le bras vers le rouleau de feuilles et me le donna avec une plume. J'inscrivis en grosses lettres bien lisibles « Umiliana Rossi, rue des Teinturiers », et lui mis le document sous le nez en le lui rendant.

— C'est un très bon modèle. J'aimerais que vous fassiez en sorte qu'elle ait du travail.

Son sourire s'évanouit en grimace.

15

Le Dôme

On était en février, par un froid fort vif. Il faisait presque nuit déjà. J'étais à court de terre de Sienne et de jaune de Naples. Je fis rouler sur la table les dernières pièces contenues dans la bourse bleue donnée par mon père, laquelle s'était entre-temps remplie puis vidée trois fois depuis la Madeleine, au gré des commandes de Côme. Cette dernière m'avait été généreusement rétribuée, car elle avait eu l'heur de plaire à l'archiduchesse. Mais voici que la bourse était à nouveau plate.

Attirée par le tintement, Palmira se leva du coin de l'âtre où elle se tenait et vint m'aider à trier et empiler les pièces en les comptant : six *zecchini* vénitiens, cinq piastres, un *giulio*, un écu (qui valait sept lires), et quatre lires. Quatre lires permettaient d'acheter la nourriture d'une personne pendant une semaine.

Palmira posa son index sur le brillant *giulio* d'argent et le fit glisser vers elle au bout de la table.

— Je peux le prendre, maman ?

— Non. J'en ai besoin.

Son petit poing se referma sur la pièce et disparut sous la table. Je lui ordonnai :

— Rends-le-moi !

Cachant son poing derrière son dos, elle fit « non » de la tête.

— Palmira, donne-le-moi tout de suite.

Elle m'échappa vivement et courut au balcon, où je la suivis.

— Vilaine ! Donne-moi ça !

Je l'attrapai par l'épaule et lui donnai une tape sur le derrière. Elle hurla, se débattit pour m'échapper et lança la pièce au loin par-dessus le balcon.

— Tu es méchante, me dit-elle avec haine, et elle rentra en tapant des pieds.

Elle fit exprès d'accrocher mon chevalet au passage et le renversa, faisant choir la *Sainte Catherine* à laquelle je travaillais. Palmira s'arrêta et me regarda, moitié frondeuse, moitié effrayée.

— C'est très vilain, ce que tu viens de faire. J'espère que tu as honte de toi. File au lit.

— Non, je suis trop grande, j'ai huit ans.

— Tu n'as pas encore huit ans. Tu n'en as que sept et demi. Je ne veux plus te voir. Au lit !

Elle leva une jambe comme pour piétiner mon tableau.

— Non !

Mon hurlement jaillit en même temps que je bondissais sur elle. Elle courut dans la chambre se jeter à plat ventre sur le lit. Je l'enfermai en claquant la porte et m'appuyai au mur.

C'était donc cela ? Voilà à quoi on finissait par en arriver ? Une dispute idiote avec une enfant ! Je replaçai sur le chevalet ma *Sainte Catherine,* cette sainte qui avait été peintre et décorait son couvent de Bologne d'œuvres de femmes. Que ne vivait-elle de mon temps !

Peut-être n'étais-je pas un assez bon peintre pour vivre de mon travail. Peut-être mon père m'avait-il instillé des ambitions dont je n'avais pas les moyens. Peut-être me leurrais-je depuis le début.

Je remis les pièces dans la bourse et m'efforçai de rassembler mes esprits. Je ne pouvais me permettre aucune dépense hors la nourriture jusqu'à ce qu'une commande arrive, mais Côme, s'étant lancé dans un projet d'agrandissement du Pitti, ne voulait plus acheter de tableaux pour l'instant. Six mois que je n'avais pas eu de travail. Et pourtant, il me fallait continuer à peindre si je voulais avoir des toiles à montrer. Je résolus de me limiter à un quart de cube de jaune de Naples.

Je ne pouvais me mettre à la recherche d'un nouveau mécène dans cette ville sous peine de paraître déloyale ou ingrate, mais pourquoi ne pas tenter ma chance auprès d'une église ?

Le lendemain, bien aise de passer pour une fois un peu de temps sans elle, je confiai Palmira à Fina, j'emballai ma

Sainte Catherine encore en chantier dans un tissu et me dirigeai vers Santa Maria del Carmine, où sans doute les emplacements vierges de tableaux ne devaient pas manquer dans le cloître.

Je demandai à un jeune abbé une entrevue avec le desservant, et j'attendis dans la chapelle Brancacci, ma préférée, celle de l'*Adam et Ève* de Masaccio. Cette fois-ci, ce fut la fresque représentant Jésus envoyant Pierre chercher le denier de l'impôt dans la gueule d'un poisson qui m'émut aux larmes. Le visage du Christ annonçait une parfaite sérénité quoique ses disciples, incrédules et troublés, le considérassent avec effroi. Calmement, Jésus désignait le lac, et Pierre imitait son geste avec une expression qui disait « Quoi ? Là ? ».

De quelle foi insondable le Christ ne devait-il pas être animé pour accepter tranquillement ce pari de l'absurde : la gueule d'un poisson. Pas une ombre de doute. Pas une once d'inquiétude, et pourtant il était pauvre, soumis à l'impôt, jamais il ne savait de quoi serait fait le prochain repas de ses disciples. Oh, puissé-je éprouver cette totale confiance en notre Père du ciel ! Je fermai les yeux avec ferveur, espérant ressentir un signe. Quand je les rouvris devant cette fresque glorifiant la confiance absolue, je compris que, pour la première fois de ma vie, j'éprouvais l'art religieux conformément à sa destination. Oubliant Galilée et sa logique, j'eus la révélation que la seule forme d'art supérieure est celle qui élève l'âme, quelle que soit la technique employée.

Le curé approchait, l'air intéressé. Ce détail même m'encouragea. Je me présentai et lui proposai mon tableau, lui expliquant qu'il s'agissait de sainte Catherine.

— Il n'a pas l'air d'être achevé.

— Il ne l'est pas encore. Je pensais que… J'admire infiniment les fresques de Masaccio. J'aimerais tant qu'un tableau de moi soit conservé au même endroit… Quand il sera terminé, bien sûr.

— N'êtes-vous pas l'épouse de Pierantonio Stiattesi, le peintre qui a travaillé sur les fresques de Monte Uliveto ?

— Oui.

Il eut un pincement de lèvres désapprobateur.

— Une épouse qui est peintre ?

Que voulait-il ? Que je reste à la maison à plumer des oies et astiquer l'argenterie ?

— Stiattesi fait partie de l'Académie, à présent.

— Oui, et moi aussi.

— Je vois que cet homme est bafoué.

— Par qui ?

— Mais par vous, bien sûr. À supposer que vous soyez sa femme devant Dieu et l'Église.

— Je le suis en effet. Mais je n'ai rien fait qui puisse lui porter tort.

— Quoi qu'il en soit, nous n'avons pas l'usage de votre tableau ici. Je regrette.

— *Monsignore,* j'ai travaillé pour les Médicis.

— Les Médicis ne sont pas l'Église.

Il enfouit ses mains dans ses manches, comme pour signifier que l'entretien était terminé.

Je me sentais perdue. Hésitant encore, je jetai un dernier coup d'œil à la fresque. Mais non. Tout ce que j'aurais pu dire n'eût pas manqué d'être entendu comme une importunité. J'adressai au curé un hochement de tête, repris ma toile et partis.

À qui demander du secours ? Il eût été naturel de me tourner vers Pietro, mais depuis sa réception à l'Académie, il passait de moins en moins de temps à la maison. Sans bien comprendre ce que cela signifiait, j'avais peur de le lui demander. Je redoutais que mes questions n'ouvrent un abîme sous mes pieds. Mon père n'eût certes pas refusé de m'aider, mais dans sa dernière lettre, il me mandait qu'il allait quitter Rome pour aller vivre à Gênes. Je ne savais où le joindre dans cette ville. J'avais trop honte pour solliciter Buonarroti une fois de plus. J'ignorais si Pietro avait remboursé sa part du dernier emprunt que nous avions contracté ensemble auprès de lui. Mon dernier espoir était Galilée.

Je rentrai par les quais, lentement malgré le crachin. Galilée connaissait lui aussi des tracas. Je répugnais à le déranger. Lorsqu'il était rentré de Rome quelques années auparavant et que nous nous étions promenés ensemble dans les jardins du Pitti, il m'avait confié qu'il avait dû en passer par les volontés du cardinal Bellarmino. On lui avait fait promettre de ne plus défendre la théorie copernicienne. Il avait perdu ses bonnes joues depuis lors, et sa voix avait baissé d'un ton.

— Je suis navrée de savoir que l'Église vous persécute, lui avais-je dit. Je crois savoir que vous avez subi les tourments d'un tribunal ecclésiastique. J'espère que vous avez appris des choses plus intéressantes que cette histoire pendant votre voyage à Rome.

— Certes. J'ai compris que Rome ne respecte les hommes de savoir que si leurs idées ne soulèvent pas le plus léger doute quant aux dogmes officiels.

Qu'aurais-je pu lui dire pour le réconforter ? Je ne connaissais que trop bien moi-même les ravages que cause un jugement inique.

— Le pape Paul m'a assuré que je ne risquais rien.

— Il n'empêche, cette histoire n'est pas terminée.

— Non, elle ne l'est pas.

Rentrée chez moi, je réinstallai *Sainte Catherine* sur mon chevalet et sortis de mon coffret la dernière lettre reçue de Galilée.

Ma chère Artemisia,

La tramontane glaciale souffle avec une telle violence que j'hésite à sortir la nuit pour regarder dans mon télescope, ne serait-ce que pendant une heure. Une maladie m'a fait manquer le passage des comètes. L'invitation que j'avais eu l'honneur de vous faire, il faut convenir qu'elle tarde bien à se concrétiser. Sachez cependant que je ne l'ai pas oubliée, et qu'un jour j'aurai la joie de vous accueillir à ma villa de Bellosguardo, où je jouis d'un panorama céleste exceptionnel. En attendant, j'étudie le phénomène des marées, et me tiens pour à peu près heureux.

Votre fervent ami,
Galilée

J'avais tenté de l'encourager dans mes lettres, le dissuadant de prétendre vouloir tout expliquer au commun des mortels. Un peu de mystère ne nuit pas aux humains, enflamme leur imagination.

À présent, voici ce que je lui écrivis :

Très illustre ami et savant,

Je pense souvent à vous, et j'ai bon espoir que l'heureuse poursuite de vos nombreux travaux vous apporte satisfaction et joie.

Au risque de vous faire croire que je ne vous écris que pour vous solliciter, puis-je vous demander une faveur ? Elle ne semble pas hors de votre portée, et j'ose escompter que votre amitié vous rendra agréable le service que je vous demande, et en allégera le souci.

La première Judith que j'ai peinte pour Côme (peut-être vous la rappelez-vous, celle de la décollation d'Holopherne) devait m'être payée, mais ne l'a jamais été. Le grand-duc est jeune, et s'est récemment entiché d'architecture, si bien qu'il m'a oubliée. Vous jouissez d'une certaine influence auprès de lui. Peut-être un mot de votre part, en tant qu'ancien précepteur, pourrait-il lui remémorer sa promesse. Je répugne à vous mettre ainsi à contribution, mais je me trouve en grand besoin.

Cela fait des mois que je fouillais ma mémoire pour retrouver ce que l'on disait du cardinal Bellarmino. Je m'en souviens, maintenant, on l'appelle « le Marteau des hérétiques ». C'est une amie religieuse, à Rome, qui m'avait dit cela. Soyez vraiment sur vos gardes, mon ami.

Je vous baise la main et vous dois une gratitude éternelle,

Pour toujours, Artemisia

Je n'eus pas longtemps à attendre, on m'apporta une somme rondelette, mais quand j'eus payé mes dettes au charpentier, au tailleur, à l'apothicaire et amassé tout un stock de provisions de bouche, je dus me restreindre à nouveau. Les lendemains demeuraient incertains.

§

Il n'avait cessé de pleuvoir durant une semaine et je passais le temps en apprenant à Palmira à lire et à écrire autre chose que les noms de nos amies religieuses. J'écrivais de petits mots absurdes (« Regarde-toi dans le miroir, il y a une poule dans tes cheveux ») que je cachais à son intention un peu partout dans la maison. Quand elle les avait trouvés, elle me répondait par écrit sur le même ton (« Il y a un cheval sous ta jupe ») et je devais à mon tour suspendre mes occupations pour chercher ses petits papiers. Cela l'amusa d'abord beaucoup, mais elle ne fut pas longue à devenir grognon et agitée, à force d'être tenue ainsi enfermée.

Rien n'était plus éloigné de mon désir que de sortir sous la pluie, mais je l'habillai chaudement, lui laissai prendre sa poupée de son et sa balle. Nous courûmes par les rues enténébrées de pluie jusqu'à la Loge della Signoria, où au moins nous serions abritées, où elle avait toute la place de courir en rond autour des statues et où elle pouvait jouer à la balle contre le mur. Pour ma part, je pourrais dessiner les sculptures. Nous arrivâmes trempées, mais tout excitées.

J'avais eu le temps de dessiner les trois figures emmêlées du *Viol d'une Sabine,* de Giambologna, qui était sur la place, et j'en faisais le tour pour essayer de découvrir de nouveaux détails, cette œuvre ayant été conçue pour être regardée sous tous les angles.

L'homme qui venait d'enlever la Sabine exprimait tout entier le mouvement, l'action, la lutte, piétinant jusqu'au vieillard qu'il avait renversé, et à qui il venait sans doute d'arracher la femme. L'un de ses bras musclés assujettissait les épaules de celle-ci, l'autre lui encerclait les hanches et la cuisse. Je n'avais encore jamais remarqué combien profondément les doigts de l'homme entraient dans la chair de la cuisse. Cet homme herculéen devait déployer toute sa force pour contenir l'effort désespéré de sa proie. Tout montrait la violence qu'elle subissait, la bouche ouverte sur un cri, les yeux fous, le geste désespéré d'appel au secours, et surtout, surtout, ces doigts enfoncés dans sa chair. Je voulais mettre l'accent sur ce détail de la préhension dans mon dessin, que j'appellerais ma *Pietà.*

— Qu'est-ce qu'ils font, maman ?

— Les hommes sont en train de capturer cette femme. Ils veulent lui faire faire quelque chose qu'elle ne veut pas.

— Elle a l'air d'avoir très peur.

— C'est vrai, elle a peur.

Je m'assis sur la pierre glacée et commençai à dessiner, réalisant que j'avais choisi une statue qui montrait un viol.

Quand donc le viol que j'avais moi-même subi avait-il cessé de me tourmenter, pour que je sois devenue capable de dessiner sur ce thème ? J'eus l'idée que Pietro et Palmira m'avaient enseigné à aimer. J'étais capable maintenant d'étudier cette Sabine morte depuis dix-neuf siècles et de ressentir de la compassion pour elle, mais son calvaire ne me dévastait pas l'âme, ne me faisait pas flancher physiquement comme il l'avait fait la première fois que je l'avais vue. J'étais passée mille fois, depuis, devant cette statue pour me rendre au marché aux légumes sans me raidir de colère. Des exactions se commettaient contre les femmes depuis la nuit des temps, et la vie continuait. On avait toujours besoin d'aller acheter des oignons et des fèves.

Palmira me regardait avec une expression de défiance apeurée.

— Pourquoi tu ne peins plus jamais ?

— J'aime autant dessiner.

— Ce n'est pas vrai, ce n'est pas la raison.

J'entendis cela comme une accusation.

— Ah non ? Et qu'en sais-tu, ma petite raisonneuse ?

Je lui pinçai le nez, et elle recula.

— Viens, je vais te montrer quelque chose.

Elle fit non de la tête et s'enfuit sur la place noyée de pluie.

— Palmira, reviens !

Elle revint en effet, mais pas avant d'être trempée des pieds à la tête.

Une femme s'engouffra dans la Loge. Elle abaissa le capuchon de l'immense cape violette qui l'ensevelissait et en chassa les gouttes d'eau.

— Vanna !

Je ne l'avais pas vue depuis plusieurs années.

Ma présence en ce lieu, assise par terre, la sidéra, plus que son irruption à elle ne m'étonna.

Son beau visage s'enlaidit d'une expression revêche.

— Pourquoi avez-vous fait travailler une laveuse de laine aux mains rouges, et non moi ?

— Que voulez-vous dire ?

— Pour votre Marie Madeleine. Une catin des teintureries, à la peau rêche. Et d'autres, aussi, pour *Diane*, et pour *Perséphone*, pour *L'Aurore*. C'étaient quatre commandes

des Médicis, quatre chances pour moi d'avoir mon image au palais, et vous ne m'avez pas demandée une seule fois.

— Comment savez-vous qui j'emploie et ce que je peins ?

— Pietro me l'a dit. Il me dit tout.

Sa voix s'était faite aigre, elle paradait. Elle hésita un instant, prise à son propre jeu.

— Il la connaît, votre réputation. Votre cocher crasseux. Un homme de rien ! Vous n'êtes capable ni d'être un peintre, ni d'être une bonne épouse.

Dans l'instant, je sus qu'elle était la maîtresse de Pietro.

Me voyant interdite et comprenant qu'elle en avait trop dit, elle rabattit sa capuche et fila sous la pluie vers la porte latérale des Offices. Dans cette cape magnifique qu'aucun modèle ayant deux enfants à charge n'aurait pu s'offrir toute seule, sa silhouette fantomatique éclipsa une seconde les reins de marbre de David puis disparut. Un spectre.

Les regards discrets. Les mains moites qui se cherchent. Les rencontres clandestines. Pietro avait une maîtresse qui avait ses entrées aux Offices. C'était là que, de plus en plus souvent, Pietro travaillait avec ses amis. À cet instant précis, elle était en train de courir vers lui, dans l'élan de la passion, perturbée d'avoir rencontré par hasard la « légitime ». Sans compter la petite fille. Elle avait grandi, celle-là, et elle avait l'air boudeur. Lui dire ou non que l'épouse est au courant ? Non. Trop dangereux. Pas tant que cette femme et son enfant sont encore là, dehors, tout près. Y penser plus tard. À l'atelier. Après avoir caressé du bout des ongles, lentement, son échine et ses flancs solides, les deux creux jumeaux des reins qui se rejoignent sous la petite forêt dense des poils, l'embrasser là, le caresser du bout de la langue, le faire se raidir et tressaillir de désir, de désir pour elle…

« Arrête ! Essaie de penser sainement », me dis-je.

Il ne fallait pas que je sois là quand ils sortiraient des Offices.

— Viens, Palmira. On rentre.

— Mais on vient à peine d'arriver !

— Récupère ta balle.

Je rassemblai mes crayons, mon album et sa poupée sous ma cape, la pris par la main et l'entraînai.

— Compte les flaques, lui criai-je, afin de l'occuper.

Je la fis virevolter au-dessus des nids-de-poule, le long des cuves qui, ce jour-là, n'étaient emplies que de l'eau du ciel, les teinturiers restant chez eux par mauvais temps, et nous passâmes enfin la grille du jardin, nous écroulant toutes deux hors d'haleine sur les premières marches de l'escalier.

Lorsque nous fûmes chez nous, je la dépouillai de ses vêtements mouillés, la frottai vigoureusement, l'enveloppai dans l'une de mes robes d'intérieur et lui fis boire à la cuiller du bouillon chaud. Puis, je lui coupai des quartiers de pomme.

— N'as-tu pas un peu sommeil ? Quelquefois, le bouillon fait dormir.

Je fis son lit et l'y bordai.

— Comme ça, tu vas avoir vite bien chaud, lui dis-je, la frictionnant à travers la couverture.

— Pourquoi on a couru comme ça, maman ?

— À cause de la pluie, ma chérie.

— Mais on était déjà mouillées.

— Chut, maintenant. Fais dodo. Je vais voir Fina là-haut. Tu pourras nous rejoindre quand tu te réveilleras.

Je lui fredonnai une berceuse, et elle finit par s'endormir. Je montai chez Fina, qui lavait sa maigre vaisselle.

— Quelle journée épouvantable, dis-je.

— Où est Palmira ?

— Elle dort bien au chaud. Nous sommes rentrées trempées. Nous n'aurions pas dû sortir.

Je sentis que mon menton se mettait à trembler.

— Que se passe-t-il ? Qu'est-il arrivé ?

— Oh, Fina, vous le saviez, que j'avais fait un mariage arrangé.

Elle s'essuya les mains sur un bout de serviette.

— Je m'en doutais.

— Et qu'il avait une maîtresse ?

— Oui, répondit-elle calmement après un temps d'hésitation.

— Plus d'une ?

— Vous êtes sûre que vous voulez le savoir ?

— Oui.

— Des femmes, il en a eu des quantités. Je ne me souviens même pas combien. C'est une bénédiction pour sa pauvre mère d'être morte avant d'avoir vu ça.

— Pensez-vous qu'il a un autre foyer ?

Elle ferma à demi les yeux et haussa les épaules.

— C'est possible. Tout est possible.

— D'abord, pourquoi m'a-t-il épousée ? Le savez-vous ?

Une longue inspiration souleva sa poitrine.

— Parce qu'il avait des dettes. C'était pour la dot.

— Certes, mais pour quoi d'autre ? Pourquoi n'a-t-il pas épousé une Florentine ?

— Il a une réputation ici. Il lui était impossible de publier des bans à Florence sans que toutes sortes de femmes surgissent pour faire valoir qu'il était le père de leurs enfants. Sa seule chance de trouver une épouse, c'était de la chercher hors de Florence.

— Quelle idiote j'ai été ! Fina, mais quelle véritable idiote !

Je m'écroulai dans sa vieille chaise, refoulant une grande envie de pleurer. Elle approcha un tabouret, s'assit à côté de moi et attira ma tête sur sa poitrine moelleuse.

— L'aurais-je gardé si j'avais renoncé à peindre, vous croyez ? Rien de ce qu'il a dit ou fait ne m'a jamais donné à penser qu'il pût exiger de moi plus que ce que je lui donnais déjà. Il ne m'a pas laissée entrer dans son intimité.

Elle me caressait la nuque.

— C'est pareil avec toutes les femmes. Il n'y a pas d'intimité possible. C'est pour cela qu'il les quitte et passe de l'une à l'autre dès qu'il se sent plus ou moins à découvert. Ce n'est nullement votre faute.

J'eus un ricanement sinistre.

— Peut-être sa maîtresse est-elle sur le point de le découvrir à son tour.

Nous restâmes silencieuses un moment et ses battements de cœur contre ma joue m'étaient un réconfort. Quand nous nous séparâmes pour allumer la lampe à huile, je la remerciai et descendis chez moi. Palmira dormait à poings fermés.

Graziela m'avait dit que, lorsque je me sentirais abandonnée de Dieu, je devrais L'aimer encore plus. Il me fallait proclamer la bonté du Seigneur. Oui, j'allais le faire.

Demain, je proclamerais la bonté du Seigneur. Accordez-moi juste une nuit d'amertume, une nuit pour pleurer mon malheur, une nuit pour exorciser tout cela…

N'étais-je pas capable d'être une bonne épouse ? Vanna avait-elle raison sur ce point ? Dans nos moments de plus grande intimité, au lit, le besoin qu'avait Pietro de moi avait rencontré au plus intime de ma personne son double, comme on rencontre son reflet dans un miroir au sein de la pénombre, mais ni l'un ni l'autre n'aurait su dire dans quelle région obscure de son être naissait ce besoin. Si j'avais su exprimer cela, les choses eussent-elles été différentes ?

Je me reprochai d'écrire à Graziela dans l'état de trouble intense où je me trouvais, mais ne pus m'en empêcher.

> *… Au début, j'ai essayé d'être vigilante, mais j'ai quand même fini par tomber dans le piège que vous m'aviez signalé : je me suis donnée à un homme. À une illusion, exactement comme vous l'aviez prédit. À un homme qui s'était donné à une autre. Je n'ai jamais véritablement possédé son amour. Je n'ai eu que ce que j'avais espéré. Et ce que j'ai, à présent, c'est la vision du deuil amer et cruel qui m'attend. Pourquoi doit-il en être ainsi ? Pour que j'en fasse, plus tard, des tableaux ?*
>
> *Mais je n'ai pas l'intention pour autant de me donner à Dieu ni à un couvent, même si je suis réduite à la pauvreté. Quoique n'ayant aujourd'hui plus de commanditaire, plus d'argent et plus vraiment de mari, j'ai un toit au-dessus de la tête. Ma dot me garantit au moins cette sécurité. Et je possède un talent qui ne demeurera pas caché sous le boisseau. Je vais écrire partout. Je vais trouver un nouveau mécène. Je vais gagner ma vie. Je vais continuer comme si rien ne s'était passé. Je vais trouver une nouvelle vie et revivre.*

Au moment où je cachetais la lettre à la cire, Pietro rentra, trempé jusqu'aux os.

— Foutu temps, grogna-t-il, et il accrocha son vêtement dégoulinant à une patère. Tu as écrit à quelqu'un ?

Il s'assit à table.

— Juste à sœur Graziela.

Je repoussai ma lettre vers l'autre bord de la table et posai dessus une pomme du panier.

— Elle me demande de lui raconter tout ce qu'il y a à voir ici.

Je lui séchai les cheveux avec une serviette. Les boucles noires que j'aimais tant exhalaient une odeur d'huile cosmétique étrangère. Je posai une question parfaitement oiseuse.

— Crois-tu qu'il va cesser de pleuvoir demain ?

— Non.

Je réchauffai le bouillon, que j'épaissis d'oignons frits et de pain rassis. Il jetait des regards furtifs à la lettre tout en mangeant.

— J'ai essayé d'apprendre à Palmira à lire et écrire un peu mieux.

Je lui montrai les petits papiers.

— Elle a été intenable, mais maintenant elle dort.

Cette lecture le fit sourire, puis il toucha le bord de ma lettre à Graziela, comme par inadvertance, ou alors intentionnellement, pour me tester, car il en avait deviné l'objet et le sens. Je me raidis, fixant les doigts qu'il avait posés sur la lettre.

Une rafale de pluie s'abattit soudain contre les volets fermés, et l'eau commença à s'infiltrer le long du dormant de la fenêtre. Cela nous procura une diversion momentanée. Nous bouchâmes les fuites à l'aide de chiffons à peinture.

— Au moins, voilà qui va laver les rues et les maisons, dit-il. La ville sera toute propre lorsque la pluie aura cessé.

Je m'emparai d'une idée qui me traversa l'esprit.

— Est-il possible de monter jusque dans le lanternon qui culmine sur le Dôme ?

— Cela m'étonnerait.

— Et le clocher ?

— Pour quoi faire ?

— Pour voir la ville. Pour l'admirer quand elle sera toute propre.

— C'est très haut.

— Raison de plus.

— J'imagine qu'il doit y avoir un escalier à l'intérieur pour le sonneur de cloches, dit-il. Si je lui donne deux lires, il nous laissera peut-être monter.

— Ce que je veux savoir, c'est si de cette hauteur on peut sentir la terre tourner.

Pietro me regarda comme on regarde une folle.

— Tu as sans doute entendu parler du philosophe mathématicien Galilée, de la cour de Côme ? Il dit que la Terre tourne autour du Soleil, et d'autres planètes aussi.

— Il court au-devant des ennuis. Un jour, j'ai entendu un curé à Santa Maria Novella qui prêchait en chaire contre tous les mathématiciens, qu'il appelait les ouvriers du diable. Tout le monde a compris qu'il voulait parler de Galilée.

— Il y a longtemps ?

— Pas très.

— Si nous tournons, peut-être pourrons-nous le sentir à cette hauteur. Allons-y. Demain dimanche.

— Il va sans doute pleuvoir.

— Peu importe. Si nous ne le faisons pas maintenant, nous ne le ferons jamais.

Il me regarda bizarrement, comme s'il avait compris que je savais, que notre arrangement de convenance n'allait pas tarder à exploser. J'eus fugacement l'impression de lire du chagrin dans ses yeux.

Pouvais-je ne vivre que par lui, chaque jour, à chaque heure ? Pouvait-il être le centre unique de ma vie ? Un peintre ou une épouse. Une épouse ou un peintre. Que voulais-je être véritablement ? Peut-être trouverais-je la réponse là-haut.

— Je veux m'élever au-dessus de tout cela…

Je fis un geste vague de la main. À lui d'en démêler le sens.

— Palmira viendra aussi ?

— Non. Nous la confierons à Fina. Il n'y aura qu'à lui dire que ce sont des histoires de peinture.

Un seul côté de sa bouche se détendit en un sourire tendre et un peu triste.

— Ce sera comme nos premières courses dans la ville, quand tu es… arrivée ici.

— Voilà, ce sera exactement comme ça.

§

— Tu veux toujours y aller ? demanda-t-il le lendemain matin en ouvrant les volets.

Je me levai pour me rendre compte du temps. La pluie grêlait mollement la surface du fleuve.

— Oui.

Comme nous ne révélâmes pas à Fina le but de notre excursion, elle me jeta un regard ahuri. Je m'en sentis tout émoustillée, comme si nous nous apprêtions à faire quelque chose d'interdit. Je revêtis ma cape à capuche et nous sortîmes vivement, baissant la tête. Nous attendîmes place du Dôme sous la loge des Frères de la Miséricorde que retentissent les douze coups de midi. La pluie décapait durement les pavés de la place. Le revêtement de marbre de la tour carrée luisait comme les pierres précieuses.

— Quel dommage que Giotto n'ait pas vécu assez longtemps pour la voir finie, dis-je, et pour pouvoir au moins une fois monter tout en haut avant de mourir.

— C'est curieux, on peut vivre dans cette ville toute sa vie et ne jamais penser à le faire, remarqua Pietro.

Il partageait cette aventure avec moi en toute bonne foi et bonne humeur, et c'était mal de ma part que de lui faire porter la haine que je ressentais pour Vanna.

Quand le sonneur ouvrit la porte du clocher carré, nous nous engouffrâmes à l'intérieur sans lui laisser le temps de sortir.

— Nous sommes des artistes, dit Pietro, et nous aimerions avoir un point de vue sur le Dôme du haut de la tour.

— C'est pour un projet de l'Académie de dessin.

Il me regarda avec suspicion.

— Des artistes ? Tous les deux ?

— Laissez-nous juste entrer, dis-je.

Il se poussa pour nous laisser nous abriter de la pluie. J'ouvris ma cape et lui montrai mon insigne de l'Académie. Pietro lui glissa deux lires dans la main.

— Vous avez choisi un bien mauvais jour pour faire une folie de ce genre.

— Que vous importe ? répondit Pietro, un peu rudement.

Le sonneur haussa les épaules.

— À votre guise.

Il nous fit signe de monter.

Commença alors la raide montée des marches de pierre ; nous étions enfermés entre deux parois qui nous isolaient du monde. L'escalier tournait quatre fois à angle droit, suivant le périmètre de la tour carrée, avant d'arriver au premier étage. Des arches s'ouvraient sur les quatre côtés, séparées par de gracieuses colonnes torses. La tour du palazzo Vecchio était magnifiée par le coup d'œil que lui donnait l'altitude, le dernier étage de créneaux n'étant plus, comme vu d'en bas, raccourci par la perspective. Les maisons, les rues, les gens, tout devenait un peu irréel, comme de petites boîtes et de minuscules poupées.

— Peut-être que c'est comme ça que Dieu nous voit, dis-je.

Cette idée fit sourire Pietro.

À partir de ce premier niveau, l'escalier se resserrait en tournant afin de laisser libre l'ouverture des arches. Pietro porta le bas de ma cape, qui traînait sur ces marches trois fois centenaires. Je dus m'arrêter pour me reposer. Il me laissa m'appuyer contre lui. Je sentais sa poitrine se soulever contre la mienne.

Quand nous atteignîmes le deuxième palier ouvert, nous fûmes suffoqués par la violence du vent. Nous dérangeâmes une famille de pigeons nichés dans une crevasse, qui s'envola bruyamment au-dessous de nous.

— Cela fait tout drôle de voir d'en haut des oiseaux voler, remarquai-je.

Nous étions à hauteur d'œil de la structure qui supporte l'imposant dôme de briques de la cathédrale.

— Peux-tu imaginer l'événement que ça a dû être pour les gens de l'époque de voir ce dôme se construire peu à peu ? dit Pietro. Il y a eu des enfants nés avant lui, qui ont grandi avec lui, et quand ils ont eu à leur tour des enfants, les nervures de pierres se rejoignaient, et on achevait la couverture. Ça a dû être une époque exaltante à vivre.

Nous regardions le panorama, il posa une main sur mon épaule. Je me gardai de bouger afin de prolonger ce contact, jusqu'au moment où nous reprîmes notre ascension.

— Savais-tu que cette tour a été achevée cent ans avant le dôme ? dit Pietro. Combien de fois Brunelleschi a-t-il dû gravir ces marches pour surveiller l'avancement de son œuvre ?

— Pas tous les jours, quand même !

— Non, mais je dirais au moins une fois par mois. C'est ce que j'aurais fait moi-même.

Nous ne nous arrêtâmes pas au troisième palier, impatients d'arriver au sommet. Nous étions hors d'haleine. Une fois, mon pied manqua une marche et je faillis tomber en avant, Pietro me rattrapa et laissa ses mains juste sous mes seins, me gardant contre lui le temps que je reprenne mon souffle.

Encore deux tours de l'escalier à vis, et Pietro ouvrit une porte. Nous nous retrouvâmes dehors. La pluie nous fouettait violemment, et me piquait les joues comme des aiguilles. Nos capes prenaient le vent comme des voiles, se gonflaient et claquaient, et il nous fallait les retenir fermement pour ne pas être emportés. J'étais à la fois émerveillée et effrayée de me trouver à une telle hauteur, un parapet de brique nous arrivant à mi-corps nous garantissant seul de la chute ou de l'envol.

— Regarde ! m'écriai-je. On voit même très bien comment les briques du dôme sont appareillées.

Nous étions obligés de crier pour nous faire entendre.

Il me prit par la main et nous fîmes un tour complet, regardant tout l'horizon : le dôme de San Lorenzo, la façade blanche de Santa Croce, le toit du passage couvert du Ponte Vecchio, œuvre de Vasari, le palais Pitti et ses jardins, et au-delà, les grises collines fantomatiques. Tout Florence d'un coup d'œil.

— Pense aux centaines de gens qui ont vécu ici sans voir tout ça, dis-je.

Nous refîmes un tour, plus lentement. Il se pencha sur le parapet. Je hurlai :

— *Attenti !*

Mon cri d'angoisse le fit reculer et me regarder tendrement.

— Ne crains rien. Je suis prudent.

La rambarde était glissante. Il s'y pencha une nouvelle fois. Je m'accrochai à son bras des deux mains.

— Oh, Artemisia ! cria-t-il, émerveillé. Les gens ont l'air de fourmis. Les pavés de la place sont comme des grains de sel. Il faut que tu voies ça. Viens, je te tiens.

Il m'entoura de ses bras pour que je me sente en sécurité, et je me penchai juste un peu. Le vent rabattit ma capuche, et mes cheveux furent vite trempés. Projetée par le vent dans toutes les directions, la pluie vernissait les murs de la ville, les bas-reliefs ornant les murs, les saints dans leur niche.

— Tiens-moi bien ! lui criai-je, étourdie de vent et de vertige, et sentant son étreinte se resserrer, je me penchai un peu plus.

Mes cheveux détachés s'envolèrent sur lui.

J'avais la sensation que la tour de pierre était drossée par les éléments. Je fermai les yeux.

— La Terre tourne ! criai-je avec enthousiasme. Ce n'est pas une illusion, tu le sens, Pietro ? Galilée a raison ! Imagines-tu cela ? Nous fonçons à travers l'univers !

Il m'attira à lui et me retourna, ma cape rabattue par le vent. Ses lèvres se posèrent sur les miennes, douces, mouillées et sensuelles, et glissèrent le long de mon cou, sur mes yeux, et je fis de même, fervente et frissonnante de cette ardeur imprévue qui nous saisissait. « Ne te demande pas pourquoi », me dis-je. Je passai les mains dans ses cheveux trempés, il se saisit d'un sein mouillé, se colla contre moi avec vigueur, ce qui me fit trembler et répondre à son appel.

Nous laissâmes la pluie couler sur nous, lavant nos cœurs de tous nos soupçons, de toutes nos douleurs, et nous nous étreignîmes dans les rafales du vent et celles de nos sentiments, genoux tremblants, les yeux noyés de pluie, tous deux portés par la tempête au-dessus des souffrances de la vie, tous deux affamés de ce qui avait naguère encore existé entre nous, et que pourtant nous savions perdu sans retour.

§

Nous nous retrouvâmes ce soir-là dans l'étreinte pathétique, désespérée et folle des amants qui se savent condamnés. Aucune parole ne fut échangée. Je forçai mon esprit à ne vivre que le moment présent, et même à ne pas penser du tout, à seulement ressentir : ses mains comme celles d'un sculpteur caressant sa créature, sa langue sur ma gorge, sa main montant à l'assaut de ma cuisse, et puis son genou impérieux, forçant le passage de la houle montante des désirs sans cesse renouvelés, jusqu'à épuisement de cette marée voluptueuse.

Je m'endormis dans l'énigme de cet ordre de l'univers, ce mouvement qui toujours nous échappe, celui-là même qui fait se mouvoir les sphères célestes, s'envoler les oiseaux et durer les constructions humaines. Cet univers dont je savais maintenant que nous n'étions pas le centre, dans lequel je ne figurais ni plus ni moins qu'un grain de sel observé du haut d'une tour. Mais Dieu me donnait encore la chance d'un nouveau souffle.

16

L'offrande

— Regarde-moi, maman !

J'étais en train de tirer un seau d'eau du puits, Palmira courait en rond autour d'un pissenlit du pavé, chantant une comptine qui parlait de la lune, que Fina lui avait apprise. Je la félicitai distraitement, et remarquai que la cour était parsemée de ces fleurs rondes de pissenlit comme d'autant de lunes pâles montées sur une tige rigide – les lunes de Jupiter, que Galilée n'avait pas encore eu le temps de me montrer.

J'en cueillis une, la portai devant mes lèvres, et fis mentalement toute une série de vœux : voir un jour pour de vrai les lunes de Galilée, que Palmira devienne un bon peintre apprécié à sa juste valeur, qu'Umiliana entame une carrière de modèle et n'ait plus jamais besoin de retourner au labeur ingrat des cuves de teinture. Puis, je dus m'avouer mes vœux les plus intimes : n'avoir jamais eu affaire à Vanna, n'avoir jamais eu la sottise, dans ma générosité, de laisser Pietro la dessiner nue, que l'épisode de la tour ait été plus pour lui qu'un fugace instant de passion, qu'il comprenne le tort qu'il avait eu de ne pas m'aimer, qu'il rentre ce soir-là à la maison pour me dire qu'il l'avait enfin quittée.

C'était charger de beaucoup de vœux un simple pissenlit. Je savais cependant que le seul souhait qui m'importât vraiment, dans les circonstances présentes, était celui-ci : être capable de gagner ma vie.

Je fermai les yeux pour me concentrer sur ce désir et je dus éloigner de mon esprit l'image de la tour, de Pietro me prenant les fesses de ses fortes mains pour me serrer contre lui. En soufflant sur la fleur de pissenlit, la pensée qui me vint fut : « Oui, Dieu me prête encore vie le temps d'une respiration. » Les vents n'ont pas jeté la tour à bas… Voilà qui eût dû me rassurer, mais non.

Quand j'ouvris les yeux, je vis un gamin en haillons qui attendait derrière la barrière du jardin.

— Un message pour la *signora* Gentileschi, dit-il de sa petite voix pénétrée de responsabilité.

— La *signora* Gentileschi, c'est moi.

Je tendis la main à travers les lattes, m'attendant à y recevoir une lettre.

— Non, j'ai tout là-dedans, dit le petit gars en montrant sa bouche ouverte en un cercle parfait. Mon message, le voici : allez à l'église de la Sainte-Trinité et demandez sœur Véronique.

— Quand ?

— Tout de suite.

— Et pourquoi ? Que t'a-t-on dit d'autre ?

— Rien, c'est juste que sœur Véronique vous demande d'y aller seule.

Je le remerciai et lui offris une bonne goulée d'eau à travers les lattes de la barrière.

— Moi aussi je veux y aller !

Palmira se laissa aller de tout son poids contre la clôture.

— Non, toi, tu vas chez Fina.

Elle tapa du pied.

— Pourquoi faut-il toujours que j'aille avec Fina ?

Elle imitait rageusement mon intonation, mais me laissa néanmoins la traîner là-haut.

L'église de la Sainte-Trinité se trouvait en haut de Lungarno, derrière le quartier des tanneurs. Je retins ma respiration pour traverser cet âcre remugle. Je n'étais allée qu'une seule fois dans cette église, pour complaire à sœur Paola et voir le christ monumental. Derrière la lourde porte, je fus heureuse de retrouver l'odeur musquée de l'encaustique mêlée à celle de l'encens.

Une religieuse se tenait près du buisson de cierges. Elle m'accueillit et se présenta à moi comme étant sœur Véronique.

— Artemisia Gentileschi.

— Puis-je vous montrer notre église ?

— Avec plaisir.

Nous traversâmes la nef. À droite du maître-autel, elle m'entraîna vers une chapelle latérale.

— Ces fresques représentent la vie de saint François, elles sont de Ghirlandaio.

Elle tira des profondeurs de sa manche une petite bourse de toile fine et baissa le ton.

— Sœur Graziela, de la Sainte-Trinité, à Rome, m'a envoyé ceci, dissimulé dans un envoi d'herboristerie. Elle y avait joint un mot me priant de vous le donner, et de bien vouloir excuser l'odeur d'origan.

Je souris et portai le sachet à mon nez.

— D'origan, en effet, et de romarin, aussi.

Je dissimulai le petit sac bien haut au fond de ma manche.

— Sur ce panneau, on peut voir saint François opérant un miracle, il ressuscite un enfant mort, tué par une chute du dernier étage. C'est arrivé ici même, sur la place de la Sainte-Trinité.

— Mais oui, je reconnais la façade de l'église sur la fresque.

Nous fîmes le tour du sanctuaire, et arrivée à la porte, je lui glissai une lire en remerciement.

— Pour votre congrégation.

Elle me remercia d'une inclinaison de la tête.

Quand je fus chez moi, j'ouvris le sachet et en sortis la boucle d'oreille de Graziela, celle qui portait la perle baroque. Mon amie y avait glissé un petit papier aux marges enluminées de gracieux rameaux verts, et qui disait juste : « Vendez la paire. Achetez de la peinture. »

Je me sentis touchée d'une chaude vague de tendresse. Portant le bijou à mes lèvres en fermant les yeux, je sus alors pour la première fois de ma vie ce qu'était l'amour vrai.

§

Quelques semaines plus tard, au moment où j'allais me résigner à demander de l'argent à Pietro (car je ne pouvais me résoudre à vendre les boucles d'oreilles de Graziela), je reçus une lettre d'un négociant génois, un certain Cesare Gentile. Je l'ouvris fiévreusement. Il avait vu mes tableaux au Pitti, disait-il, et souhaitait me commander un nu féminin de grand format, dont nous aurions à définir ensemble le sujet à mon arrivée à Gênes. Il m'offrait une somme convenable, le gîte et un atelier dans son palais, et envisageait d'autres commandes par la suite si ma première œuvre lui plaisait. Un cri et un soupir de soulagement m'échappèrent en même temps.

Cesare, César : cela parle de grandeur impériale. Gentile : un patronyme qui évoque la gentillesse, la courtoisie. Voilà un nom de très bon augure.

— *Grazie a Dio !* Palmira, nous sommes sauvées.

Je lui pris les mains et l'entraînai dans une ronde folle jusqu'à ce que ses petits pieds s'élèvent du sol et qu'elle crie de frayeur.

— Et papa ? demanda-t-elle.

— Pietro peut venir aussi s'il le souhaite.

Mais sa question n'évoqua pour moi que mon propre père. Il se trouvait à Gênes. C'était une chose que de lui écrire de temps en temps. Vivre dans la même ville que lui était tout différent. Comment me comporter devant lui – et surtout devant Palmira ! – comme si jamais rien de mauvais ne nous avait séparés ?

Il me faudrait essayer.

Levant les yeux, je vis derrière ma fille le dessin inachevé de la Loge, la Sabine représentée à l'instant du viol imminent. Florence était, ainsi que Rome, une ville faite pour les hommes et par eux-mêmes, bâtie en pierre par des Laurent le Magnifique et des Brunelleschi dont le prestige avait, lui aussi, la solidité du roc. La pierre vous gèle les pieds à travers les semelles en hiver, et vous les brûle en été. Les seules femmes qui trouvent grâce à leurs yeux sont les pénitentes déchues, les pauvres Madeleine. Cette cité-là n'était pas indulgente aux femmes.

Peut-être Gênes serait-elle différente ?

Il n'y avait pas de Pietro à Gênes.

Mais il n'y avait plus ici non plus de Pietro pour moi.

17

L'invitation

— Ta réputation s'étend, dit Pietro d'un ton faussement léger après avoir lu la lettre du Génois.

Je crus que ses lèvres pincées n'exprimaient qu'une jalousie d'artiste, mais il ajouta :

— Un nu, évidemment. C'est toujours ce que tu préfères.

Et ce n'était pas à la peinture qu'il faisait allusion.

Je compris qu'il avait lui aussi eu vent de rumeurs mensongères à mon égard. À moins, évidemment, qu'il n'en eût été à l'origine. Cette idée me bouleversa d'abord, mais je lui accordai réflexion. Il ne m'avait jamais pardonné d'avoir été reçue avant lui à l'Académie, n'avait jamais surmonté la jalousie dont mes succès rapides l'avaient brûlé. Avait-il sciemment propagé ces rumeurs dans le but de me priver de commandes ? Ou dans l'espoir de restaurer son image d'homme et d'artiste ? Il était donc capable de cela ? Je le fixai : son regard était fuyant.

La réponse était oui.

S'il n'eût pas été lui-même l'auteur de ces calomnies, il n'eût pas manqué de m'en demander compte violemment, comme tout homme l'aurait fait, et ne se fût certainement pas contenté de la simple allusion que je venais d'entendre. Il n'aurait eu qu'à en faire part à Vanna pour être certain de les voir se répandre dans toute l'Académie.

Il jeta la lettre sur la table devant moi comme il l'eût fait d'un détritus.

— Je n'ai pas d'autre choix que d'accepter, dis-je simplement.

Il prit son air mauvais. Une barbe de deux jours obscurcissait son visage et lui donnait une mine patibulaire d'égaré. Il éleva le ton.

— Quel choix ? Tu es ma femme.

Je me redressai.
— Je suis avant tout un peintre.
— Avant tout un peintre ?
Il arracha son pourpoint et le lança sur une chaise.
— Écoute-moi, Pietro.
Je me penchai vers lui, les mains à plat sur la table.
— Nous nous retrouverons tous deux aux pieds de Dieu au jour de notre jugement, et si l'un ou l'autre négligeait de faire prospérer le talent que le Seigneur lui a donné, ce serait un grave manquement à la volonté dont Il nous a fait les instruments.
— Qui t'a mis cela dans la tête ? Tes religieuses de Rome ?
— C'est dans le *Magnificat.* « Mon âme glorifie le Seigneur. » Cela vaut pour chacun d'entre nous, Pietro. Quelle que soit la mesure de mon talent, je dois le développer pour qu'il contribue à la grande fresque de toutes les œuvres humaines. Autant que toi-même tu dois le faire.
— Avant tout un peintre !
Sur une grimace de dénigrement, il alla à l'évier pour se passer de l'eau sur la figure.
— Je n'ai cherché, toute ma vie, qu'à être les deux. Avoir ces deux qualités. Et contrairement à ce que Vanna prétend, je n'ai démérité dans aucun de ces deux rôles.
Il se retourna d'un coup.
— Vanna ?
J'eus un rire amer.
— Tu t'imagines que je ne suis pas au courant ? Tu me crois donc si absorbée par ma peinture et par ma fille que je n'aie pas remarqué tes absences ? Mon cœur se déchire un peu plus tous les soirs où je dois éteindre la lampe toute seule. Compte le nombre de soirs que cela fait, et tu sauras ce qu'est un cœur en miettes.
— Vanna est Vanna, mais tu es ma femme.
J'avançai un peu vers lui.
— Combien de temps va-t-il te falloir, Pietro ? Combien de temps pour que tu t'aperçoives de la différence qui nous sépare ?
— *Dio mio !* Ne tourne pas la vérité de manière à faire croire que je t'ai quittée.
Il ajouta, presque triomphant :

— C'est toi qui me quittes !

— Notre mariage t'a-t-il apporté quelque bonheur ? lui demandai-je doucement. Qu'a donc été pour toi ce qui s'est passé entre nous dans la tour ?

Il se contenta de hausser les épaules comme pour en chasser une mouche.

Je pris la lettre du Génois et l'élevai au-dessus de la lampe allumée, la lampe de ma mère, assez haut pour qu'elle dégage de la fumée, mais sans brûler.

— Si tu me dis que ce qui s'est passé dans la tour est important pour toi, je brûle cette lettre sans aucun regret.

Il regarda furtivement ma main qui, elle, brûlait un peu, et qui tremblait.

— Dis-le-moi, Pietro. Qu'est-ce que cela a été, pour toi ?

Sa bouche se détendit sur un seul côté, comme chaque fois qu'il était à court de réponse.

— Rien ? Ce n'était donc rien, ce qui t'a poussé à sortir te faire tremper sous la tempête ? Rien, ce qui t'a fait gravir une tour si haute juste sur mon caprice ? Rien, alors que tu as couvert ma gorge de baisers, alors que tu m'as fait sentir l'ardeur de ta virilité devant le dôme de la maison de Dieu ?

Il me regarda en face une fraction de seconde.

Il n'avait rien à me dire.

Je reposai la lettre.

— Moi, je l'ai ressenti comme une chance. Une chance qui nous était offerte de redécouvrir l'amour, là, tout de suite, Pietro.

J'agitai le poing.

— Ici même, sous notre toit. L'as-tu envisagé aussi, même un instant ?

Il haussa à nouveau les épaules mais resta muet.

— Donc ce n'est pas tant de me voir partir, qui te chagrine. C'est le dépit de voir ton épouse te quitter. Cela fait une énorme différence, tu sais.

— Ne joue pas sur les mots, Artemisia.

Il attrapa violemment une des chaises de la table et s'assit.

— Si tu as été… S'il y a eu pour toi du bonheur, alors viens avec moi.

Cette idée ne lui tira qu'un reniflement de mépris. Je savais ce qu'il redoutait : l'humiliation de savoir que sa femme avait trouvé un riche mécène, et pas lui.

— Si tu ne veux pas venir maintenant, tu pourras me rejoindre plus tard.

Je posai la main sur son bras, que je sentis se crisper. Il fixa le cabinet où je rangeais mon matériel.

— Tu sais que je peux t'empêcher de partir.

— Et pourquoi le ferais-tu, Pietro ? Si ce qui s'est passé dans la tour et la nuit qui a suivi n'estt rien à tes yeux, c'est que nous ne sommes pas vraiment mari et femme, sauf sur le parchemin qui ratifie un acte de convenance.

Ses doigts caressèrent l'Artémise de la lampe de ma mère. Je le vis faire, il s'en aperçut.

— Tu peux la prendre, dit-il, elle est à toi.

Il se leva, alla vers le mur remettre droit l'un des tableaux, puis marcha vers le mur opposé. Il prit une longue inspiration, et expira bruyamment. Puis il ramassa son pourpoint et sortit. Il sortit sans colère, sans claquer la porte ni se livrer à aucune extravagance, il marcha vers la porte d'un pas de vieil homme fatigué, fit une courte pause la main posée sur le loquet, l'ouvrit et fixa le seuil, curieusement absent et présent à la fois. La dernière image que je garde de lui est celle d'un bel homme tourmenté, alourdi de contingences tenues secrètes.

Je n'ai pas pleuré. Mon cœur était douloureux mais je n'ai pas pleuré. J'avais trop à faire. Je passai la nuit à tout préparer et empaqueter, et je laissai l'adresse des Gentile bien en vue, sur un papier dépassant de l'un des tiroirs de mon beau cabinet à peintures.

Au matin, Palmira fut stupéfaite.

— Papa vient avec nous ?

Je l'attirai contre moi.

— J'espère. Un jour, peut-être.

Il resta dehors jusqu'à ce que le coche nous eût emportées, avec nos bagages, mais je l'aperçus debout, tout seul, dans la Loge della Signoria, qui nous regardait passer.

Ce n'était pas un monstre, il n'était qu'un homme imparfait et sans cervelle. Un humain.

18

Cléopâtre

— Prends un fil, maman ! me demanda Palmira en me tendant ce jeu de ficelles nouées sur les doigts que l'on nomme le « berceau ».

— J'aime mieux regarder le paysage.

— S'il te plaît, maman !

— Bon, juste une fois, alors.

Je pinçai le centre du réseau des ficelles, là où elles se croisaient, en tirai deux vers les côtés de la figure carrée et agrandis la boucle afin de former une autre figure, que je maintins autour de mes doigts. Cela me rappela la *sibille,* et me fit frissonner. De ses jolis petits doigts, Palmira reprit le « berceau » et tira délicatement les fils pour modifier leur géométrie. Où avait-elle appris ce jeu horrible ?

— Prends-le, maman, me dit-elle, se tenant debout au milieu de la voiture, entre moi et les hommes qui nous faisaient face.

Elle s'ennuyait. Le voyage lui paraissait long et fastidieux, le roulis de notre véhicule, souvent projeté d'une ornière à l'autre, lui donnait mal au cœur, elle était donc d'humeur fort désagréable. Je lui proposai de manger du pain pour caler son estomac, ce qu'elle refusa d'un signe de tête. La campagne toscane la laissait indifférente, mais pour ma part, ce paysage toujours changeant qui s'encadrait dans la fenêtre me rendait mélancolique, et je le regrettais déjà.

Le matin même, traversant Florence, je m'étais dévissé le cou dans l'espoir d'apercevoir une dernière fois le campanile de Giotto, ce monument qui, entre tous, proclame que Florence est « la cité de tous les possibles ». Cette pensée me faisait mal. En passant, là encore pour la dernière fois, devant la rue des Teinturiers, je tentai de graver dans ma mémoire les couleurs éclatantes des lés de soie suspendus aux plus hautes fenêtres. Umiliana n'était pas devant sa cuve. C'était bon signe ! Cette ville lui offrait donc encore des possibles. Et puis nous traversâmes les faubourgs aux villas couleur d'ocre et d'abricot entourées de lauriers-roses, des vignes dorées ponctuées de mûriers, des vergers riches de leurs pruniers, poiriers et plaqueminiers chargés de leurs kakis. Je me sentis chassée de ce paradis toscan.

— Prends-le, m'intima Palmira d'une voix comminatoire.

— Non.

Elle dégagea ses doigts du jeu de ficelles et me le lança. Il se prit à un bouton de mon corsage, je le défis pour enrouler la ficelle en peloton.

— Pourquoi as-tu ces petites lignes sur tes doigts, maman ? Moi, je n'en ai pas. C'est parce que tu es vieille ?

Je jetai un rapide coup d'œil aux hommes qui, tous, regardaient mes doigts.

— Sans doute, oui. C'est sans doute que je suis vieille, maintenant.

Peut-être que oui, après tout, peut-être qu'un amour perdu vous fait vieillir du jour au lendemain.

Palmira se laissa choir à côté de moi et l'un des hommes lui sourit.

— Eux, ils n'en ont pas, dit-elle.

— Eh bien, c'est que ces messieurs ne sont pas aussi vieux que moi.

Tous se mirent à rire, et Palmira nous regarda alternativement, eux et moi, tournant la tête de droite et de gauche, essayant de déterminer qui était le plus vieux.

— Regarde, on passe près d'une ville. Tu vois cette forteresse là-haut sur la colline ?

— Quelle idiotie de mettre les villes sur des collines ! décréta ma fille.

— C'est peut-être pour voir de loin les gens qui viennent. Ou alors pour garder le terrain plat pour les cultures, puisque c'est là que passent les rivières.

Palmira tordit le nez en signe de moquerie.

— Il était une fois un village nommé Pocopaglia, on l'avait construit sur une colline si raide que les gens attachaient des sacs sous la queue de leurs poules afin que les œufs ne roulent pas en bas de la pente.

Comprenant qu'on la taquinait, Palmira mit ses poings sur ses hanches et me décocha un regard noir.

— C'est encore plus idiot.

Je haussai les épaules.

— Peut-être qu'ils veulent simplement jouir d'une belle vue sur les alentours.

L'un des hommes avança son épaisse lèvre inférieure, comme pour acquiescer.

— Entreprendre un tel voyage toute seule, vous devez être une femme courageuse.

Son ton n'exprimait que condescendance.

— En compagnie d'une enfant débordant de curiosité, corrigea l'autre.

Je décidai de prendre cette remarque comme un compliment et non pas comme une critique de mon supposé dévergondage.

— Ce n'est pas ma fantaisie, c'est pour aller travailler.

— Travailler ?

La question était plus que tendancieuse. Gênes étant une cité portuaire, les quais offraient aux femmes un genre de travail nocturne bien particulier. Je ne pouvais me permettre de laisser planer cette équivoque.

— Travailler comme peintre. Je suis peintre. J'ai un nouveau commanditaire qui habite Gênes. Ce doit être une ville charmante, rafraîchie par les brises de l'océan.

À leur insu, ces hommes m'en apprirent beaucoup au cours de cette longue journée de voyage. Ils m'enseignèrent à biaiser la conversation, à éluder le plus possible les allusions à ma vie personnelle, à établir sans la formuler la certitude que j'étais en puissance de mari, puis à clore le sujet en laissant entendre que, s'il n'était pas à mes côtés, c'était parce qu'il nous avait abandonnées.

Je m'attristai d'avoir à user de ce mensonge, cela revenait à tuer tout espoir de voir ressusciter un jour ce qui m'avait un temps paru possible. Je me reprochais déjà de ne pas avoir plus lourdement insisté pour qu'il nous accompagnât.

Je ne leur dévoilai pas mon nom. Les Génois passent pour être bavards, témoin le proverbe : « Tel Génois, tel marchand », et ils faisaient circuler les ragots aussi volontiers que les marchandises. Je voulais pouvoir m'établir avant que mon père n'ait eu vent de mon arrivée.

Ma vie n'avait plus rien à voir avec ce qu'elle avait été lors de mon premier voyage ; mon père, les bras au ciel, me houspillant pour que je monte en voiture. Cet instant précis, je me le remémorais aussi nettement que s'il eût été peint et encadré sous mes yeux. J'eus la soudaine intuition que rien, à l'époque, ne m'assurait qu'il crût à mon innocence. Il n'était pas, en effet, d'un naturel impatient. Sans doute les insinuations de Tuzia avaient-elles fait germer en lui les ravages du soupçon. Peut-être s'était-il évertué à me marier au loin pour ménager sa propre réputation.

§

Nous parvînmes à Gênes en trois jours. Palmira se tenait debout dans la voiture, la tête à la fenêtre, pour voir défiler les belles villas blanches et tranquilles bâties sur des collines en terrasses qui surplombaient la mer. Sans cesse, elle me criait « Regarde ! », ce que j'étais précisément en train de faire. Je remplissais mes poumons d'air salin, bienvenu après le long confinement dans le coche. Toutes sortes de bâtiments, galions, vaisseaux marchands et forts navires de guerre aux mâts vertigineux, étaient à l'ancre dans la baie. Un complexe réseau de rues tortueuses montait à l'assaut des collines et des palais, dont un gros soleil faisait chatoyer les ocres et les bruns.

Palmira vibrait d'enthousiasme.

— Dans quel palais allons-nous vivre, maman ? Où ça ?

— Dans le palais Cattaneo-Adorno, sur la place de Bianchi, indiquai-je au voiturier.

Lorsque nous y fûmes, ma fille, déçue, se laissa tomber sur la banquette. La demeure était loin d'égaler le faste extérieur des palais D'Oria ou Bianco, devant lesquels nous étions passées.

— Quelles que soient les circonstances, montre-toi polie et reconnaissante, lui intimai-je.

Un portier nous introduisit dans le grand vestibule surchargé de toutes sortes d'objets décoratifs et de bibelots posés sur des meubles sculptés ou marquetés. Deux pichets de lapis-lazuli en forme d'oiseau attirèrent mon attention, mais Palmira voulut me faire admirer un énorme poisson de cristal, objet drolatique dont les yeux étaient faits de gemmes vertes et les nageoires d'argent, et qui ouvrait une gueule ronde caverneuse. Les murs ne montraient que quelques tableaux sans intérêt.

Un homme pansu vêtu d'une robe d'intérieur de brocart couleur moutarde s'avança vers nous, les bras grands ouverts.

— Je me présente : Cesare Gentile. Bienvenue chez nous. Les artistes sont toujours des hôtes honorés dans cette demeure.

Un large sourire épanouissait son visage, faisant saillir bajoues et double menton.

Il tapota l'épaule de Palmira d'une caresse de sa main replète.

— Deux artistes ? Deux ? *Che splendido !*

Il gratifia ma fille d'une courbette théâtrale, feignant le plus grand sérieux et une mimique comiquement cérémonieuse.

Une grande et jolie femme fit son entrée.

— *Santo cielo !* Bianca, *che prodigioso* ! dit-il. Je ne savais pas que j'aurais deux peintres pour le prix d'un !

Palmira me regarda, inquiète, ne sachant comment réagir, et nous éclatâmes tous de rire.

— On ne peut jamais savoir quelle mouche va le piquer, dit son épouse d'un ton indulgent.

— Ma femme, Bianca. *Signora* Gentileschi et *signorina*...

Il se pencha courtoisement vers ma fille.

— Palmira, dit-elle, sans me laisser le temps de faire les présentations.

— ... et la *signorina* Palmira Gentileschi, reprit-il avec un grand sourire.

— Nous sommes heureux que vous soyez parmi nous, dit Bianca.

C'était une brune élégante en robe de velours bordeaux au plastron brodé d'un motif de grenades.

— Palmira et moi vous sommes très reconnaissantes, et nous espérons que nos efforts vous donneront satisfaction.

— Voici nos deux filles, Teresa et Margherita.

Elle leur fit signe d'approcher.

Un peu plus âgées que Palmira, elles n'étaient pas précisément jolies, quoique richement vêtues. Tous les serviteurs de la maison attendaient en rang le long du mur de nous être présentés. La *signora* Gentile appela une jeune femme qui baissait ses manches.

— Voilà Renata. Elle a passé le plus clair de sa journée à courir aux fenêtres chaque fois qu'elle entendait passer une voiture. C'est elle qui s'occupera de vous.

Renata fit la révérence et Palmira, à nouveau désarçonnée, lui rendit sa politesse, à notre plus grand amusement.

— Vous devez être fatiguées de votre voyage, dit Bianca. Mettez-vous donc à l'aise, je vous en prie.

Renata nous mena à un appartement en haut d'un vaste escalier de marbre. Palmira me tira par la jupe.

— On va vivre ici? demanda-t-elle, éberluée, ce qui fit rire la servante.

La pièce donnant sur la rue était vaste, haute de plafond, et très bien éclairée par deux grandes fenêtres.

— Voici votre atelier, me dit Renata avec cérémonie.

— Je m'en doute, répondis-je en souriant de la voir tordre le nez, car la pièce empestait la térébenthine.

Je vis des chevalets de trois tailles différentes, un tabouret réglable, une longue table à tréteaux, une méridienne et plusieurs chaises, ainsi que les coussins et draperies nécessaires aux séances de pose.

— Une pièce réservée à la peinture. C'est magnifique !

— Le *signor* Capellini nous l'a laissée dans un état ! De la peinture sur le plancher, des taches d'huile, du noir de fusain partout... Quand on pense qu'il n'est resté qu'un an !

Je me signai de façon exagérée.

— *Madonna benedetta,* faites que je reste plus longtemps que lui !

Elle rit, j'avais atteint mon but.

— C'était un vieux grognon. Nous sommes bien aises de vous voir à sa place.

Elle ouvrit la double porte qui commandait la chambre à coucher, une grande pièce elle aussi, garnie de beau linge de maison, de deux *cassapanca* pour ranger nos vêtements et d'un poêle.

Palmira montra du doigt une sorte de boîte carrée à couvercle rond.

— Qu'est-ce que c'est ?

— Une chaise percée, répondit la servante.

Ma fille la regarda fixement sans comprendre. Renata souleva la couvercle.

— Un pot de chambre.

La bouche de Palmira s'arrondit.

— Elle est capitonnée ?

— Il n'y en a que deux dans toute la maison. Je vous laisse deviner où se trouve l'autre.

Elle se tourna vers moi.

— Voulez-vous que je vous aide à défaire vos bagages ?

— Plus tard, peut-être.

Elle fit la révérence, envoya un baiser à Palmira et sortit.

— Regarde, maman, le grand miroir !

Au-dessus d'une table de toilette couverte d'une toile, un vase d'iris et une cuvette se reflétaient dans un immense miroir de métal poli.

— Je me vois dedans.

Palmira tourna sur elle-même, mirant par-dessus son épaule des envols de jupe.

Me sachant recrue des fatigues du voyage, j'évitai de regarder mon visage, remettant cette inspection à demain. Mon seul désir était d'étendre mon dos sur ce lit qui lui, au moins, ne roulait pas, heureuse de sentir à nouveau le sol sous mes pieds. Assise sur le bord du lit, j'ôtai mes souliers.

— Le lit est largement assez grand pour nous deux.

On frappa à la porte et Renata parut, l'air inquiet, portant sur un plateau une carafe d'eau et des gobelets de gros verre vert. Une autre servante apportait sur un beau plat de faïence historié diverses confiseries, des poires et des noix.

— *Signora*, je vous en prie, ne le dites pas à la *signora* Gentile, mais vous auriez dû trouver ces rafraîchissements à votre arrivée ; seulement, nous étions encore en train de ventiler la pièce pour en chasser l'odeur.

— Et comment faisiez-vous ?

Un peu honteuse, elle répondit

— En l'éventant avec vos couvertures.

L'autre servante rit, et toutes deux, posant leur plateau, se mirent à mimer leurs efforts de ventilation, chassant à l'aide de draps imaginaires, censés se gonfler comme des voiles de navire, le mauvais air en direction de la fenêtre.

Je ris à mon tour.

— J'aurais bien aimé voir ça ! Non, Renata, je ne dirai rien, rassurez-vous. Cet appétissant plateau de friandises n'avait nul besoin d'arriver ici avant nous. Remerciez votre maîtresse, voulez-vous ? Et merci aussi à vous deux.

Renata rougit, salua et fit déguerpir sa compagne, avant de refermer la porte sur elles deux.

M'étant étendue, je pus contempler à loisir la décoration du plafond à caissons : des feuilles et des rinceaux finement sculptés. Je savourais toute la chaleur vraie de l'accueil qui m'avait été fait. Des panneaux entiers du grand vestibule étaient encore vierges de toute peinture. Plus pour longtemps !

J'allais donc vivre dans une maison où résonnaient les rires. Je fermai les yeux, sentant mes épaules se détendre. Voilà qui était nouveau. Tout se présentait pour le mieux, tant pour moi que pour Palmira.

Tôt le matin suivant, Renata vint me chercher et m'escorta dans la salle d'apparat, où Cesare souhaitait m'entretenir de mon premier travail.

— On peut dire qu'il ne perd pas de temps !

— C'est bon signe, *signora.* Depuis son retour de Florence, il ne parle que de vous. Lorsque vous avez accepté son invitation, il en a été si heureux qu'il nous a donné à tous un jour de congé !

Je réunis quelques dessins à lui présenter.

— Un jour de congé ?

Ravie, elle fit « oui » de la tête.

— Et qu'avez-vous donc fait ce jour-là ?

Elle baissa les yeux sur ses mains jointes.

— Je suis montée à mon coin préféré, sur l'une des collines qui dominent la ville, et j'ai essayé de dessiner votre portrait.

— J'espère que vous m'avez faite plus belle que je ne me sens ce matin.

Je nouai mes cheveux à la diable et y fichai un peigne.

Cesare Gentile m'accueillit à sa manière, les bras grands ouverts, déployant les riches broderies de sa robe d'intérieur.

— Pardonnez-moi de vous appeler si tôt. N'y voyez que l'effet de mon enthousiasme.

— Voici quelques dessins récents, pour que vous puissiez vous faire une idée.

— Avec grand plaisir, quoique votre talent me soit déjà connu.

Il les regarda avec beaucoup d'intérêt, laissant échapper quelques murmures de satisfaction, puis me montra le jardin. Nous parcourûmes la grande allée sablée que bordait une haie fleurie.

— Tout d'abord, je vous l'ai dit, je veux une figure de femme, car peinte par une femme, elle ne peut que gagner en profondeur d'expression, les secrets de la féminine nature nous restant souvent fermés, à nous autres hommes, comme vous le savez. Ensuite, je la veux belle, mais non point trop belle, afin qu'elle n'excite ni dépit ni jalousie chez mes adorables filles. Assez belle, dirais-je, pour leur permettre de se sentir elles-mêmes précieuses, à la manière dont l'art est précieux.

Sa main traçait dans l'air des courbes sensuelles.

— Et enfin, il doit s'agir d'un nu, bien entendu.

Il ouvrit tout grands les bras.

— Montrez-nous la glorieuse splendeur de la femme !

— Mais le personnage lui-même doit-il être allégorique ou historique ?

— Historique, bien sûr. L'art doit nous délivrer un message, en plus de la beauté.

— Je suis tout à fait d'accord avec vous. Accepteriez-vous une Cléopâtre couchée, qui suggérerait un mystère ? Belle de corps aussi bien que d'âme ? Déplorant une perte aussi grande que celle de l'Égypte ?

— Peu importe le sujet. Qui qu'elle puisse être, une femme peinte par vous, éminente femme artiste de Florence, ne pourra que me plaire.

J'eus le soupçon que mon renom, ou du moins l'idée qu'il s'en faisait, lui importait plus que ma peinture ; cependant, il souriait avec une telle ingénuité que je résolus de suspendre mon jugement. Il cueillit un gardénia, qu'il m'offrit, et j'emplis mon nez du suave et entêtant parfum.

— Une beauté exotique, cette fleur, dit-il. Comme votre Cléopâtre !

❧

Quand je regagnai ma chambre, Renata m'attendait à la porte.

— Avez-vous besoin de mes services ? Puis-je ranger vos effets ?

— Oui, merci.

Je songeai brièvement à la prendre pour modèle. Elle était belle sans artifice, avec ses doux yeux gris pensifs et sa jolie bouche à la sinuosité nettement dessinée. Mais la beauté de Cléopâtre n'allait pas sans quelques artifices, bien au contraire, elle était fort étudiée. Et puis, il s'agissait d'un nu, et la chose n'eût pas été convenable. Je lui demandai :

— Où pensez-vous que je puisse trouver une femme qui accepterait de poser nue ?

— Oh, c'est bien facile. Les prostituées des quais.

— Quels quais ? Il y en a plein la ville.

— Je vous mènerai à la taverne que tient mon frère.

Quelques jours plus tard, les Gentile ayant emmené Palmira à une partie de campagne, Renata me conduisit par des venelles tortueuses où la lessive pendait aux fenêtres et où on risquait à chaque pas de buter sur un chat ou un rat. Nous débouchâmes sans crier gare sur une large artère bordée de palais d'où une sente en gradins descendait vers un quai encombré et vers la mer grise. Sous un ciel ardent, des manœuvres hissaient des ballots à l'aide de palans ou roulaient des barriques le long des entrepôts. Je ramassai une petite longueur de corde usagée abandonnée par terre. Voilà qui ferait pour l'aspic de Cléopâtre. Non loin de là, un vieil ouvrier était assis sur une caisse.

— Puis-je prendre ceci ? lui demandai-je.

— C'est pas à moi, mais prenez-la quand même.

Il tira sur sa pipe.

Des femmes de pêcheur vendaient des anguilles vivantes et des brèmes de mer aux reflets dorés qui frétillaient dans de grandes bassines.

— Pieuvres vivantes ! criait l'une d'elles, brandissant une bête qui gigotait.

— J'ai des huîtres, j'ai des moules ! disait une autre, penchée sur sa carriole.

Et une troisième

— *Frutti di mare !*

— Qu'est-ce que les *frutti di mare* ? demandai-je à Renata.

— Vous ne savez pas ce que c'est ? Il faut y goûter ! Ce sont des oursins, une spécialité génoise.

La marchande en prit un à l'aide d'une pince, une sphère épineuse et violette qu'elle sortit d'un seau d'eau de mer. Elle le fendit au couteau et retira son contenu : une masse d'œufs gluants et rougeâtres, peu appétissante en vérité, qu'elle me tendit sur une coquille d'huître, dûment arrosée de citron. Renata me certifia que j'allais adorer ce mets. Je parvins à l'avaler tout rond et lui répondis juste :

— Le goût n'est pas mauvais.

Mais je n'avais voulu que lui complaire et entendais bien en rester là.

On trouvait la taverne du frère de Renata entre un bordel et des logements de marins. Dans la pièce enfumée, des matelots recuits de soleil, au cou tanné comme du cuir, se gorgeaient de bière. Ils nous dévisagèrent. L'un d'entre eux, coiffé d'un béret noir, arborant une large ceinture orientale écarlate et un anneau d'or à l'oreille, nous apostropha :

— Alors, c'est-y que vous cherchez du travail ? C'est que ça manque pas, le travail, ici, pour des jolies poulettes comme vous !

Renata lui siffla :

— *Zitto, marinaio !* d'un ton d'absolu mépris, qui fit retourner l'autre sagement à son cornet à dés.

Je me réjouis de constater qu'une simple servante pouvait ainsi mener son monde. M'étant réfugiée au fond de l'antre, je la vis parler en privé à son frère, lequel envoya bientôt son commis en course. Peu de temps après, un défilé de gourgandines flamboyantes chaloupa dans le bouge, dans un grand envol de jupes rouges, orange et violettes qui fascina le regard des hommes. Leurs blouses paysannes de linon fin épousaient des seins en liberté que l'on voyait fort bien au travers. Certaines en avaient passé l'âge, et ce spectacle me fut pénible. Lorsque je m'aperçus que l'une d'elles ne devait être guère plus âgée que Palmira, le chagrin m'étreignit. Une Mauresque à la peau foncée, généreuse de hanches, s'avança en sautillant, balançant sa jupe écarlate.

— Choisis-moi, *signora.*

Elle passait lascivement ses mains sur sa taille et sa poitrine, et se pencha en avant afin de m'en dévoiler plus. J'étais sûre que c'était ainsi qu'elle aguichait les hommes sur les quais.

Une petite brune de teint un peu plus clair prit une pose de côté et releva sa jupe orange et vert.

— J'ai déjà posé, *signora.* Je suis sicilienne.

Elle avait ce port de menton hautain qui me rappelait Vanna. Alors non.

Une beauté à la chevelure tirée en chignon se fraya un chemin au premier rang.

— Je suis danseuse espagnole, m'apprit-elle dans une figure virevoltante ponctuée d'un coup de talon, en claquant des paumes au-dessus de sa tête.

Une femme hulula « Ayayaye ! », et les hommes reprirent en chœur cette modulation. Toutes ces dames se connaissaient fort bien, et il en fallait plus pour les émouvoir que cette compétition bon enfant.

— Et vous, d'où êtes-vous ? demandai-je à une brune à l'expression réservée mais pleine d'espoir.

— De Gênes.

— Voulez-vous relever vos manches, je vous prie ?

Sa peau était couleur de miel blond.

— Et maintenant, votre jupe.

Elle avait de fort belles jambes.

— Regardez vers le haut, voulez-vous ? Non, sans lever la tête, juste les yeux. Prenez une expression suppliante et angoissée. Voilà. Maintenant, ayez l'air serein.

Son visage était merveilleusement mobile, sa silhouette pleine, pas plus qu'il ne fallait.

— Comment vous nommez-vous ?

— Giuliana.

— Accepteriez-vous de poser nue ?

— Oui, *signora.*

— Aye, Giuliana ! s'écria l'Espagnole, la félicitant de bon cœur, et la propulsant au centre du cercle d'un bon coup de genou dans les reins.

La fille rougit. Renata lui expliqua le chemin de la maison.

Comme nous revenions, elle me dit :

— Je crois que vous avez choisi la bonne.

— Et pourquoi donc ?

— Elle sera plus docile que les autres.

❧

Giuliana n'éprouva aucune gêne à se dévêtir devant moi, non plus que les allées et venues de Palmira ne la dérangèrent. Tout en la croquant dans diverses poses, inclinée sur le côté droit, puis sur le gauche dans les coussins de la méridienne, je lui racontai l'histoire de Cléopâtre, qui fut une riche et puissante séductrice.

— Elle fut une reine de la sensualité.

— J'aimerais bien posséder son secret, répondit Giuliana.

— Nous en sommes toutes là.

Je la dessinai avec mon bout de corde serpentant sur le sein, mais renonçai vite à cette composition rebattue. Et pourquoi ne pas lui enrouler l'aspic autour du poignet ? Cléopâtre va décider librement de l'instant où elle se fera piquer le sein. Pourquoi pas ?

— Fermez à demi les yeux, Giuliana. Que l'on ne voie plus que deux fentes, comme si vous étiez en train de réfléchir très sérieusement.

— À quoi ?

— Efforcez-vous de penser comme elle.

Sentant dans mon dos une présence, je me retournai. C'était Renata, portant un plateau de fruits, de pain aux olives, de fromage et d'amandes.

— Oh ! fit-elle en reculant, mais sans quitter mon dessin des yeux. Je vous demande pardon, *signora* et *signorina* ! Je…

— Cela n'a pas d'importance. Pour vous non plus, Giuliana ?

— Non, répondit-elle, gardant la pose, les yeux mi-clos.

Renata posa son plateau.

— C'est un miracle, ce que vous faites. On voit le volume. Quand c'est moi qui dessine, ça a toujours l'air plat.

— Cela dépend de la manière dont vous placez les ombres.

Je poursuivis mon travail un instant afin de le lui montrer.

— Comment savez-vous que c'est comme cela qu'il faut faire ?

— En observant les endroits où la lumière l'éclaire et ceux qui restent dans l'ombre.

Je sentais qu'elle analysait le corps de Giuliana dans cette perspective.

— On dirait que c'est une autre manière de regarder. Comme si l'on ne tenait plus compte de la couleur mais seulement de l'ombre et de la lumière.

— Oui, c'est exactement cela. Et c'est même encore plus important, car le dégradé des ombres traduit aussi l'interprétation.

Je me levai.

— Assez pour aujourd'hui. Tenez, Giuliana, mangez donc quelque chose avant de partir.

Elle s'étira, dégourdissant son bras ankylosé, et s'assit tranquillement, nue comme un ver, pour déguster un quartier de poire.

— Vous aimez poser ? lui demanda Renata.

— Oui, c'est bien, je me sens bien ici, c'est tranquille.

La servante reprit :

— Et à quoi pensez-vous lorsque vous restez ainsi immobile des heures durant ?

— Je fais la Cléopâtre, alors j'essaie de m'imaginer ce que ça doit être, le vrai amour, quand on aime et qu'on est aimée passionnément, au point qu'un homme peut donner un royaume pour un baiser.

Renata ouvrit des yeux ronds. J'avoue que cette ingénuité me surprit aussi, et me fit sourire :

— Oh, il n'y a pas que Cléopâtre pour avoir connu cela. Nous portons tous en nous ce désir, et il est notre vérité la plus profonde.

Nous restâmes toutes trois silencieuses un moment, absorbée chacune en sa propre conception de l'amour et du désir. Giuliana dit doucement :

— Il m'est plus facile à moi d'y penser qu'à vous de le dessiner.

— Est-ce là ce que vous nommez « interprétation » ? Le talent de rendre en image l'effet d'une pensée ?

Renata, dépassée par la portée de cette conception esthétique imprévue, fronçait les sourcils.

— Ce n'est pas impossible, Renata, mais il ne faut pas s'étonner que cet apprentissage dure toute une vie.

§

Quelques mois plus tard, Giuliana étant déjà partie, je travaillais à la tête du serpent se détachant sur la chair de Cléopâtre tandis que Renata dessinait d'après ma composition. Palmira entra triomphalement, agitant un bout de dentelle déchirée, cadeau de la *signora* Gentile. Elle s'arrêta net.

— Pouah ! Pourquoi elle tient ce serpent contre elle ?

— Cela se nomme un aspic, son venin est mortel. Elle, c'est Cléopâtre, reine d'Égypte, de Chypre, de Crète et de Syrie, une femme qui fut très puissante et très riche, lui répondis-je. Elle a connu dans sa vie deux amours inoubliables, avec Jules César, le maître de Rome, puis avec Marc Antoine, qui régnait sur toute l'Asie Mineure.

— Mais pourquoi tient-elle un serpent ? reprit ma fille, se fâchant déjà de cet irritant mystère.

— Parce qu'elle veut se tuer en se laissant mordre par l'aspic. Peut-être même que cela vient juste d'arriver.

Palmira haussa les épaules.

— Elle est riche et elle veut se tuer ?

— Elle vient de perdre une guerre contre un empereur romain, et elle ne veut surtout pas connaître l'humiliation que Rome réserve aux vaincus : être traînée dans les rues et montrée comme une bête curieuse. On a toujours adoré ce genre de spectacle, là-bas, surtout quand c'est une femme qui en fait les frais.

— C'est idiot de vouloir mourir !

— Pas toujours, non, dit Renata. Imaginez que la foule vous crie des injures et jette sur vous toutes sortes d'ordures, croyez-vous que vous le supporteriez ?

Nouveau haussement d'épaules.

— Où est-ce qu'elle a été mordue ?

Je regardai tour à tour chaque sein, le haut du bras, la gorge. Il me déplaisait terriblement d'infliger cette morsure à une chair dont je venais de peindre la douceur veloutée.

— Je n'ai pas encore décidé.

— Peut-être qu'il n'y a pas de morsure du tout, dit Renata. Peut-être n'a-t-elle pas mis à exécution son projet de suicide. Ou alors, c'est qu'elle a tant aimé, dans sa vie, qu'elle est devenue capable de passer de l'autre côté, euh... de façon mystique. Elle s'est sentie appelée par Marc Antoine avant même que l'aspic ne la morde.

Cette idée me plut. Je voulus en vérifier l'effet sur ma fille, mais elle n'eut que ce mot :

— Elle n'est pas très jolie.

Et Renata de répondre :

— Mais elle est belle par son âme et son esprit.

Palmira enroula le chiffon de dentelle autour de son cou et parada d'un pas de danse que Margherita lui avait enseigné.

— Ça, ça ne compte pas.

§

Ma Cléopâtre plut énormément à Cesare et Bianca, qui la gratifièrent d'un cadre somptueux et l'accrochèrent à la place d'honneur dans le grand vestibule. Le soir, venus me visiter dans mon atelier, ils me trouvèrent en train de batailler avec une toile, ma *Joueuse de luth,* que j'essayais de tendre sur un chassis. Cesare se récria.

— Non, *signora*, vous n'y pensez pas ! Vous allez vous abîmer les mains à cette besogne, ces mains remarquables faites pour le service de l'art.

Était-ce une perfidie larvée, ou avait-il dit cela sincèrement ? Savait-il bien ce qu'il disait ? Je ne le pensai pas. Il n'était pas dans sa nature de faire le mal.

— Dès demain, je vous envoie un ébéniste qui vous tendra sur des formes toutes les toiles que vous voudrez et s'occupera de les encadrer. Il est juste, puisque vous demeurez ici à présent, que ces œuvres soient exposées dans votre atelier. N'est-il pas vrai, Bianca ? Voudriez-vous à présent commencer à réfléchir au sujet de votre prochain tableau ?

Il me flatta l'épaule de ses doigts agiles et grassouillets.

— Nombreux sont les murs qui attendent d'être ornés.

— Cela pourrait être n'importe quel sujet ?

— Oui, celui qui vous plaira.

Il me regarda droit dans les yeux d'un air d'expectative, comme s'il s'était attendu à m'entendre annoncer mon sujet dans l'instant. Les mains croisées sur son bedon, il attendait.

— Eh bien… Que diriez-vous… Que diriez-vous d'un portrait en pied ? (Feignant de réfléchir, je le fis malicieusement languir un peu.) Un portrait en pied de vous. Vous, en condottiere !

— Moi ?

Un grand sourire l'illumina.

— Moi ! Oh, oui ! Moi !

Cela fit rire Bianca.

— Auriez-vous, par hasard, une armure ?

— Mon père en possédait une.

— Parfait. Faites-la donc fourbir.

Je le fis poser un fourreau de sabre au côté, devant une table supportant son heaume empanaché, une bannière frangée d'or déployée derrière lui sur le mur. Il arborait la fraise la plus empesée, la plus riche et la plus large que j'eusse vue, assortie de poignets du même genre. Je lui passai une écharpe de dentelle en bandoulière. Un jour, j'entendis de loin le bruit de ferraille qu'il produisait en marchant, et il entra en compagnie de quatre de ses amis, venus le voir poser. Il rentra dans son rôle et prit l'air avantageux de son personnage, rougissant un peu tout de même de cette vanité qui se donnait en spectacle, pour la plus grande joie de Bianca. Afin de se redonner une contenance, il tança les assistants :

— Allons, silence, on travaille, ici !

Bianca le flatta :

— *Amore mio,* la pose est très bien choisie, le portrait va être splendide. Je l'aime déjà presque autant que je t'aime toi !

§

Plus d'un an avait passé ainsi en leur compagnie quand j'accompagnai un beau jour Palmira et les deux filles de nos hôtes à la fête d'anniversaire que donnait un riche armateur pour l'un de ses enfants. Plusieurs hommes se tenaient en groupe dans la loggia, et quatre dames jouaient aux cartes sous un arbre magnifiquement fleuri de jaune. Je ne connaissais personne, aussi me mis-je sur un banc à mi-distance des unes et des autres pour regarder jouer les enfants. Une salve de rires éclata du côté des hommes, et c'est ainsi que je reconnus, sans l'ombre d'un doute, la voix de mon père. Mon cœur sombra. Il me tournait le dos. Je voulus m'enfuir, mais le temps d'y songer, le hasard fit qu'il se retourna.

— *Buon Dio,* Artemisia !

Son murmure me parvint à peine que déjà il quittait le groupe des gentilshommes et marchait vers moi, les bras grands ouverts.

— Père !

Je me levai, et nous tombâmes dans les bras l'un de l'autre. Sa barbe me piquait, comme quand j'étais enfant.

— Je ne te savais pas à Gênes, dit-il. Ne t'avais-je pas mandé naguère que j'y vivais ?

— Oui, mais je ne savais où te joindre. J'ai un nouveau mécène, Cesare Gentile.

— Te traite-t-il bien ?

— Oh, oui ! C'est un homme plaisant, et très généreux. Je suis bien heureuse chez eux.

Ses yeux se mouillèrent.

— Comme tu es belle !

— Tu ramènes tes cheveux sur le front, maintenant, à la romaine, lui dis-je en riant, quoique me sentant assez mal à l'aise. Tu disais toujours que jamais tu ne te coifferais ainsi, à la Titus ou à la César.

— Maintenant que mes cheveux sont gris, je m'en octroie la fantaisie. Que valent nos promesses, à nous, pauvres mortels, contre le temps ?

— Regarde la petite fille à la robe rouge qui joue à colin-maillard, c'est ma fille.

Ses sourcils se rejoignirent de surprise, et même son front sembla sourire. Il s'émerveilla :

— Ma petite-fille ? Je n'espérais pas avoir jamais une chance de la voir.

— C'est Palmira Prudenzia.

— Une bien jolie enfant !

— Elle ne le sait que trop. Elle va avoir neuf ans.

— Comme elle te ressemble ! Sait-elle dessiner ?

— Pas vraiment. Cela m'attriste. Si elle ne se met pas à peindre, elle sera incapable de perpétuer notre manière de vivre.

— Ne t'inquiète pas pour elle. Tout un chacun peut constater qu'elle va devenir une très belle femme.

— Lui fournir la garde-robe qu'elle exige ne va pas être une sinécure. Elle est devenue la coqueluche de la noblesse de Gênes, et cela ne m'enchante pas.

Il quitta lentement Palmira des yeux pour me regarder.

— Stiattesi m'a dit que tu avais quitté son frère.

Le ton de reproche assez vif sur lequel il le dit me fit mal, je l'entendis comme le reproche d'avoir dédaigné le soin qu'il avait pris de mon établissement.

— Chacun raconte l'histoire à sa guise.

— Pourquoi es-tu partie ?

Je sentis mes mâchoires se contracter, involontairement, je grinçai des dents.

— Pietro aurait très bien pu venir avec moi. Je lui ai écrit. Il n'a même pas répondu.

Un silence gêné s'installa.

— Artemisia, il faut nous revoir.

— Je suis toute à une commande, en ce moment.

— Parfait ! Je voudrais bien la voir.

— Je...

— Dans le style du Caravage ?

— Non, pas vraiment.

Il jeta un regard en coulisse sur mes mains et me dit tendrement :

— N'aie pas peur de moi, Artemisia.

— J'aurais quelque raison d'avoir peur, non ?

Les rides de son front se creusèrent.

— Tu ne priverais pas un grand-père de sa petite-fille, tout de même ?

Le regard qu'il lança à Palmira, qui riait et sautait avec les autres enfants, était plein d'attente et d'espoir.

Sur ses joues, la peau s'était endurcie, comme si chaque grain de sable s'écoulant du sablier du temps avait laissé son empreinte.

— Mais non.

19

Renata

Mon père, Palmira et moi-même esquivâmes de justesse la chute d'un ballot qu'un journalier des quais tentait d'amortir à l'aide d'un palan. Des ouvriers en culotte large et en chaussons noirs hissèrent la charge au sommet d'un tas, se houspillant en un dialecte inconnu. Le vent faisait claquer leurs vastes manches comme des voiles.

— Pourquoi ont-ils la peau si sombre ?

— C'est à cause du soleil, *preziosa,* lui dit mon père. Ils viennent du Maroc, en Afrique du Nord.

Je le laissais répondre à toutes les questions de ma fille, cela lui faisait tant plaisir. Elle avait besoin d'un homme propre à suppléer l'absence de son père, puisque je l'avais arrachée à Pietro.

Il lui montra des sacs pleins à craquer qui s'entassaient sur un môle.

— Sens-tu l'odeur du poivre ? Et celle de la cannelle, aussi ? lui demandait-il.

Elle renifla théâtralement.

— Tout cela vient probablement de Syrie. Des cargaisons arrivent de partout, d'Égypte, de Sicile, de Corse. L'or nous arrive d'Afrique du Nord.

Il s'assura d'un coup d'œil qu'elle l'écoutait toujours.

— La soie vient d'Asie, les oranges d'Espagne. C'est pour cela que l'on voit ici toutes sortes de gens, des musulmans, des juifs, des Égyptiens. Et tous nous apportent des idées nouvelles.

— Des idées sur quoi ? demanda Palmira.

— Sur tout. La vie. La religion. L'art, le gouvernement des nations. Et les navires qui appareillent d'ici emportent du vin, de l'huile d'olive, de l'orfèvrerie, du marbre. Pour les Génois, leur port est le centre du monde.

L'ingénuité de cette illusion me fit sourire. Dès lors qu'on admettait les conceptions de Galilée, on ne pouvait plus ajouter foi à de telles propositions. Le monde allait au-devant de grands changements, j'en étais certaine.

Nous nous arrêtâmes chez le fournisseur de vivres et d'articles de marine, où mon père acheta du biscuit de mer et du café turc à l'arôme puissant. Il vit que Palmira était tombée en arrêt devant un choix de boutons de cuivre et d'insignes divers, tant nautiques que nationaux.

— Prends-en un, lui permit-il, et il donna quelques pièces au marchand.

— Épingle-le-moi.

Elle se tint immobile et toute raide, le temps qu'il fixe l'insigne sur sa cape.

Nous nous assîmes sur des barriques qui traînaient dans un coin pour boire le café. Sans cesse, Palmira touchait son insigne.

— Qu'as-tu peint depuis que tu es à Gênes ? me demanda mon père.

Ce sujet de conversation, au moins, était anodin.

— J'ai commencé par une Cléopâtre parce que Cesare voulait un nu. Ensuite, il m'a laissée libre de mes sujets.

Je pris une gorgée du breuvage, si brûlant et corsé que je parvins à peine à l'avaler. Je le lui tendis en faisant la grimace.

— Bois-le, toi.

Cela l'amusa.

— On met un moment à s'y habituer. Tiens, prends un biscuit.

Je m'exécutai.

— Ma foi, ça n'a aucun goût.

— Moi, j'aime bien ça, dit Palmira, qui balançait ses jambes contre la barrique et la faisait résonner sous ses talons.

— Ne fais pas ça, *cara*. Tu vas esquinter tes souliers.

— Et puis, reprit mon père, qu'as-tu peint d'autre ?

— Un portrait en pied de Cesare en condottiere. C'était une suggestion de ma part, et il a littéralement sauté dessus. Je l'ai traité à la manière de Titien, sur un fond sombre. Ce n'est pas le genre de sujet qui naît spontanément, de mon propre vouloir, mais j'ai pris plaisir à lui faire plaisir. Il était si heureux ! Il ne me reste plus qu'à faire le portrait de la *signora* Gentile, maintenant. J'ai plus produit depuis que je suis ici que jamais. Je dois cette facilité au fait d'habiter une maison où je me sens si à mon aise.

Il reposa bruyamment sa tasse sur la barrique et me regarda d'un drôle d'air.

— Par « à mon aise », j'entends qu'on me sert mes repas, que Palmira vit avec les deux filles Gentile, et que j'ai donc du temps pour travailler.

Sans bien me l'expliquer, je me sentais sur la défensive, il me fallait me garder des abandons faciles. Ne jamais oublier de me méfier, même devant mon père.

❧

Un matin, alors que je nettoyais mes brosses, Cesare me dit tout à trac :

— Je fais des envieux !

— Comment cela ?

— Bien des gentilshommes génois se battraient pour avoir une peinture de la main d'Artemisia Gentileschi, une femme qui comprend si bien les femmes. Il faut que je vous traite royalement (il me fit un clin d'œil), sinon, vous risqueriez d'aller voir ailleurs.

— L'idée d'aller voir ailleurs ne m'a jamais effleurée. Nous sommes heureuses chez vous, vous le savez bien.

— Alors, parlons de votre nouvelle commande. Mes filles sont sur le point de devenir de vraies jeunes filles. Cette fois-ci, je voudrais une Lucrèce.

— Le sujet qui me rebute le plus !

Il souffla de surprise en gonflant ses joues rondes.

— Et pourquoi donc ?

— Je répugne à dépeindre une femme qui en est réduite à se tuer pour échapper à la honte d'un viol.

Il leva un sourcil soigneusement épilé.

— C'est donc qu'il vous faut passer outre.

Nous y étions. Il savait, pour le procès. Rome allait-elle me poursuivre jusque dans Gênes ?

Il esquissa une grimace gentille, ferma le poing et mima un coup en l'air.

— Regardez l'ennemi en face et écrasez-le. Recréez une Lucrèce qui ne soit qu'à vous.

Le visage de cet homme semblait avoir un génie propre, celui d'enchaîner les expressions avec une fluidité merveilleuse : en l'occurrence, il passa sans transition de la gravité à la chaleur communicative d'un grand sourire. Je ne pouvais me soustraire à sa demande.

Si grande fut ma souffrance dans les heures qui suivirent cet entretien que je pus à peine parler à table, lors du repas de midi, ce qui certainement fut remarqué. Je fis plus ou moins semblant de manger, tandis que Palmira me harcelait pour que je l'emmène se promener à la campagne.

— Non, Palmira. Pas aujourd'hui. Combien de fois devrai-je te le répéter ?

Elle abattit ses coudes sur la nappe de damas et bouda, le visage dans ses poings.

— Tu es égoïste, marmonna-t-elle. Grand-père, il m'aurait emmenée, lui.

Son manque de tenue me faisait honte. Le déjeuner fini, elle s'échappa dans la cour et ne daigna point paraître quand je l'appelai.

Quand l'après-midi tira à sa fin, l'atelier était jonché d'esquisses peu inspirées de femmes se poignardant, ou saignées à mort, le corps déjeté. Renata parut, porteuse d'une énorme gerbe de glaïeuls cramoisis.

— De la part du *signor* Gentile, dit-elle en les disposant sur la table.

— C'est vraiment pour moi ? Ces fleurs seraient plus à leur place dans le grand vestibule.

— Non, j'ai ordre de mon maître de les apporter dans votre atelier.

— Ils sont splendides, quel raffinement de couleur ! Voyez comme la lumière joue sur les pétales et les fait varier du cramoisi le plus vif à un pourpre presque noir.

— À l'intérieur des pétales, remarqua-t-elle, on dirait que c'est fait en cire. Comment peut-on rendre cela en peinture ?

J'allais lui parler du vernis d'ambre vénitien lorsqu'elle avisa mes croquis.

— Oh non ! Encore une femme qui se suicide !

— Ce n'est pas moi qui en ai décidé ainsi, c'est Cesare. Voilà la raison de ma mauvaise humeur d'aujourd'hui. C'est bien la première fois de ma vie que je n'ai pas envie de peindre un sujet.

— Pourquoi ?

Elle me regarda avec cette sincérité qui la rendait si touchante, et s'assit pour m'écouter.

Je lui narrai l'histoire de Lucrèce, de la honte de son viol par Tarquin.

— L'histoire nous rapporte que dans son esprit, survivre à ce viol eût constitué un précédent de nature à excuser l'adultère, pour les hommes comme pour les femmes.

— Je crois bien que c'est délibéré de la part du *signor* Gentile. Il veut que ses filles soient frappées d'un exemple terrible qui leur inculque la chasteté.

Je rejetai mon crayon sur la table.

— Je hais toutes ces mensongères représentations de Lucrèce, tous ces peintres qui la représentent morte, enfin sereine, affichant une expression de vertu bien convenable. Le suicide, ce n'est pas cela du tout.

Renata se pencha vers moi, le front soucieux, le regard aigu. Elle fut pour me dire quelque chose, mais se ravisa et se rejeta en arrière.

— Dans le tableau de Filippo Lippi qui est au palais Pitti, à Florence, elle vient de se suicider publiquement. C'est, d'après moi, d'une imbécillité absolue. Puisqu'elle est innocente, elle n'a aucune honte à avoir, et le sens de son suicide est celui d'un sursaut d'orgueil désespéré, mais non pas d'un acte exemplaire. Une manière d'en sortir qui peut éventuellement s'envisager, mais…

— Mais quoi ?

— Quiconque aime la vie ne saurait choisir de son plein gré cette manière-là.

Renata n'était pas encore satisfaite, je le voyais sur son visage.

— Alors ce suicide n'a aucun sens.

Je réfléchis tout haut, l'index levé.

— À moins, bien entendu, de considérer que la victime doit porter elle aussi sa part de culpabilité, voire qu'elle a elle-même provoqué son viol. L'histoire de Lucrèce n'a de sens que pour ceux qui refusent de comprendre que les femmes n'aiment pas être violées. Pour moi, Lucrèce est une fausse martyre, une martyre absurde.

— Que voulez-vous montrer dans ce tableau, ses pensées à elle ou les vôtres ?

— C'est une question déterminante. Les miennes, je crois. Cesare m'a dit de recréer une Lucrèce qui ne soit qu'à moi.

Ainsi formulée, la tâche me paraissait encore plus redoutable.

Cesare, au moment où il m'avait regardée avec ce froncement de sourcil outré, savait très bien ce qu'il faisait : il me mettait au défi de traiter ce sujet-là après m'avoir laissée libre d'en choisir d'autres à ma guise. Et puis, il y avait le message de cette gerbe de fleurs, que je supposais destinée à adoucir l'épreuve à laquelle il jugeait à propos de me confronter. Mais tout s'était fait dans un esprit de ménagement respectueux, quasi paternel.

Renata disposa mes esquisses sur un seul rang par terre. J'en avais déchiré une, dans un instant de déception furieuse. C'est celle-là qu'elle prit pour la regarder, tendue à bout de bras.

— Voici la bonne. Vous l'avez rejetée ?

— Oui. C'est de loin la pire.

Elle l'examina attentivement, la mine rendue sévère par son effort pour pénétrer mon intention. Elle se mordit la lèvre.

— Si vous êtes sûre de ne pas vouloir la garder, puis-je la prendre ?

— Pourquoi donc ?

— Pour m'exercer le soir dans ma chambre. Je vais essayer de repasser sur les traits et le modelage des ombres pour voir comment ça fait.

Je fus émue d'imaginer la scène. Son âme était pure, son esprit ardent et avide de savoir, et on ne pouvait douter de l'authenticité de son désir. Elle réunissait en fait tout ce que j'eusse aimé voir chez ma fille.

Posée au bord de sa chaise, elle attendait ma réponse.

J'eus peur, soudain, de ne pouvoir dispenser ma science qu'une seule fois, que l'expérience que je redécouvrais avec chaque tableau, dans sa fraîcheur et sa nouveauté, ne s'use d'un coup si je la transmettais. Je me devais de préserver l'intime essence de mon être créatif pour Palmira qui, par le hasard de sa naissance, y avait en quelque sorte droit, et se fût trouvée plus à même d'en faire son profit, mais…

Jetant un coup d'œil à Renata, je la vis absorbée dans mon esquisse déchirée avec une sorte de crainte. Avait-elle peur de ne jamais la revoir ?

— Prenez-la, *carissima*. Et quand j'aurai fini, vous pourrez les prendre toutes.

Sa jolie bouche s'arrondit de surprise.

Le froufrou d'une jupe me fit me retourner : Bianca se tenait dans l'ouverture de la porte. Je me sentis prise en faute, coupable non seulement de frayer avec une domestique, mais aussi de la détourner de ses devoirs de service.

— Pardonnez-moi cette irruption, dit-elle d'un ton solennel que je ne lui connaissais pas.

— Entrez, je vous en prie.

Renata posa vivement mon croquis sur une chaise, salua et s'esquiva.

— L'intendant de Cesare vient juste de rentrer de Florence, et j'ai cru bon de venir vous prévenir aussitôt. Le grand-duc Côme est mort.

— Mort ? Mais il était si jeune !

J'en restai abasourdie.

— Il n'avait que trente ans, je crois.

— Il n'aura pas eu le temps de réaliser son projet d'agrandissement du palais Pitti.

— Le titre ducal passe à son fils aîné, Ferdinando, mais il s'en faut de huit ou dix ans pour qu'il devienne un homme. Quant à Giovanni, censé être le maître de Venise, il est encore plus petit.

— Pauvre archiduchesse ! La voilà précipitée dans un deuil éternel.

— Un double deuil, car celui-ci la frappe bien tôt après la disparition de son idole.

— Quelle idole ?

— Le pape Paul.

Je songeai à Galilée, lequel, quoique attaché à vie aux Médicis, risquait de ne pas retrouver en Ferdinando le protecteur que Côme avait été pour lui. Pis, on ne savait encore rien du nouveau pape.

— En voilà du souci ! murmurai-je.

— Côme n'égalait pas Lorenzo, mais c'était un homme de bien, dit Bianca.

— Il s'est toujours montré généreux envers moi, et ne m'a jamais tenue à l'écart des événements du palais. Et voilà qu'il laisse deux orphelins.

Bianca joignit les mains.

— Je regrette de vous apporter de mauvaises nouvelles juste le jour où...

— Où je me montre égoïste, comme me l'a dit ma charmante fille ? Ne vous en faites pas pour cela. Je vous remercie de m'avoir appris la nouvelle.

Elle se dirigea vers la porte.

— Non, ne partez pas !

J'ôtai l'esquisse déchirée de la chaise.

— Asseyez-vous, je vous en prie. Je regrette que Palmira se soit montrée désagréable.

— Même quand elle l'est, elle reste adorable.

— C'est bien là que le bât blesse : elle ne le sait que trop ! Si seulement j'arrivais à l'intéresser enfin à quelque chose !

— La peinture ?

— Oui, évidemment. J'ai essayé d'autres activités. Elle apprend à broder, mais elle refuse de perfectionner lecture ou écriture si ce n'est pas moi qui la fais travailler, et alors, c'en est fait de ma concentration.

— Mes filles pourraient s'en charger. Je pense à Teresa.

— Teresa et Margherita sont-elles si différentes l'une de l'autre ?

— Comme la lune l'est du soleil. Il ne me surprendrait pas que Teresa entre dans les ordres, alors que Margherita ne rêve que pique-niques et réceptions.

— N'est-ce pas une chose étonnante que de voir grandir nos enfants ?

J'hésitai à poursuivre, mais l'air avenant et disponible de Bianca m'y incita.

— Ce que nous attendons par-dessus tout de nos enfants, ce que nous aimerions le plus les voir devenir...

— ... est ce qui les intéresse le moins ?

— C'est cela !

Je regardai le dessin déchiré.

— Les liens du sang sont un tel arbitraire !

Je tournai un crayon entre mes doigts.

— J'étais en train de penser à Renata… Je…

— Exprimez-vous franchement, je vous en prie. N'ayez aucune crainte.

— Elle est avide d'acquérir tout ce que je suis susceptible de lui enseigner.

— N'est-ce pas qu'elle est très attachante ?

J'opinai. Bianca, d'un signe de tête, m'encouragea à continuer.

— Laquelle est ma vraie enfant ? Celle que j'ai portée dans mes entrailles, et qui n'éprouve aucun intérêt pour ce qui m'est le plus cher au monde, ou cette fille étrangère que le hasard a mise sur ma route et qui reçoit chacune de mes paroles comme un trésor, dont je vois l'œil s'éduquer de jour en jour, que j'aimerais tant prendre comme élève, n'était la jalousie de Palmira ?

Honteuse de mon aveu, je me mis à tailler mon crayon avec une lame.

— Peut-être tient-elle plus du côté de son père… Palmira, veux-je dire.

Un petit rire triste m'échappa involontairement.

— Mais non, car il est peintre lui aussi. Elle ne tient de lui que ce regard noir et morne.

Nous restâmes un moment en silence à contempler les esquisses disposées par terre. Bianca ne me jugeait pas, au contraire, je me sentais comprise d'elle.

— Si je ne craignais de vous être importune, je vous poserais volontiers une question.

— Bien sûr, voyons. Quelle question ?

— Comment Renata s'est-elle retrouvée chez vous ?

Elle sourit.

— C'est une jolie histoire. Elle était fleuriste au marché. Cesare est un amoureux des fleurs, il ne saurait s'en passer.

— Je le sais ! dis-je en montrant la gerbe de glaïeuls. Saviez-vous que celles-ci viennent de lui ?

— Oui. Tous les samedis matin, il descend de bonne heure choisir les plus beaux bouquets. Il avait pris l'habitude de se fournir à l'étal de Renata. Il arriva qu'il tombât malade et dût s'aliter un certain temps. Elle a trouvé moyen de le savoir, et alors, de sa propre initiative, elle a commencé à apporter des fleurs chez nous toutes les semaines, précisément celles qu'il aime, dans ses couleurs de prédilection. La première fois, elle n'a pas attendu d'être payée, elle a juste confié les fleurs à une servante.

— Je reconnais bien là sa modestie !

— Quand elle revint, je la priai de porter elle-même les gerbes à mon époux, car je savais quelle joie cela lui causerait. Elle se révéla si agréable, si dévouée et si gaie qu'il lui fit, certain samedi, tout un conte sur le manque prétendu où nous étions d'une femme de chambre. « Ne resterez-vous donc pas avec nous, ne serait-ce qu'une semaine, pour aider à la guérison d'un pauvre vieux malade ? » Il avait pris l'air si lamentable et il contrefaisait si bien le malheureux qu'elle ne put refuser, mais la semaine finie, elle plia soigneusement la robe que je lui avais fait porter et la laissa dans la *cassapanca*, puis disparut avant le réveil de Cesare. Lorsqu'il apprit sa défection, il s'habilla pour la première fois depuis des mois et s'en fut tout seul, à pied, au marché aux fleurs. Il nous la ramena pour de bon, et tous deux étaient rayonnants. Il n'a plus jamais été malade.

— Savez-vous la chance que vous avez d'avoir un époux aussi…

— Aussi *gentile*? Chaque jour m'en convainc un peu plus. Marier mes filles à des hommes moitié aussi gentils que lui serait encore mon plus bel espoir.

— Le mien aussi pour Palmira. Et pour Renata.

❧

— C'est Lucrèce, une célèbre Romaine de l'Antiquité, dis-je à Palmira, qui, assise derrière moi, balançait ses jambes sous sa chaise en suçant le jus d'une orange.

Je travaillais à l'arrière-plan du tableau, n'ayant plus besoin du modèle maintenant que je tenais mon personnage. L'héroïne, vêtue d'une longue robe de nuit blanche toute froissée qui se mêlait aux plis d'une draperie écarlate de la couleur des glaïeuls, tenait le poignard de ma mère fermement d'une main, et de l'autre main, tout aussi vigoureusement, son sein rond. La vie et la maternité opposées au suicide et au martyre. J'avais voulu figurer ces deux voies.

— Tu l'as connue ?

— Non. Elle a vécu il y a deux mille ans.

Une si vieille histoire, pensai-je, et qui est toujours vraie. Je suspendis mon geste

— Si, en fait, on peut dire que je l'ai connue.

Je jugeai ma fille en âge de commencer à savoir de la vie autre chose que dentelles et ruchés.

— Un homme l'a forcée, l'a violée, et elle en a grande honte. Cela veut dire qu'il lui a fait une chose qu'elle ne voulait pas qu'on lui fît.

Palmira reprit son orange.

— Sa jambe est trop grande.

— Je l'ai voulu ainsi pour attirer l'attention sur la raideur du genou et de la cuisse. Cela s'accorde à son expression. Tu comprends qu'on vient de lui faire du mal. Tous les autres croyaient qu'elle aimait ce que l'homme venait de lui faire, mais ils se trompaient. Elle n'a donc plus voulu paraître devant eux.

Palmira fit grincer sa chaise sur le plancher. Je repris la parole :

— Alors, elle s'est emparée d'un poignard…

— Je ne veux pas entendre la suite. Assez d'histoires horribles !

Elle lâcha son orange, se couvrit les oreilles de ses mains et sortit à toutes jambes. J'en restai médusée. Je ne me doutais pas de l'effet que ces histoires produisaient sur elle. Posant mon pinceau, je songeai à lui courir après, mais elle ne fit qu'entrer dans la chambre de Margherita afin de se distraire avec son amie, ce qui était bien innocent.

Mais ces histoires, elles, étaient-elles innocentes ?

❦

Un matin, je fus incapable de me lever. Je venais de travailler sans relâche sur ma *Lucrèce* durant trois jours. Immobile, je fixai le plafond, et la vision du tableau tel que je l'avais laissé s'imposa à moi. J'avais fini l'arrière-plan, les plis de son vêtement, le couvre-lit cramoisi resté froissé après le viol, sa jambe dénudée, son bras et la main droite qui maintenait le sein prêt à être percé, mais pour la main gauche, celle qui, recroquevillée sur le manche du poignard, visait le sein, j'en étais restée à l'esquisse. Je n'avais pas eu le cœur de poursuivre. J'avais renvoyé le modèle. Les jours précédents, je n'avais pu que m'asseoir et regarder ma toile. Renata, s'apercevant avec inquiétude du trouble où j'étais, troublée elle-même, ne savait si elle devait demeurer près de moi ou sortir de l'atelier.

Tout se jouait sur le poignard. Quand je me tenais couchée, les yeux clos, il flottait devant mes paupières, pointé vers la droite, puis vers la gauche, puis planté dans le sein, et enfin posé, tout sanglant, dans la main ouverte de Lucrèce.

Renata entra en trombe et dit à Palmira :

— Allons, dépêchez-vous ! Avez-vous oublié le pique-nique ?

— Quel pique-nique ? demanda ma fille.

Renata l'aida à s'habiller et elle courut à la porte, ses souliers à la main.

La servante alla ouvrir les persiennes, vint alors à mon lit et me regarda sans sourire.

— Pourquoi ne laissez-vous pas là le travail de la main pour attaquer le visage ? Faites donc cela aujourd'hui même !

Je fixai le plafond.

— Levez-vous. Il me faut prendre vos draps pour les laver.

Elle les arracha littéralement de sous moi et me fit rudement signe d'aller dans l'atelier.

J'en fus si surprise que je m'exécutai. En robe de nuit, je chus mollement sur le tabouret et ne daignai pas même regarder la toile posée devant moi sur le chevalet.

— D'où vient la lumière ? demanda-t-elle tout en roulant draps et couvertures.

Ce n'était pas de sa part désir de s'instruire, cette question lui étant familière autant qu'à moi depuis un certain temps déjà.

— Elle vient du spectateur.

— Dites-moi ce que cela signifie.

— Que l'autre côté doit être dans l'ombre. J'ai un profil, la moitié du visage et un seul œil d'éclairés, il faut que cela suffise à la transmission du message.

Elle prit sa voix de fille d'auberge et m'ordonna :

— Alors, allez-y !

Renata, le visage fermé, ne céda pas d'un pouce que je ne me fusse mise au travail. Silencieuse, méfiante, elle me surveilla toute la journée. À un moment je m'arrêtai, et elle ne fit que rester debout derrière moi sans un mot jusqu'à ce que je reprisse le pinceau. Alors seulement, elle s'en alla.

Le visage de Lucrèce commençait à prendre tournure. Non point la peur mais le désespoir. Je lui donnai entre les sourcils un pli d'angoisse profond, comme celui que tout le jour avait montré Renata. Je ne cessai d'assombrir ses yeux, ses cernes. Plus j'avançais en besogne, plus je me sentais mal. Je la voulais elle-même en cette disposition d'esprit : dérangée, dérangeante.

Quand j'eus achevé ce regard inquiet et tourmenté, je m'aperçus qu'il rendait caduque ma composition de la main gauche, recroquevillée sur le poignard qui visait le sein. J'eus beau charger une brosse propre du ton de chair qui convenait, je ne parvins pas à retrouver le geste de la main. Mon bras était comme paralysé. *Lucrèce, parle-moi. Que me veux-tu ?* Dans le grand silence qui m'entourait, j'attendis. Son œil me disait « souviens-toi ! » Me souvenir ?

Je déblayai ma table de travail, y posai mon miroir inclinable et pris le poignard de ma mère. C'était une arme vicieuse, aussi longue que mon avant-bras, forgée dans un acier noir et se terminant par une poignée cruciforme de laiton. Je mis le plat de sa lame contre ma joue. Le froid de l'acier me surprit. Je fis descendre ma robe de nuit, empoignai mon sein gauche de ma main droite, comme dans ma composition. Mon coude reposant sur la table, je pliai mon poignet, l'avant-bras tendu, afin de pointer l'arme vers ma propre chair. Le jour de la *sibille* s'imposa à ma mémoire. Je n'étais pas allée jusque-là, je n'avais pas même sorti, alors, le poignard de dessous mon lit, mais j'y avais songé.

Je me forçai, quoique avec une lenteur de supplice, à replier mon coude afin d'amener sur moi la pointe. Doucement. En ménageant des pauses. Encore un peu…

Je faisais miroiter la lame, j'en regardais le fil.

Mon poignet me faisait mal. De mon autre main, je sentais les emballements de mon cœur à imaginer l'intrusion sauvage du métal dans ma chair. Le miroir reflétait ce tressautement infime de mon sein.

Mettre fin à tout cela d'une seule puissante poussée de lame... Aurais-je pu vraiment m'y résoudre ? Et Lucrèce ? Le monde lui était-il à ce point hostile et vide de toute chance ? La pointe vint toucher ma peau.

Un cri déchirant retentit. C'était Renata.

— Non !

Le poignard me tomba des mains.

— Ne faites pas ça !

Elle se précipita vers moi, rejetant plateau, fruits et carafe d'eau dans un grand fracas. Elle m'agrippa les chevilles.

— Mais je n'allais pas le faire, bredouillai-je. C'était pour essayer d'imaginer, pour le tableau.

Elle sanglotait bruyamment.

— Pourquoi ne me l'avez-vous pas dit ? Comment vouliez-vous que je comprenne ?

— Mon Dieu, comme je regrette...

Je la pris dans mes bras, lui caressai la nuque, sentis son cœur battre la chamade contre mes genoux, et cette déroute me prouvait son immense attachement.

— Mais maintenant je sais, je sais enfin ! Ma Lucrèce va jusqu'à ce point, mais il ne s'agit pas de commettre l'acte. Elle réfléchit, elle revient sur l'opinion du monde, elle interroge cet événement du martyre subi, mais elle n'est pas en train de frapper. Il me faut la peindre le poignet redressé et le poignard levé.

Je posai un baiser sur ses cheveux.

20

Lucrèce

Cesare et Bianca avaient organisé le vernissage de ma *Lucrèce* conjointement à une célébration familiale, c'est pourquoi ce matin-là je m'étais lavé les cheveux et j'arborais une robe propre ; mon père devait arriver tôt pour y assister. Je l'attendis, assise sur un siège mauresque du grand vestibule, suivant du bout du doigt les reliefs du cuir repoussé. Je voulais surtout éviter qu'il monte inopinément et puisse voir mes tableaux hors de ma présence. Je me mordais nerveusement la lèvre inférieure, en arrachant de petites peaux mortes jusqu'à m'en faire saigner. Il n'arriva que tard dans l'après-midi, et la seule chose qu'il trouva à me dire fut :

— J'ai été retenu.

Il fit le tour de la pièce, étudiant chacun de mes tableaux. Il approuvait de la tête, s'approchait pour scruter un détail, reculait pour avoir une vue d'ensemble. Il se balançait sur ses talons, les mains croisées derrière le dos, et il semblait aussi fier et content que s'il les eût peints lui-même, mais cela était loin de me satisfaire. Mon regard implorait « dis-moi quelque chose ». Arrivé devant *Cléopâtre,* il demanda :

— Où est la morsure du serpent ?

— Est-ce là tout ce que tu trouves à dire ? Au bout de dix ans sans avoir rien vu de mon travail, tu me demandes où est la morsure du serpent ?

— Je...

— Sans doute n'y a-t-elle pas eu recours, et la peur de l'opprobre public aura suffi à la tuer.

À cette idée, il émit un son, mais pas un mot.

— N'as-tu pas encore compris cela, mon père ? Ne sais-tu pas à quel point on peut être détruit par la peur de l'infamie ?

Quand son regard quitta le tableau pour se poser sur moi, ses narines palpitèrent. J'attendis, mais comme rien ne venait, j'enchaînai :

— Elle avait au moins le droit de se livrer tranquillement à la déploration du malheur qui la frappait.

Il se mordit les lèvres.

— La…

Il se racla la gorge.

— La vie t'en en a appris plus long que tout ce que j'aurais pu t'enseigner.

Je me répétai mentalement ses paroles pour les entendre encore une fois.

— Merci.

Je l'emmenai à l'étage dans mon studio. J'avais recouvert ma *Lucrèce* d'une toile afin qu'il ne pût la voir d'emblée. Il refit connaissance avec *Judith et Holopherne* ainsi qu'avec *Suzanne et les Vieillards* et il sourit d'approbation.

— Aussi splendides que je me les rappelais.

C'était exactement ce que j'avais besoin d'entendre. Alors enfin je découvris ma *Lucrèce*. Il s'en pénétra un moment, et cette fois sembla réfléchir avant de parler.

— Tu la représentes comme si elle avait peur de passer à l'acte.

— Regarde mieux. Ce n'est pas de la peur, mais de la perplexité anxieuse. Elle cherche une bonne raison de le faire, une raison qui ferait sens pour elle. Sans doute n'est-elle pas convaincue de la nécessité de ce suicide.

Il prit l'air contrarié.

— Mais ce n'est pas la Lucrèce que tout le monde s'attend à voir.

— Je sais. Mais il doit en être ainsi, elle n'est sûre de rien, en sorte que tous ceux qui regarderont ce tableau dans très longtemps, qu'ils soient hommes ou femmes, en ressentiront un malaise, et peut-être même pleureront sur ces temps barbares où une femme violée était sommée de se tuer, et même où l'on estimait que cela était naturel.

Je ne m'étais pas attendue à dire cela, à lui ou à quiconque. Mes paroles sortaient de moi comme d'un volcan intérieur, d'une région intime dont la voix me fût restée jusqu'à ce jour inconnue.

— Les choses vont changer, père. Elles doivent changer. Et l'art peut promouvoir cette évolution.

Ses yeux brillaient.

— Ma fille ! Tu es la sibylle des temps nouveaux !

Il m'entoura la taille de son bras et contempla mon œuvre.

— Qu'en pense le *signor* Gentile ?

— Il ne l'a pas vue encore. Je la tenais recouverte chaque fois qu'il était susceptible d'entrer dans l'atelier. Je l'ai laissé sur des charbons ardents !

— Même pas un petit coup d'œil ?

Je riais en l'imitant, pouce et index collés, agitant les autres doigts en éventail, dodelinant la tête. « Non, même pas un petit coin ! » lui répondais-je. Il faisait alors une sorte de moue fâchée. Comme il est drôle à observer ! J'adore le taquiner.

— Eh bien, en voilà une affaire ! Tu taquines ton commanditaire à présent !

— Il adore cela. Il faisait semblant de toucher au tissu qui voilait le tableau, mais sans oser le faire. Il a pris la décision de le dévoiler à sa cérémonie familiale sans même l'avoir vu.

— Il a une grande confiance en toi.

— Je le sais.

§

Après que Renata nous eut porté une collation, mon père et elle transportèrent le tableau, toujours voilé, dans le grand vestibule.

— Vous allez sûrement aimer la façon dont le *signor* Gentile a arrangé cette pièce, dit Renata comme nous entrions dans le vestibule.

Il était plein de roses, de lis, de chrysanthèmes et d'une énorme composition de glaïeuls posée sur la table centrale.

— Lorsqu'il m'a envoyée chercher les fleurs ce matin, il m'a bien précisé que les glaïeuls devaient être cramoisis. Comment savait-il que c'était la couleur du tableau ? L'avait-il furtivement regardé ?

Je souris.

— C'est l'instinct, je suppose.

Quand les invités arrivèrent, Cesare parut, arborant la fraise empesée qu'il portait sur son portrait, lequel était suspendu au-dessus de la cheminée. Les invités affluaient maintenant dans la demeure, et les parfums dont ils s'étaient inondés n'arrivaient plus à masquer le remugle fétide des corps. Un domestique passait un plateau de *crostini* aux anchois à l'huile et au citron. La nausée n'était pas loin. J'avais besoin d'air. On passa un autre plateau de gobelets de vin. J'en pris un et sortis faire plusieurs fois le tour de la cour afin de me calmer. Palmira et une autre petite fille jouaient avec les poupées de papier découpé que je leur avais données pour les occuper.

L'intendant de Cesare rassembla tout le monde quand vint l'heure d'inaugurer le tableau. Mon père vint lui-même me chercher. Il me chuchota :

— Voyons ce que ces Génois ont dans le ventre.

Cesare, son épouse à ses côtés, demanda le silence en levant les mains. Lorsqu'il fut sûr d'avoir obtenu l'attention générale, il adressa un ample geste à son intendant, qui retira le voile du tableau dans un grand effet de manches. Il n'y eut d'abord aucune réaction. Mon cœur se serra. On entendait glouglouter l'eau de la fontaine de la cour. Quelqu'un toussa. Bianca murmura « A-ah ! ». Elle avait remarqué ce que j'avais fait du poignard depuis la dernière fois qu'elle l'avait vu.

Un lent et franc sourire s'épanouit lentement sur la bonne figure de Cesare. Un soupir m'échappa, que je ne me savais pas avoir retenu si longtemps. Il y eut quelques applaudissements polis. Puis des murmures s'élevèrent.

— Je pensais que ce serait un nu.

— Il n'y a pas de sang.

— On voit à peine le poignard.

— Mais elle n'est pas morte !

— Elle ne va pas le faire.

Bianca s'avança auprès de moi. Je sentis sa main serrer la mienne, derrière l'abri de nos amples jupes.

Cesare donna un coup de poing circulaire dans le vide, et ouvrit la main en montrant le tableau.

— *Brava !* Vous y êtes arrivée, Artemisia Gentileschi ! C'est une victoire de l'ambiguïté. Si le temps s'était arrêté à ce moment précis, nous n'aurions jamais pu savoir la suite. Elle est devenue vôtre, elle n'est qu'à vous.

Il avait la certitude de posséder quelque chose d'unique. S'il eût contesté mon interprétation du sujet, cela n'aurait pu que retentir fâcheusement sur le renom des œuvres que j'avais déjà exécutées pour lui. Il l'approuvait, au contraire, cela changeait tout : le reste n'en prendrait que plus de valeur.

Renata, seule dans son coin, les mains jointes sur sa poitrine, avait les yeux humides. Les assistants étaient décontenancés. Ce tableau les prenait de court. *Bene.* Si Lucrèce leur propose une conception nouvelle, ils vont peut-être revenir sur l'absence de morsure chez Cléopâtre.

— Tu les as déconcertés, Artemisia, me chuchota mon père.

— Je sais.

Quand on m'eut présenté toutes sortes de félicitations, les unes enthousiastes, les autres réservées, mon père m'entraîna dans le jardin. Tout à la joie de mon succès, je pris son bras comme nous passions sous une treille de roses.

— Il va leur falloir un peu de temps pour comprendre enfin ce dont ils me félicitent, lui dis-je. Ce qu'ils pensent aujourd'hui changera sans doute demain.

— Ils sont déçus. Ils attendaient du sang. Ils voulaient du sang. Ils connaissent l'histoire de Lucrèce, et toi, tu leur proposes le doute. Lucrèce doute.

— Tous, père ? Et toi, est-ce ce à quoi tu t'attendais ?

Nous pûmes enfin nous regarder droit dans les yeux, ce que nous ne faisions plus à Rome. Au bout d'un long moment, il s'assit sur un banc de pierre sans me donner de réponse.

Je décidai d'agir comme si j'avais voulu parler de son attente par rapport à Lucrèce.

Je m'assis donc à côté de lui sous l'ombrage diapré de lumière, et nous regardâmes jouer les enfants. La fontaine qui était face à nous disparaissait sous les iris bleus et les lis orange. Entre le murmure de l'eau et le parfum des roses, nous étions bien. Mon père fit signe à Palmira, qui vint s'asseoir sagement sur ses genoux. Il la fit sauter sur sa cuisse comme si elle eût encore été petite. Ses boucles brunes dansaient.

— Je suis trop vieille, grand-père. J'ai neuf ans, maintenant.

Sa diction, saccadée par les sursauts, nous mit en joie.

Il avait dû me faire sauter moi aussi sur ses genoux. Une tendresse soudaine m'envahit, que je pris pour le bonheur. Je voulus arrêter le temps, retenir cet instant. Je saisis la cheville délicate de ma fille. Il se tourna vers moi.

— Qu'as-tu ?

— Rien, papa. Je suis juste heureuse.

Il ne sut quoi répondre. Il se remit à faire sauter Palmira. Il lui demanda :

— Palmira, est-ce que tu veux devenir un grand peintre, comme ta mère ?

Elle secoua sauvagement la tête et regarda gigoter ses pieds, chaussés de magnifiques chaussures de velours rouge.

— Je veux être une grande dame, avoir énormément de robes et vivre dans un palais.

— Un palais comme celui-ci ?

Elle releva, puis rabaissa brusquement son menton vers sa poitrine.

— Un palais encore plus grand. Et je veux me promener dans un carrosse noir tiré par deux chevaux blancs, avec un page debout derrière moi.

Elle s'amusa à comparer la taille de leurs mains, mais pensa vite à autre chose et s'enfuit lestement pour aller jouer.

— À son âge, tu n'aurais voulu que les chevaux, pour les dessiner.

Je me sentais bien à côté de lui. Nous avions retrouvé une atmosphère de confiance heureuse et pure.

— J'ai essayé de lui faire dessiner sa poupée, mais elle ne tient pas en place.

— Toi, tu pouvais passer plusieurs jours assise à dessiner le commis du boulanger, et si ça n'était pas assez bon, tu effaçais tout pour pouvoir recommencer.

— Quand j'avais son âge ?

— Oui, tu commençais. Cela émerveillait Agostino, sais-tu ? Non seulement ta précocité, mais aussi ta volonté.

Ce nom me fit l'effet d'une gifle. Je ne l'avais plus entendu depuis des années, pas même dans ma pensée.

— Quand je n'arrivais pas à peindre quelque chose, tu me disais : « Demain est un autre jour. Tu recommenceras demain matin. » Il m'arrive encore de me le redire…

Je posai ma main sur la sienne.

— … Mais c'est toujours avec ta voix que je l'entends.

Un nuage passa, le soleil revint. Palmira s'éclaboussait à la fontaine. Il dit doucement :

— Nous sommes redevenus amis.

— Oui, papa. C'est vrai.

Mais son regard s'assombrit.

— Non, ce que je voulais dire, c'est… Agostino et moi.

Une lame d'acier effilée comme un rasoir me fendit jusqu'à l'os.

— Je l'ai invité à venir me voir cet été. Il arrive la semaine prochaine. Il n'a pas encore retrouvé de commande, et…

— Ici ? à Gênes ?

Je ne pus retenir ce cri aigu qu'était devenue ma voix.

Il avança devant moi ses mains ouvertes en geste d'apaisement. Son débit devint rapide.

— Oui. Il a un sens très fin de la perspective, et nous avions bien travaillé ensemble dans le Casino des Muses du cardinal Borghèse. Il faudrait que tu ailles voir ça un jour. Et aussi la Sala Regia du Quirinal.

— Comment as-tu pu faire une chose pareille ? Tu l'as vraiment invité ? Alors qu'il m'a presque détruite ?

Mon père fut incapable de soutenir mon regard. Il fit un vague geste de la main.

— Cela n'aura été qu'un refroidissement passager entre deux vieux amis, Artemisia.

Ma tête devint brûlante, je ressentis comme un vertige. Il s'éclaircit la gorge.

— Mon idée était de travailler quelque temps ici avec lui avant que nous partions pour la France. Il a des lettres qui le recommandent à Paris.

— Alors, tu n'as toujours pas compris ?

— Je… Je pensais que vous auriez pu arranger les choses entre vous.

Je me levai brusquement.

— Père ! Comment une idée pareille a-t-elle pu ne serait-ce que t'effleurer ? La paix et le bonheur que j'ai trouvés ici ne sont rien à tes yeux. Mon commanditaire est plus un père pour moi que tu ne l'es toi-même.

Il m'attrapa le bras, je me dégageai violemment.

— Artemisia, ne…
— Salaud !
Je hélai Palmira et la traînai à l'étage, malgré leurs protestations à tous deux.

§

Je sortis de quoi écrire. Il fallait partir, et vite. Une seule lettre reçue de Pietro m'eût incitée à rentrer à Florence. Mais rien n'était venu. J'écrivis donc :

Très haut et puissant Seigneur Don Giovanni de Médicis,

Je dépose à vos pieds mes condoléances pour la mort de votre illustre père, Côme de Médicis. Je lui serai éternellement reconnaissante pour la bienveillance avec laquelle il a toujours bien voulu accueillir mon travail. C'est pourquoi aujourd'hui, suivant les recommandations qu'il avait bien voulu me faire, j'ai l'honneur de solliciter de vous la grâce d'entrer à votre service dans la ville de Venise. Je suis peintre en tous sujets, et prête à honorer n'importe quelle commande. Je serai d'ici à une quinzaine à Venise, où je pourrai vous renouveler les vœux que je forme pour votre santé et votre bonheur. Je vous baise la main avec respect et gratitude, et je demeure, Votre Seigneurie,

Votre très humble servante,
Artemisia Gentileschi

§

Comme c'était ridicule de s'adresser ainsi à un petit garçon de dix ans ! De toute manière, la décision appartenait à ses tuteurs. Sans doute ne le laisserait-on même pas lire ma lettre.
Je sortis mes toiles de leur cadre et les roulai. Palmira exigea une explication.
— Pourquoi fais-tu cela ?
— Parce que ces cadres ne sont pas à moi.
Je m'assurai du bouchage hermétique de mon vernis d'ambre, de ma térébenthine et de mon huile de lin, et ouvris ma malle à matériel de peinture.

— Maman ! Qu'est-ce que tu fais ?
— Aide-moi. Mets tes vêtements dans la grande malle.
— Non ! Pourquoi ?
Ce fut un véritable cri.
— Nous partons.
— Pourquoi ?
— À cause de ton grand-père.
J'enveloppai la lampe de ma mère dans des chiffons à peinture et la mis au fond de ma malle.
— Non ! Je ne veux pas m'en aller !
Elle rentra dans la chambre en tapant des pieds. Ses vociférations alertèrent Renata, Cesare et Bianca, qui firent irruption dans l'atelier.
— Je suis terriblement navrée, mais je crois que nous devons partir.
Le désarroi se peignit sur le visage de Cesare.
— Vous aurions-nous offensées ?
— Oh, non ! Jamais, au contraire !
Ma gorge se noua.
— Vous êtes l'homme le meilleur qu'il m'ait été donné de connaître.
Bianca tenta de me fléchir.
— Mais nous vous aimons tant !
— Je le sais, et je vous aime tous les quatre moi aussi.
Je m'étranglais presque d'émotion. Bianca reprit :
— Mais alors, pourquoi ?
— Mon père est en train de faire venir à Gênes l'homme qui m'a violée.
Je dis cette dernière phrase à voix basse afin de n'être pas entendue de Palmira. Bianca fut ébranlée.
— Et il croit que je vais... Que je vais...
Renata montra l'expression d'une pure douleur. De grosses larmes brillantes roulèrent le long de ses joues.
Cesare m'attira contre sa confortable bedaine.
— Nous allons vous protéger de lui, me dit-il à l'oreille. Nous en avons les moyens.
Je fis « non » de la tête contre son épaule.
— Je refuse que cela vous soit à charge.
Nous restâmes tous à nous entre-regarder un long moment, abasourdis de chagrin. Renata réagit la première.

Pleurant doucement, elle se laissa tomber à genoux devant ma malle et commença à y ranger mon matériel, le manipulant avec respect.

— Gardez cette pile d'esquisses de Lucrèce. Voici un album de dessin et des crayons. C'est pour vous, *cara*.

21

Le retour

Une année s'était presque écoulée. Palmira et moi, hors d'haleine, gravissions la colline du Pincio pour nous rendre à la Sainte-Trinité.

— Allez, encore un petit effort. Mais si, tu peux.

— Pourquoi ils n'ont pas mis d'escalier ? À Venise, il y aurait un escalier. Et même des statues !

— Les sœurs n'en seront que plus contentes de te voir, elles sauront ton effort pour arriver jusqu'à elles !

— Qu'est-ce que je vais leur dire ?

— Tout ce que tu veux. Elles te connaissent déjà. Je leur ai même raconté que nous avions fait naviguer des poupées à leur effigie…

— Oh ! maman !

— Eh bien, où est le mal ? Cela les a beaucoup amusées.

Arrivée en haut, je jetai un coup d'œil au clocher de gauche. On y avait logé une cloche imposante. Je m'attendais à trouver encore d'autres changements.

— C'est sœur Paola qui va nous ouvrir, c'est dans ses attributions.

En nous voyant, elle poussa un cri qui dut s'entendre du ciel :

— *Cara mia !*

Elle m'attira à elle pour m'enlacer.

— Oh ! vous voilà, *grazie a Dio* !

— Voici ma fille, Palmira.

— Une créature des anges !

Paola prit ma fille dans ses bras et la serra à l'étouffer contre sa robe noire.

— Sœur Graziela va en être extasiée !

— Comme sainte Thérèse ? lui répondis-je.

— Elle ne va pas bien du tout depuis quelque temps. L'année passée a été très dure pour elle. Pourquoi ne pas avoir écrit que vous veniez ?

Elle nous considéra, puis cria derechef, agitant les mains, incapable de maîtriser son émotion, à la grande joie de Palmira, et nous entraîna dans l'atelier d'enluminure de Graziela.

— Regardez qui est là, Graziela !

— *Santa Maria !* C'est à peine croyable !

Renversant son tabouret, Graziela se leva et vint à nous, les bras grand ouverts.

— J'ai rêvé de vous cette nuit.

Son visage mobile exprima tour à tour la surprise, le soulagement, puis une joyeuse gratitude.

— Je suppose que voici Palmira ! Tu ressembles trait pour trait à ta maman quand elle arriva parmi nous.

Palmira fit coquettement la révérence.

— Maman m'a bien parlé de vous. Votre nom est le premier mot que j'ai su écrire.

— Voyez cela ! J'en suis bien flattée !

La figure de Graziela était amaigrie ; quelques rides supplémentaires s'y étaient gravées, mais sa beauté restait digne des plus grands pinceaux. Quant à Paola, elle était dodue, comme toujours. Graziela reprit :

— Nous vous croyions encore à Venise.

— Nous y étions, presque toute une année.

— Pourquoi l'avoir quittée ? Ne vous y trouviez-vous pas à votre aise ? demanda Paola.

— Moi, j'y était fort bien, dit Palmira, quelque peu fanfaronne.

Lui caressant la joue, Graziela demanda :

— Qu'aimais-tu le mieux, à Venise ?

— Oh, tout était beau là-bas ! dit-elle en hochant la tête d'enthousiasme. Comme j'aimais les gondoles et les courses de bateaux !

— Je crois être rentrée dans ses bonnes grâces à notre première sortie en gondole.

Je passai ma main dans ses cheveux.

— Tu aurais bien voulu rester, n'est-ce pas ?

Elle me toisa d'un regard froid digne de Pietro.

— Je serais volontiers restée partout où nous avons vécu.

— *Allora,* c'est donc que vous avez aimé tous ces endroits-là ! dit Paola en joignant les mains sur sa poitrine.

Je suggérai :

— Raconte, la Commedia dell'arte !

— C'était très amusant.

— Et les dentelles…

— Les dentelles, j'en avais avant d'aller à Venise, rétorqua ma dédaigneuse fille. La *signora* Gentile m'en avait acheté à Gênes.

Elle souleva sa jupe afin de montrer la mince bande qui ornait le bas de son jupon.

— *Che meraviglia !* dit Paola.

L'enfant continua :

— Elle me donnait ses vieux habits pour me déguiser.

Palmira adorait tout ce qui sortait de l'ordinaire, le frivole, l'exotique. Si nous étions allées directement de Rome à Gênes, elle eût cultivé plus longtemps qu'elle ne l'avait fait un ressentiment dont les mille splendeurs de Venise avaient finalement eu raison.

— Et vous, pourquoi êtes-vous partie ? me demanda Graziela.

— Venise reste à mes yeux une merveille. Mais comme elle m'a déçue ! Une ville humide et froide, froide et revêche.

— Comment cela ? s'enquit Graziela, étonnée.

— Cette ville ressemble à sa peinture : elle n'est qu'emphase complaisante. La monumentale peinture du Tintoret, *Le Paradis,* entoure Marie et le Christ de cinq cents saints. Cinq cents, un océan de saints ! C'est trop. Je n'avais pas ma place là-bas. D'ailleurs, l'école vénitienne est sur son déclin, sauf dans les arts décoratifs.

— Que c'est dommage !

— Je ne lui reproche rien. Quelle ville aurait pu rivaliser dans ma dilection avec Gênes et Florence ?

— Pour qui avez-vous travaillé ?

— Giovanni de Médicis, le fils de Côme. Un petit duc de dix ans, imaginez-vous cela ? Ses conseillers gouvernaient à sa place, et je n'étais pas particulièrement bien en cour auprès d'eux. Et puis voilà que Giovanni vient lui aussi à mourir… Ainsi est tombée la maison des Médicis.

— Allez-vous rester ? s'enquit Graziela.

— J'espère. J'ai ouï dire que Scipion Borghèse et d'autres cardinaux achètent des œuvres pour leurs palais.

— On dit que le pape Urbain a lui aussi plusieurs chantiers, dit Graziela.

— Où allez-vous vivre ? demanda Paola.

— Dans le quartier des artistes, là où je demeurais auparavant. Il me faut trouver un gîte pour demain. Nous avons passé la nuit dans une auberge, et je ne voudrais pas avoir à payer encore d'autres nuitées. Nos bagages sont restés au relais des voitures.

Je sentais bien qu'elles auraient voulu nous garder plus longtemps, mais il fallut se séparer.

— Nous reviendrons dès que nous serons installées. Je voulais juste que Palmira vous connaisse.

Elles nous raccompagnèrent à la porte, nous nous embrassâmes encore chaudement, puis ma fille et moi nous dirigeâmes vers la demeure de Porzia Stiattesi.

Via del Babuino, rien n'avait changé. L'apothicaire chez qui nous nous fournissions en pigments était toujours là, et le marchand de vin aussi, au coin de la via della Croce ; la rue où j'habitais. Je me redressai. Je voulais paraître dignement dans mon ancien quartier, les yeux secs, innocente et confiante comme une enfant, chérissant en chacune de ses pierres la mémoire de mes premières espérances. Je pris Palmira par la main.

— C'était ma maison, lui dis-je.

Des enfants jouaient dans la ruelle, ils chantaient en français. Connaissant l'air, je me mis à chanter avec eux en italien. Ils me regardèrent avec surprise, puis éclatèrent de rire.

— C'est ici que je suis née, dans cette maison, appris-je à Palmira d'une voix attendrie, devant la porte cochère.

Le stuc se détachait par plaques du mur lépreux.

— Comme c'est vilain ! dit-elle.

Elle toucha du doigt une écaille de plâtre, qui se détacha. Je l'écartai vivement.

— Il faut bien naître quelque part…

Le volet gauche était parti, et le droit pendait tristement d'un seul gond.

— Bien des choses sont arrivées dans cette maison, des choses qui ont changé ma vie.

— Et puis, ce n'est pas bien grand.

— T'attendais-tu à un palais comme celui de Cesare ou celui de Giovanni de Médicis ? Nous sommes seules toutes les deux, maintenant, et il va falloir t'y faire.

Je l'orientai vers la maison voisine et tirai sur la lanière de cuir de la cloche. Regrettant déjà ma sévérité, je lui dis :

— Nous avions la même cloche. Ma mère avait soin de la tenir toujours bien astiquée, car elle disait qu'une cloche brillante rend un son plus joyeux. Voici la maison de ton oncle et de ta tante. Le frère de ton papa.

Porzia vint nous ouvrir et leva les bras au ciel.

— *Mamma mia !* Artemisia ! *Dio mio.*

Je ris.

— Ne soyez pas étonnée outre mesure, je ne suis pas un fantôme.

— Non, oh, non ! C'est que vous n'avez pas changé !

— Vous non plus, répondis-je, et nous savions bien toutes deux que rien de tout cela n'était vrai.

J'avais épaissi, elle avait vieilli et, chose que je remarquai pour la première fois, elle avait une épaule plus haute que l'autre.

— Voici Palmira, ma fille.

— La fille de Pierantonio ? demanda-t-elle à voix basse.

— Évidemment !

Comment avait-elle pu imaginer un instant que je lui eusse amené une enfant naturelle ?

— *Che bellina !* Tu as les cheveux et les yeux noirs de ton père et la peau de ta mère.

Porzia nous ouvrit grand sa porte et nous traversâmes la petite cour qui menait à sa demeure. Elle boitait si bas à présent que cela me faisait mal à voir. Elle puisa dans la grande marmite de la cheminée trois bols de polenta et nous versa deux gobelets de vin, montrant un petit verre.

— Et pour la petite, une petite gorgée coupée d'eau ?

— Juste un peu, alors.

— Allez-vous rester à Rome ?

— Tant que je pourrai y travailler. La peinture est un métier de nomade, il faut s'y résigner, qu'en dis-tu, Palmira ?

— Qu'est-ce que ça veut dire ?

— Ça veut dire qu'on voyage sans cesse. Sais-tu que peu de grandes personnes ont eu la chance de vivre dans trois villes ?

— Est-ce qu'il y a des bateaux, à Rome ? demanda ma fille à Porzia.

— Non, mais il y a beaucoup d'autres choses qui vont te plaire. Des choses d'il y a très longtemps.

Palmira fit une demi-grimace et balança ses jambes. J'attendais avec impatience que cette mauvaise habitude lui passe avec l'âge, bientôt, sans doute.

— C'est le bon moment pour venir à Rome quand on est un artiste, dit Porzia. Ce que le pape peut dépenser comme argent, ce n'est pas croyable !

— Toute la question est de savoir si une partie de cet argent va tomber dans ma poche. Il se pourrait que non, si ma réputation est encore aussi mauvaise qu'elle a pu l'être. A-t-on oublié cette histoire, ici ?

— Le procès ? Oh oui ! La vie suit son train, et de nouveaux malheurs attirent sans cesse l'attention des gens. Cependant, quelques-uns pourraient bien se souvenir de vous en vous revoyant.

— Agostino n'est plus à Rome, n'est-ce pas ?

— Aux dernières nouvelles, il est parti pour Gênes, et peut-être ensuite pour Paris.

— En compagnie de mon père, sans nul doute. Ne vous donnez pas la peine de me le cacher, je sais tout.

Elle gratta de l'ongle une coulée de cire de bougie sur la table.

— Ça me rend malade de les voir bras dessus, bras dessous, chaloupant, ivres morts dans la rue. Chaque fois, je souffre pour vous…

Je la fis taire d'un geste. Je ne voulais pas entendre la suite.

— Savez-vous où nous pourrions louer deux pièces pour pas trop cher ? Si possible dans le quartier.

— Il y a toujours des gens qui déménagent entre ici et la piazza del Popolo.

— Il va falloir nous mettre en chasse dès demain.

Je me détendis sur ma chaise, m'efforçant de me sentir à nouveau chez moi.

— La peste menace Florence, le saviez-vous ? dit Porzia, tâchant de me sonder du regard.

— Non, je l'ignorais. Nous avons pris par le sud, par la côte. Je croyais que seule Milan était menacée.

— Nous avons eu des processions de flagellants, ils allaient d'église en église, et on a même interdit le *calcio* par peur de la contagion.

— Et Pietro ? Que devient-il ?

— C'est par lui que nous avons su la nouvelle, mais c'était il y a un mois.

Pensive, je bus mon vin.

— Ça nous a fait de la peine d'apprendre que vous l'aviez quitté.

— Je n'avais pas le choix. Je l'aimais autant qu'il lui était possible, à lui, d'accepter d'être aimé.

— Alors pourquoi êtes-vous partie ?

Je me demandais dans quelle mesure cette question était accusatrice, mais rien ne m'incitait à le croire.

— Je suis partie pour trouver du travail. Que vous avais-je donc dit ?

— Exactement cela.

Elle rompit un quignon de pain et épousseta tranquillement les miettes de son giron.

— Nous pensions qu'il aurait pu s'agir d'autre chose.

Soit elle savait, pour Vanna, et elle approuvait, soit Pietro lui avait fait gober une histoire quelconque destinée à le disculper. J'aurais pu apprendre s'il était toujours avec elle, mais je ne voulais pas le demander devant Palmira, si bien que j'hésitai. Porzia aussi balançait sur la conduite à tenir, et sans doute pour les mêmes raisons. Nos regards nous dirent que cette mise au point attendrait une occasion propice.

§

Le matin suivant, nous sortîmes, Palmira et moi, pour écumer toutes les rues qui allaient de la piazza del Popolo à la via della Croce, le quartier des artistes. Nous avons interrogé l'apothicaire, tiré des sonnettes, et suivi les indications données par des passants. Une propriétaire de la via dei Greci me regarda, soupçonneuse, et me dit :

— Je ne loue pas à des femmes seules avec enfants.

— Même pas avec un seul enfant ?

— Un seul, c'est déjà trop.

Palmira, ayant entendu cette réponse, traîna derrière moi en boudant et donna un coup de pied dans un caillou.

— Ne fais pas ça. Tu vas érafler tes souliers.

Je déployais des efforts incessants pour qu'elle conserve des souliers présentables. Elle envoya encore un caillou à quelques mètres, puis se résigna à cheminer à mon côté, d'humeur maussade.

« Le monde te meurtrira si tu le laisses faire, alors ne le laisse pas te faire de mal... » Les femmes seules. Je pensai à Pietro. S'il gagnait toujours sa vie en étant peintre, cela n'allait être facile ni pour moi, ni pour lui. Mais pour nous deux ? Je me posais la question.

Sur la via Laurina, je demandai à une femme qui passait :

— Auriez-vous deux pièces à louer ? Je suis peintre, et voici ma fille.

Je me tenais droite et digne, la main de Palmira dans la mienne.

— *Si,* deux pièces. Au troisième étage. Il y a d'autres peintres dans la maison. Allez voir, c'est la première porte à gauche en haut de l'escalier.

L'odeur de la térébenthine se faisait de plus en plus prononcée avec notre ascension, et la chaleur plus étouffante. Il n'y avait pas de rideaux dans la chambre. Des couvertures immondes cachaient un matelas défoncé.

— Maman, c'est horrible, ici !

— *Stai zitta !*

Je l'empoignai par le bras. L'après-midi traînait en longueur, et j'avais mal aux pieds.

— Je prends le logement. Puis-je y entrer tout de suite ?

— *Si*. Comment vous nommez-vous ?

— Artemisia Gentileschi, répondis-je. Et ma fille, Palmira.

Sa lèvre supérieure eut une velléité de moue dédaigneuse, mais la grimace ne fit que s'ébaucher.

— Attendez là, dit-elle avec autorité, et elle sortit.

Quand elle revint, elle dit :

— Ce n'est plus à louer. Mon mari l'a promis à quelqu'un ce matin.

Et elle ouvrit la porte pour nous faire partir.

Je me doutais que mon retour à Rome n'irait pas sans ressusciter de vieilles douleurs, mais je ne m'étais pas attendue au mépris.

Un immeuble de la via Margutta, dans mon quartier d'enfance, offrait une chambre à louer. Un moustachu à l'abord posé, dont l'air ne m'était pas inconnu, nous conduisit en haut d'un escalier à une vaste chambre éclairée par deux fenêtres, chacune s'ouvrant sur un côté. Je lui dis :

— Cela semble fort bien. Nous aimerions nous installer dès cet après-midi. Est-ce possible ?

Il opina.

— Comment vous appelez-vous ?

— Artemisia Lomi, et voici Palmira.

Elle me regarda, choquée, et se crut tenue de corriger :

— Gentileschi.

Le visage de l'homme montra les stigmates d'un intense travail de mémoire : ce nom lui rappelait vaguement quelque chose, un événement passé. Il regarda mes mains, puis d'un air de dégoût, Palmira. Mon ventre se nouait.

— Non. Je ne loue pas aux putains.

Il nous ferma la porte au nez.

— *Madre di Dio, che villano !* De toute manière, nous n'aurions pas pu vivre là, dis-je à Palmira.

Ma voix traduisait mon trouble, je lui fis dégringoler l'escalier à toute vitesse.

— Pourquoi il a été méchant comme ça, maman ? Et puis c'est quoi, une putain ?

— Je te l'expliquerai ce soir, quand nous aurons trouvé une maison.

§

En attendant la livraison de nos bagages, je fis chauffer de l'eau sur le poêle du logement que nous avions fini par trouver, et nous pûmes prendre un bain de pieds tout en mangeant du pain et du fromage.

— Ces gens, ils parlent drôlement, tu ne trouves pas, maman ?

— C'est parce qu'ils essaient d'apprendre notre langue. Ils sont hollandais. Je crois que l'homme a décidé de nous louer un logement parce qu'il a compris que j'aimais sa peinture.

Quand on nous livra nos malles, nous étions trop fatiguées pour les ouvrir, mais j'écrivis une lettre à l'Académie de Florence.

> *Si ce n'était abuser de votre patience, honorables sires, j'aimerais avoir des nouvelles de mon mari, Pietro Antonio di Vincento Stiattesi. Vit-il encore ? Est-il toujours peintre ? En souvenir de mon appartenance à votre illustre Académie, daignerez-vous me faire savoir ce qu'il en est de lui ?*

Je doutais fort, cependant, d'obtenir une réponse. Je regardai Palmira, qui sommeillait sur le lit, encore vêtue de ses hardes de voyage.

— Tu t'es montrée très sage et raisonnable aujourd'hui. Je sais que cela n'a pas été drôle du tout pour toi.

J'ôtai mon corps de robe et ma jupe, et m'étendis auprès d'elle. Elle se retourna sur le dos, les yeux ouverts. Nous vîmes ensemble décliner la lumière par la fenêtre, nous nous sentions proches. Nous deux ici, le reste du monde dehors. Mes yeux se fermaient. Je murmurai :

— Je crois que nous allons être heureuses ici.

— Tu m'avais promis de m'expliquer, me dit Palmira au bout d'un temps de silence.

— T'expliquer quoi ?

— Pourquoi cet homme nous a appelées des putains.

— Il a dit cela parce que c'est la pire injure qu'il a pu trouver, mais comme ce qu'il a dit n'est pas vrai, ne t'en préoccupe pas.

Dans cette chambre assombrie par la nuit tombante, toutes deux fixant les fissures du plafond, la vérité me parut soudain possible à dire. Palmira allait bientôt voir son premier sang, il était temps.

— Te souviens-tu du jour où j'ai dessiné la statue de cette femme enlevée par un homme, à Florence, dans la Loge della Signoria ? Tu sais bien, je dessinais, il pleuvait, ce jour-là, et nous avons couru.

Comme si ma question avait été déraisonnable, elle répondit un « non » théâtral.

— Quand un homme contraint une femme, contre sa volonté, à faire ce que font les époux qui s'aiment, cela s'appelle un viol. Ce que montre la sculpture, c'est le moment où elle va être violée.

— Et alors ?

— Et alors, cela m'est arrivé à moi, ici, à Rome. Je ne voulais pas que cela se sache, mais mon père s'en aperçut, et il accusa l'homme devant le tribunal. Tout le monde croyait que j'étais d'accord, mais c'est faux. Lorsqu'une femme accepte de faire ça avec n'importe qui, et pas seulement avec son mari, on l'appelle une putain.

Palmira ne broncha pas. Peut-être était-elle en train d'imaginer ce que font ensemble les hommes et les femmes. Mais je réservai cette explication pour un autre soir. Et pour un autre soir encore l'histoire du procès et de la *sibille*. Quand elle serait plus grande. Quand ce ne serait plus pour moi qu'une histoire parmi d'autres, comme celle de Lucrèce, ou celle de Cléopâtre, ou encore celle d'une femme d'un temps très ancien. J'en étais encore trop proche, je m'en rendais compte, et je tombais de sommeil.

Un moment plus tard, la question de ma fille me parvint à travers la brume obscure de la fatigue.

— C'est papa qui t'a violée ?

— Ton papa ? Non, *cara*. Il ne m'a jamais fait de mal de cette façon-là. C'est l'ami de mon père, celui qui s'appelle Agostino. Ils peignaient ensemble. C'est pour cette raison que nous avons quitté Gênes si précipitamment. Ton grand-père l'avait invité à y séjourner.

— Ça fait mal, d'être violée ?

— Oui. Mais ça ne dure pas. Cela finit par passer.

— Et ce que font les hommes et les femmes, cela fait-il mal ?

Épineuse question. Je ne voulais pas qu'elle entre dans la vie marquée par la peur.

— Non. Pense à Cesare et Bianca, comme ils s'aimaient. Si l'homme est tendre et doux, et si la femme est consentante, cela ne fait nul mal. C'est une chose qui arrive quand on s'aime.

— Est-ce que moi je le voudrai ?
— Oui.
— Toutes les femmes le veulent ?
— Presque toutes.
— Même sœur Graziela ?
— Cela lui est arrivé dans sa vie.

Je me laissai rouler vers elle sur le côté et lui embrassai l'oreille.

— Je te raconterai l'histoire une autre fois.

22

Le Casino des Muses

À Son Excellence révérendissime le cardinal Scipione Borghese,

Me fondant sur l'espoir que mon père, Orazio Gentileschi, aura su gagner auprès de Votre Éminence quelque crédit par le travail de fresque qu'il a eu à réaliser au plafond du Casino des Muses de Votre Éminence, moi, sa fille, Artemisia Gentileschi, étant également peintre, formée par lui, et ayant été honorée de la protection du seigneur Côme de Médicis, j'adresse à Votre Éminence une offre de service.

S'il plaisait à Votre Éminence de m'accorder la faveur de pouvoir contempler le travail de mon père, je lui en saurais un gré infini, n'ayant encore jamais pu voir cette œuvre. Soucieuse de ne point troubler la paix de vos entours ni vos devoirs pastoraux, j'attendrai une réponse quand il vous plaira.

Je baise la pourpre sacrée dont est revêtue Votre Éminence révérendissime, dont j'ai l'honneur d'être l'humble servante,

Artemisia Gentileschi

Je cachetai cette missive à la cire de bougie, y imprimant le médaillon gravé d'Artémis qui ornait mon bracelet, et commençai une deuxième lettre tandis que Palmira défaisait nos bagages. À la fin de la journée, j'avais écrit à cinq cardinaux et trois gentilshommes que m'avaient recommandés l'apothicaire et mon propriétaire hollandais.

Je reçus assez vite des réponses. L'un des secrétaires de la Maison du cardinal Borghèse m'autorisa à venir voir, « pendant quelques instants seulement, le travail d'Orazio Gentileschi », mais ajoutait qu'« il ne fallait pas compter sur une entrevue avec Son Éminence, celle-ci n'étant pas disponible ». Un gentilhomme voulait « dès que la réalisation en sera possible, une de vos *Judith* de grand format, comme celles du palais Pitti ».

Je lui en fus reconnaissante. J'avais besoin de la sécurité et de la joie que me donnait l'exécution d'un tableau. Je me mis séance tenante à esquisser de petites compositions sur le papier, Palmira surveillant la soupe qui cuisait dans la marmite. La condition nouvelle qu'elle connaissait désormais allait l'aider à grandir, me disais-je.

— Qui cela va-t-il être ? demanda-t-elle.

— Une autre Judith.

— Tu n'es pas fatiguée d'en peindre, des *Judith ?*

— Non, car elles sont toutes différentes. Cela fait, voyons... cinq ans que je n'en ai peint. J'ai changé, entretemps, le tableau sera donc différent des autres.

— Est-ce qu'ils veulent du sang ?

J'entendis qu'elle était sincère, et qu'elle s'intéressait, pour une fois, à mon travail. Sans doute le caractère lugubre de mes tableaux (la tête coupée, la décollation, le serpent, le poignard) avait-il contribué à l'éloigner de la peinture.

— Non, et il n'y en aura pas, juste pour te complaire, *cara.*

Mais n'était-ce que pour lui complaire ? Je ne souhaitais nullement revenir à la figuration de toute cette violence. Elle ne me concernait plus.

Je laissai libre cours à mon imagination. Cette Judith-ci allait être une femme mûre, plus imposante, instruite par l'âge et l'expérience, et non plus seulement une séductrice doublée d'une tueuse. Un être se fondant davantage sur sa raison. Ici, à Rome, où l'univers pictural du Caravage était encore fort apprécié, j'allais pouvoir m'adonner à mon goût du clair-obscur, si fortement expressif, jusque sur les visages. Je voulais que, de sa main étendue, Judith s'abritât de la lumière provenant de l'entrée de la tente afin de se rendre plus attentive aux bruits du dehors. Je ne voulais même pas montrer le cadavre d'Holopherne, juste sa tête coupée se perdant dans l'obscurité du sac d'Abra. Pas de sang. Pas d'horreur. Mais Judith perçoit une rumeur qui vient du camp, que l'on ne voit pas. Le danger est toujours présent. On la sent tendue, sur ses gardes.

— Tiens, dis-je à Palmira au bout d'un moment, regarde. Pas de sang.

Je lui montrai une mise en place sommaire des personnages. Elle la regarda, me la rendit.

— Même pas de sang qui coule du sac ?

— Même pas !

— C'est bien.

— Oui, c'est bien ainsi.

Je lui caressai la main.

— Comme tu as été très utile et complaisante en te chargeant de défaire les bagages, je t'emmène demain dans un beau palais, celui du cardinal Scipion Borghèse. C'est un homme très puissant. Nous allons pouvoir aller regarder le plafond que ton grand-père a peint pour lui.

❧

Je ne savais plus très bien où se trouvait le palais Pallavicini du cardinal, quelque part près du Quirinal, et nous dûmes demander trois fois notre chemin avant qu'un cocher nous apprenne que le bâtiment était séparé de la rue par une immense cour charretière et des alignements d'écuries. Au vu de la lettre du secrétaire du cardinal, un portier nous introduisit dans un jardin opulent : ce n'était que haies fleuries, tonnelles de fleurs parfumées, lauriers-roses touffus, pins et platanes vénérables.

La sentinelle abaissa devant nous son bâton de cérémonie et nous demanda ce qui nous amenait. S'attendait-il à voir une femme et une fillette saccager la résidence cardinalice ?

— Je me nomme Artemisia Gentileschi. Mon père, Orazio Gentileschi, a peint la fresque du plafond du Casino des Muses de Son Éminence. Suis-je bien devant ce bâtiment ?

— Oui.

— Nous souhaiterions, ma fille et moi, voir cette fresque.

Je lui montrai la lettre. Il y jeta un coup d'œil et nous laissa entrer.

— Demandez à l'archiviste.

L'archiviste, un vieil homme assis à une table sculptée et marquetée, s'usait les yeux sur un document, tête baissée. Il ne daigna pas nous regarder alors que nous nous tenions devant lui. Son visage était si long et maigre qu'on l'eût cru avoir été écrasé entre deux planches dans sa prime enfance. Il avait un peu l'air d'une fouine. Je posai ma lettre ouverte devant lui sur son bureau. Il ne bougea pas la tête, mais ses yeux allaient de droite à gauche.

— Gentileschi, c'est ça ? J'ai entendu parler de vous. J'étais déjà ici quand votre père et Tassi y travaillaient. Vous êtes revenue à Rome pour vous faire violer, c'est ça ?

Palmira souffla bruyamment.

— Je suis revenue à Rome parce que j'y suis chez moi. Et je suis revenue y peindre, car je suis peintre. En tant que tel, je souhaite pouvoir regarder la fresque du plafond.

— Le *signor* Tassi ne vous a-t-il donc pas assez appris par lui-même, que vous vouliez maintenant apprendre en regardant ses œuvres ?

— Celles de mon père.

Je me raidis, attendant la suite.

— Alors comme ça, vous êtes peintre ? Vous devez peindre de jolies putains, je suppose ?

— Je peins des héroïnes.

— Ce que tu peins ne sort jamais que de ta putasserie.

C'était dit à voix basse, mais c'était un crachat à la figure.

— C'est pas vrai ! bafouilla Palmira. C'est faux !

Je lui pressai la main pour la faire taire. Elle me regarda, envisageant une riposte. Excité par ce petit accès d'insolence, l'homme eut un sourire mauvais.

— Ce que je peins vient de ma fierté et de mon honneur, et aussi de mes chagrins, de mes joies et de mes doutes, de l'amour, de l'espérance.

Je parlais d'une voix égale, mais assez vite, afin de ne pas le laisser m'interrompre.

— J'espère vivre assez longtemps pour pouvoir peindre toute la gamme des émotions que peut ressentir l'être humain.

Il renifla de mépris et retourna à sa lecture.

— C'est un usage bien établi que de permettre aux peintres d'étudier le travail d'autres peintres, même si ces œuvres sont la propriété de notre Sainte Mère l'Église, dis-je. Si le moment est mal choisi, indiquez-m'en un autre, je reviendrai.

— Allez ! Montez.

Il agita la main en direction de l'escalier ; nous persécuter ne l'amusait plus. Il avait eu ce qu'il voulait.

Nous montâmes, ma main sur l'épaule de Palmira.

— Comme je regrette que tu aies dû entendre toutes ces ordures !

— Rome est une ville horrible. Je la déteste !

— Mais non, elle n'est pas qu'horrible. Pense à ce que nous allons découvrir.

Une grosse souillon lavait le sol en traçant des arcs luisants, la chair flasque de ses bras lui pendait jusqu'au coude. Je lui demandai le Casino des Muses. Elle se dandina jusqu'au bout du vestibule et ouvrit l'une des deux portes du fond.

Je pris Palmira par la main et nous entrâmes. Un plafond voûté de dimensions colossales coiffait une grande salle d'apparat. Au-dessus de la vraie corniche qui recevait les culées d'arc de la voûte, une autre corniche compliquée s'accompagnait de corbeaux soutenant un balcon, le tout peint en trompe-l'œil pour imiter la pierre. L'illusion était parfaite : derrière la balustrade du balcon peint, on voyait une colonnade et une loggia en arceaux.

— Ça a l'air tellement vrai !

De surprise, Palmira accentua le mot démesurément.

Sous les arceaux et sur le balcon, de belles dames et de beaux messieurs jouaient du luth, du violon, de la viole de gambe, ou frappaient sur des tambourins et des tambours. D'autres chantaient ou ne faisaient qu'écouter, un bras posé sur la balustrade, laissant flotter un châle. Les riches couleurs de leur vêture étaient magnifiées par le bleu du ciel, lequel, semé de nuages, donnait au balcon factice une profondeur qui semblait le projeter vers le paradis. Chaque détail, chaque partie de cet ensemble complexe, piliers, chapiteaux, arches, et corbeaux soutenant le balcon, mais aussi mentons, coudes, nez, violes de gambe et autres instruments, absolument tout était parfaitement traité en perspective, comme vu de dessous, et s'unifiait en un tout cohérent. L'effet d'ensemble était saisissant.

— Comment se fait-il que ça ait l'air aussi vrai ? demanda Palmira.

— C'est ce que l'on nomme les vues d'architecture en trompe-l'œil, lui expliquai-je. On ne peut discerner ce qui est vrai et ce qui est faux, ce qui appartient vraiment au bâtiment et ce qui est peint dessus pour faire illusion. Cela semble vrai parce que toutes les formes, tous les personnages sont traités en perspective. Cela signifie qu'ils sont construits dans des proportions raccourcies par rapport à la réalité et, de plus, qu'ils sont vus de dessous. C'est très, très difficile.

— Tu l'as déjà fait ?

— Non.

Elle lâcha ma main et fit un tour complet sur elle-même.

— Dix-neuf personnages !

Créer un ensemble aussi complexe en gardant la cohérence de toutes les parties entre elles, voilà qui a dû demander un effort de réflexion intense et soutenu. Mon père avait dû poursuivre sans relâche cette élaboration mentale, sur le chemin de la maison, chaque soir, mais aussi en prenant ses repas, en s'habillant, en broyant des pigments, en assistant aux audiences du tribunal. La composition et les attitudes des personnages n'avaient sans doute jamais quitté son esprit. L'épreuve que je subissais alors était sans doute restée, elle, aux marges de sa conscience, même le matin de la *sibille*. Palmira me demanda :

— C'est grand-père qui a peint cela avec cet homme ?

— Oui. Ils travaillaient ensemble, alors... Grand-père peignait les personnages et Agostino l'architecture.

Là où Orazio connaissait un point faible, la construction de la perspective et l'architecture, Agostino pouvait intervenir et poser les angles justes, les points de fuite, les ombres. C'est Agostino qui structurait l'espace à la manière d'une scène où venaient s'insérer les personnages d'Orazio, chacun bien individualisé, qu'il fût pris par l'ivresse de jouer ou charmé par le plaisir d'écouter. Son point faible, Orazio le connaissait, comme Agostino le sien. Chacun de son côté, leur art et leur célébrité étaient voués à ne jamais dépasser une honnête médiocrité. Ensemble, ils rayonnaient.

— Quelle joie et quel enthousiasme il a dû ressentir à voir cette œuvre prendre forme ! murmurai-je.

Je comprenais à présent très clairement pourquoi mon père avait eu hâte d'en finir avec ce procès. Cela n'était en rien lié à moi.

Oui, je comprenais, mais comprendre n'est pas pardonner.

— Regarde, maman ! C'est toi !

Palmira me montrait un détail par-dessus mon épaule droite ; je me retournai.

— Non.

— Mais si, c'est toi ! Tu te tiens toujours comme ça, la main sur la hanche !

— Vraiment ?

— Oui, quand tu es en colère après moi.

— Peut-être est-ce ta grand-mère.

Au moment même où je disais cela, je remarquai sur la fresque cette mèche rebelle qui se tortillait sur ma tempe droite. Elle me donnait du fil à retordre depuis que j'avais l'âge de me coiffer toute seule. Ma mère avait une belle chevelure lisse et douce, qu'elle tirait en chignon à la manière espagnole.

— Mais non. C'est bien toi. Regarde, tu as un éventail à la main, toi qui te plains toujours de la chaleur.

J'étais là qui me regardais d'en haut, peinte treize ans auparavant comme je me trouvais, à cet instant, à mon âge exact. Comment avait-il si bien pressenti ce que je deviendrais ? Quelle chose étrange que de me contempler ainsi en matrone irritée, préoccupée par quelque chose au point de se pencher au balcon au lieu de regarder les musiciens, incapable de profiter sereinement de cet instant de plaisir. Incapable de se laisser aller. Comment avait-il pu si bien me recréer ?

J'avais le tournis et ma nuque se raidissait, mais je ne pouvais détacher mes yeux du plafond. J'avais souvent posé pour mon père, mais je n'aurais jamais pensé qu'il utiliserait l'un de ses dessins de moi pour me mettre dans cette œuvre. Et cependant, il n'avait pu manquer de penser à moi tous ces après-midi qui avaient suivi les audiences. Qui plus est, il avait deviné la manière dont ce procès, et les années passant, allaient me marquer. Je serrai ma fille contre moi.

— Tu as raison, c'est bien moi, murmurai-je.

§

Lorsque ma fille fut endormie, ce soir-là, je restai un long moment assise à boire tranquillement du vin tout en me demandant si mon père pensait souvent à moi. S'il lui arrivait de parler de moi, à Agostino ou à quelqu'un d'autre. S'il lui arrivait de se sentir seul, et, pourquoi pas, à cet instant précis. S'il pensait encore quelquefois à ma mère. J'espérais qu'il était heureux, ou du moins que sa peinture lui donnait des joies… Même en compagnie d'Agostino. Je me penchai à la fenêtre pour goûter le bleu sombre de la nuit et ce même air nocturne qu'il était en train de respirer à Gênes, à Paris, ou en quelque autre lieu. J'eusse donné cher pour savoir à quoi il songeait en ce même instant. Si l'on pouvait seulement être sûr de ce qu'un autre faisait ou pensait, le monde cesserait d'être livré à la solitude.

Puis Pietro occupa ma pensée. Que faisait-il ? Était-il avec Vanna ? S'était-il complètement donné à elle, maintenant que je n'étais plus là ? En était-il capable ? Et pensait-il encore à moi ?

Avais-je, comme mon père l'avait fait, sacrifié un être à un art ? Je me sentis gagnée par la contrition, aussi bien envers Pietro qu'envers Palmira. Avais-je fait du mal égoïstement, par impulsivité ? Et Cesare et Bianca, et Renata, j'aurais voulu leur demander pardon à eux aussi, j'aurais tant aimé renouer tous les fils de nos vies ! Mais c'était impossible. L'amour est si souvent en butte aux choix qui s'imposent à nous…

On m'avait conté l'histoire de cette reine d'Angleterre qui refusa tous les prétendants afin de se marier à son pays, et je comprenais de quel prix elle avait dû le payer.

Comme tirée du firmament par un fil invisible, une lune quasi étincelante se leva sur les toits. Ce que j'avais vu au Casino Borghèse m'empêchait de dormir. Je pris du papier, mais j'ignorais où se trouvait mon père. Alors, j'écrivis une tout autre lettre :

Galilée, illustre ami,

Le ciel de ce soir est d'une pureté que je n'avais pas connue depuis des années. La lune est une perle baroque, un bibelot que

Dieu a lancé vers nous, pauvres mortels, pour nous agacer de questions sans réponse. Je vois distinctement ses monts et ses vallées, exactement comme vous me les décriviez. Je ne regarde jamais cet astre sans penser à vous, et jamais non plus les étoiles sans me demander laquelle est votre Vénus.

Ce soir, j'ai peur pour le monde. Il tourne follement aux marges de l'univers, comme vous l'affirmez, au lieu de rester sagement au centre sous le regard de Dieu, ce qui prouve que nous ne sommes pas Sa préoccupation première. Le destin nous mène, nous commettons des erreurs sans le savoir, et il nous est interdit de retourner en arrière. Que c'est difficile de se fier à notre instinct du bien pour gouverner nos petites vies afin de laisser à notre Père du ciel le loisir de se consacrer à de plus hautes occupations !

Prenez soin de vous, amico mio. Malgré ce que vous me mandez de la grande amitié en laquelle vous tient le pape Urbain, Rome reste la ville sans merci que j'ai connue dans ma jeunesse. Ne commettez pas l'erreur de sous-estimer, dans votre villa entourée de citronniers en caisse, la poigne qui pourrait bien aller arracher aux collines toscanes son fruit le plus illustre. La puissance de Rome ne se borne pas à celle du pape.

Et pourtant, tout en écrivant cela, je sais que vous continuerez à proférer les vérités que vous découvrez, quelque danger qu'il y ait à le faire. C'est donc avec votre permission, ne serait-ce que pour apaiser mon amicale inquiétude, que je m'en vais requérir pour vous les prières de ma très chère amie sœur Graziela, de la Trinité-des-Monts.

Toujours bien à vous,
Artemisia Gentileschi

§

Ayant fait chauffer de l'eau, je me lavai les cheveux, puis fis de même à Palmira.

— Aïe, s'écria-t-elle, tu me fais mal !

— Eh bien, n'est-ce pas bon de se faire étriller le crâne ? Cela réveille.

— Non, je veux le faire toute seule.

J'y consentis à regret, renonçant à l'une des joies de la maternité, mais mon regard restait fasciné par le mince et tendre vallon de sa nuque, qui luisait sous la mousse du savon. Je lui proposai :

— Allons voir les sœurs aujourd'hui, je voudrais donner des pigments à Graziela. Prends ta broderie pour la montrer à sœur Paola. Si elle n'a pas trop d'ouvrage, elle pourra peut-être t'apprendre un nouveau point.

— Elle sait donc broder ?

— Bien sûr. Elle a brodé des chasubles magnifiques pour les évêques. Et au fil d'or, encore.

Je nattai ses cheveux tout mouillés afin de leur donner des ondulations, puis attachai les nattes au sommet de sa tête.

— Et voilà. Tu as l'air d'une jeune damoiselle.

Nous trouvâmes Graziela assise sur le banc de coin, désœuvrée, dans le cloître. Jamais auparavant je ne l'avais vue oisive. Je demandai à Paola :

— Est-elle en train de prier ?

— Non. Elle rumine des pensées.

Son visage s'anima à notre vue.

— Comment vous portez-vous ? lui demandai-je.

— Comme il plaît à Dieu. Avez-vous trouvé un logis ?

— J'ai eu un peu de mal. Les gens n'ont pas oublié. Après treize ans !

Graziela, soucieuse, regarda ma fille, puis moi.

— Elle sait. Je lui ai tout dit.

Je m'assis à côté de mon amie.

— On ne voulait pas nous louer de chambre. Hier, nous sommes allées au Casino du cardinal Borghèse pour voir le plafond de mon père, et l'archiviste s'est montré infect avec moi, devant Palmira. Il m'a demandé si je revenais me faire violer. Ces Romains sont toujours des barbares !

— Ceux qui ont plus de foi que nous y verraient l'œuvre de la main divine.

Sidérée, je la dévisageai. Qu'était devenue sa compassion ?

— Il m'a dit que je ne peignais que ce qui sortait de ma putasserie ! Où voyez-vous l'amour de Dieu là-dedans ?

Paola entreprit sur-le-champ d'entraîner Palmira vers le jardin de simples, mais ma fille se laissa choir sans réplique sur le bout du banc, et la petite sœur s'assit à côté d'elle.

— L'amour de Dieu se manifeste dans la manière de répondre, dit Graziela. Quand on rapporta à Constantin que la populace avait lapidé la tête de sa statue, il porta les mains à ses tempes et répondit : « Quel prodige ! Je ne sens aucune douleur. » Une femme de votre âge, se plaindre des propos d'un archiviste vicieux, voilà qui ne fait pas un tableau très ragoûtant, quel qu'en soit l'auteur.

Je brûlais de honte de l'entendre parler ainsi devant Palmira. Elle reprit :

— Qu'avez-vous fait de toutes ces années, je vous le demande ? Vous avez vécu dans trois villes superbes, vous avez vu ce qui existe de plus beau en Italie en fait de peinture, de sculpture et de monuments. Vous avez connu l'amour d'un homme. Vous avez donné naissance à une belle enfant en pleine santé. Vous avez gagné votre vie, votre talent a été reconnu par l'une des cours les plus prestigieuses du pays. Toutes les femmes remercieraient le Seigneur à genoux pour un seul de ces bienfaits.

Palmira nous regardait alternativement, Graziela et moi. Je me sentais mesquine, égoïste.

— Je sais, je sais.

— J'espérais que vous vous seriez débarrassée de ces vieilles scories, Artemisia.

— Je l'espérais aussi, jusqu'à ce que mon père me trahît à nouveau à Gênes.

— Et après ? Il faut bien qu'un jour les filles se libèrent des fautes que des pères imparfaits ont commises. Croyez-moi, je sais de quoi je parle.

Ce rappel de la trahison de son propre père me fit mal comme un coup de poignard.

— Je ne souhaiterais pas à mon pire ennemi d'entretenir de la rancune. Elle tue. Ne me dites pas que vous n'avez pas réussi à la dépasser au bout de treize années.

— Et pourtant, si.

— Alors tenez-vous droite et dites-moi ce que vous avez appris.

— Appris de qui, de quoi ?

— Commençons par hier. Au Casino Borghèse.

— Prodigieux ! C'est une fresque au plafond, qui montre des musiciens et leur public sur un balcon en trompe-l'œil.

Je le revoyais en esprit, et j'en étais fière.

— Oui, et...

— Mon père et Agostino l'ont peinte ensemble et l'ont magnifiquement réussie. Sans Agostino, mon père n'aurait jamais pu concevoir cette perspective architecturale, et il le savait. Il n'aurait pu que gâcher cette commande, et sa carrière s'en fût trouvée brisée. Il fallait que ce procès finît.

D'une voix aussi neutre, aussi sereine que possible, j'ajoutai :

— Il a sacrifié à cette œuvre ma réputation et mon art.

Graziela me scruta.

— Je ne prétends pas que ce choix était noble, ni, d'ailleurs, qu'il était méprisable. Je reconnais qu'il y avait inévitablement un prix à payer, et qu'il a choisi de le faire.

— En de semblables circonstances, n'auriez-vous pas agi de même ?

Palmira balançait ses jambes.

— Si.

— Et qu'est-ce que cela vous inspire ?

— À certains moments de notre vie, nos passions nous font commettre des injustices et des malheurs. À d'autres, c'est nous qui sommes frappés à notre tour. Et tout cela au nom de l'art. Parfois, nous obtenons ce que nous voulons, et parfois nous avons à payer pour qu'un autre obtienne ce qu'il veut.

Je regardai Palmira avec un certain sentiment de culpabilité.

— C'est ainsi que va le monde.

— Et le pardon ?

Je décroisai mes chevilles et posai mes pieds comme au bord d'un précipice.

— J'ai appris qu'il n'est pas facile de pardonner.

— Mais c'est possible.

— Oui, le pardon est possible.

Après un temps de silence, je dis à Palmira :

— Montre à sœur Paola ton travail de broderie.

Elle le sortit de notre sac de toile.

— Oooh, que c'est joli ! dit Paola.

Et elle capta son attention en lui nommant les points de broderie de noms de saint.

Je fouillai dans le sac pour en ramener les petits cubes de pigment emballés. En les défaisant, Graziela eut les yeux qui se mouillèrent.

— Les couleurs sont magnifiques, et se prêtent à faire des merveilles. Mais c'est que… À force de ne rien voir de nouveau, je refais sans cesse les mêmes dessins.

Je la comprenais. L'art se nourrit d'art. Moi aussi je me serais retrouvée impuissante et condamnée à la répétition si je n'avais eu la chance de voir sans cesse de nouvelles formes, de nouvelles gammes colorées et de nouvelles compositions. Graziela reprit :

— Parlez-moi de Venise. Faites-m'en un tableau spontané.

J'eus à cœur de lui obéir car je percevais quelque chose de tranquillement désespéré dans sa manière de se pencher vers moi.

— À Venise, on voit culminer toutes sortes de flèches, dômes, lanternons et créneaux au-dessus des toits en terrasse, lesquels toits sont en général plats et entourés d'une balustrade pour permettre de jouir du panorama. Les statues sur les toits des palais se regardent par-dessus les canaux. La clef de voûte des arches s'orne partout d'un masque de pierre, sculpté de façon à être vu depuis les gondoles.

Les yeux vagues, Graziela fixait les dalles devant elle, mais je savais qu'elle voyait les canaux et les dômes. Elle referma les doigts en corolle vers sa poitrine, manière de me prier de continuer.

— Des rues tortueuses débouchent sans crier gare sur des places ignorées. D'étroits canaux font un coude inattendu. Nous nous perdions sans cesse.

Je jetai un coup d'œil de côté. Palmira s'absorbait dans un point nouveau que lui enseignait Paola.

— Gênes est une ville où l'on peut tranquillement vivre seul, repris-je plus doucement, mais Venise ! À Venise, chaque pont, chaque loggia, chaque pierre ne parle que de réjouissances nocturnes, d'entrevues clandestines, de mains moites qui se cherchent.

Les longs doigts de Graziela sortirent de sa manche et vinrent se poser sur mon genou. Palmira cessa de balancer ses jambes.

— Et Florence ?

Qu'y avait-il donc, derrière cette question anodine, de si vibrant ?

— Chaque petite église, si humble soit-elle, abrite des chefs-d'œuvre peu connus, dont n'importe quelle autre ville s'enorgueillirait comme de son *opera più importante*.

Pensant qu'elle souhaitait nourrir son inspiration picturale, je pris la peine de soigner mes descriptions plus que je ne l'avais fait dans mes lettres, mais plus je lui en donnais, plus avidement elle m'en réclamait, jusqu'à me rappeler à l'ordre lorsque j'arrêtais de parler.

— Reparlez-moi de Masaccio.

Un peu désorientée, je cherchai un signe d'encouragement chez Paola, qui se contenta de hausser discrètement les épaules.

— Quel génie ! Masaccio m'a déchiré le cœur avec son Adam qui cache son visage ravagé et son Ève qui pousse un cri de détresse à vous transpercer l'âme. Je n'ai pas pu trouver le sommeil après les avoir vus.

— Est-ce votre œuvre préférée ?

— Non. C'est le campanile de Giotto. Celui qui est à côté de Santa Maria del Fiore, qui se dresse à l'écart, bien plus imposant qu'on ne l'imagine, semblable à un reliquaire fait à la dimension de Dieu. Des rangées d'arches séparées par des colonnes torses lui donnent de la légèreté, et il est revêtu de marbre. Lorsqu'il pleut, ce marbre prend l'aspect luisant du satin, un satin rose, blanc et vert pâle. C'est assez de beauté en soi pour vous prendre le cœur.

— Et Rome ?

— Mais vous connaissez Rome.

— Plus maintenant.

Sa voix se brisa. Des ruisseaux brillants coulaient sur ses joues.

Paola, Palmira et moi-même nous entre-regardions, gênées, ne sachant que dire. Graziela secoua la tête pour s'excuser.

— Le plus pénible, pour moi, c'est de vivre recluse. Ne pas pouvoir admirer les beautés du monde. Oh, bien sûr, je me souviens vaguement de couchers de soleil sur le Tibre, et des cyprès, je suppose que cela s'apparente aux souvenirs que l'on garde quand on devient aveugle. Mais il m'est plus difficile d'imaginer les beautés faites de la main de l'homme. C'est aussi Dieu qui nous les dispense, vous savez.

Elle voulait étancher, de sa large manche roide, des larmes qui persistaient.

— Les merveilles de l'art m'entourent, mais je suis condamnée à ne jamais les voir. Je vais mourir sans…

Un sanglot nerveux la secoua.

Paola se leva et s'alla placer devant elle pour la cacher.

— Serait-ce donc un crime, pour une religieuse, que de… Cela ôterait-il à Dieu une miette de l'amour que j'ai pour Lui que de voir une fontaine sculptée, une loggia à caryatides de marbre ou un plafond peint ?

Palmira plaça délicatement sa main sur le genou de Graziela, comme celle-ci avait fait avec moi. Son petit geste hésitant et gentil me noua la gorge.

— Que ne ferais-je pour voir ce panorama du haut du campanile, ou cette Ève qui se lamente… pour toucher la lisse courbe d'un galbe de marbre, ou sentir m'emporter le glissement d'une gondole ! Juste une fois, avant de mourir…

La voir ainsi desséchée de privation et de désirs inassouvis me donna d'elle grande pitié, et de moi honte pour n'avoir pas assez remercié de ce que j'avais reçu.

La mère supérieure, flanquée d'une autre religieuse, s'approchait dans le déambulatoire. Je le fis discrètement remarquer. Paola aussitôt déploya ses larges manches en ouvrant les bras et s'en fut à leur rencontre pour faire diversion.

— Et qu'arriverait-il si vous le faisiez ? chuchotai-je. Si un jour nous sortions, toutes les trois, nous promener ? Vous rentreriez après, bien sûr. Paola vous ouvrirait. Que pourrait-il arriver de fâcheux ?

— Je l'ignore. La mise en pénitence et le silence obligatoire, pour je ne sais combien de temps.

— Comment cela ? Que peut-il y avoir de pire que la réclusion que vous connaissez déjà ?

Elle eut un ricanement amer, renifla, et s'essuya la figure d'un revers de main.

— J'y songerai.

Je lui pris la main.

— En attendant, j'ai une tâche à vous confier. J'ai un ami à Florence, le savant Galilée.

— Oh, oui, nous en avons entendu parler. Les recluses des couvents ne sont point si ignorantes des controverses qui agitent le monde. Le cardinal Bellarmino…

— Galilée a besoin de vos prières, Graziela, pour sa protection. C'est un honnête homme et un érudit, il croit en Dieu, malgré la réputation qu'on lui fait.

Elle renifla.

— Oui, je comprends. Je vais prier pour lui.

Au moment de partir, j'embrassai son front, et quand Palmira s'avança pour la saluer, elle se pencha et l'embrassa à son tour sur le front. Ma fille me tira alors par la manche pour que je me baisse et me colla sur le front un gros baiser.

§

Une fois dehors, nous restâmes un instant en haut des escaliers avant de redescendre.

— Crois-tu qu'elle va le faire ? Qu'elle va venir se promener avec nous ? demanda Palmira.

— Je ne sais pas. Je l'espère.

Nous contemplions la via dei Condotti et les toits de la ville.

— Regarde, Palmira. Ce grand dôme, là-bas, c'est Saint-Pierre, au Vatican. C'est le seul paysage auquel Graziela ait droit.

Cela ne lui suffisait manifestement pas. À moi non plus, cela n'aurait pas suffi.

— Comme on est haut, ici. J'adore ça, dit ma fille.

Je regrettai de ne pas l'avoir emmenée au sommet du campanile de Giotto. Je défis ses nattes.

— Secoue bien tes cheveux pour sentir le vent. Il vient tout droit d'Espagne.

Je retirai à mon tour les épingles de mes cheveux pour les confier au vent.

— Regarde, regarde tant que tu peux, et n'oublie jamais rien. Et maintenant, ferme les yeux. Donne-moi la main. Que ressens-tu ? Sens-tu que la Terre tourne ?

— Non.

— Penche-toi par-dessus la balustrade en te tenant bien. Imagine que nous sommes en train de filer dans le ciel comme des martinets au crépuscule, comme les chauves-souris au-dessus du fleuve à Florence. Voooom !

— Oui, oui ! Ça y est ! Je le sens !

Je sus alors à cet instant que, quel que dût être son destin, tout irait bien pour elle.

Mais pour Graziela, je commençai à me faire du souci.

23

Naples

— Les tailleurs de pierre passent en premier, *signora*. Ce sont les ordres de l'évêque.

— Mais pourquoi un peintre devrait-il attendre, pour être payé, que tous ces gueux le soient ?

— Ils ont des familles à nourrir.

— Et moi, donc ?

Comme si ma réclamation avait été une mouche importune, le prêtre agita, pour s'en débarrasser, les ongles d'ivoire poli qui dépassaient à peine de sa manche.

— Avez-vous oublié, mon père, ce qu'a dit l'apôtre Paul ? Pour le Christ, il n'y a ni esclaves ni hommes libres, ni Juifs ni Grecs, ni hommes ni femmes.

— Je regrette, *signora*. Revenez après la Toussaint.

Je n'avais pas l'intention de supplier. Je me retournai vers Palmira, dont le regard noir étincelait de colère, et lui fis signe de sortir. Dehors, le soleil de Naples nous écrasa.

— Maman, comment as-tu pu le laisser…

— Chut ! Attends.

Je traversai la place au pas de charge, laissant l'église derrière moi, et avec un geste de dédain, lui dis :

— Ah ! Ces prêtres ! en faisant violemment exploser l'initiale. J'ai passé quatre ans à me construire une réputation solide auprès des grands de cette ville, et un petit prêtre de rien du tout se croit autorisé à me traiter comme le dernier des ouvriers !

Palmira pressa le pas pour me rattraper.

— Que vas-tu faire ?

— Je vais dire à Francesco d'écrire à l'évêque. Ou alors je vais lui écrire moi-même.

Je parlais à l'air qui m'entourait.

— Qu'est-ce qu'ils veulent ? Des haillons et la tête couverte de cendres ? Le repentir éternel d'être née femme ? Je suis bien aise d'être femme, et j'aimerais que tu sois fière d'en être une aussi.

J'élevai la voix, exprès.

— Ce serait trop facile d'être peintre, si j'étais un homme.

— Et ma robe de bal, comment va-t-on la payer, maintenant ?

— Sou à sou. Delia la gardera tant qu'elle ne sera pas entièrement payée.

— Mais... Et le bal d'Andrea ?

— Andrea, Andrea ! Tout ce que j'entends, en ce moment, c'est Andrea, comme s'il était né triomphant, tout adulte, sortant des ondes sur sa coquille comme un Adonis humain !

Un seul regard à son visage ravagé de désespoir me ramena à plus de modération. Comme ce doit être pur et charmant d'être tout à un simple désir, celui, en l'occurrence, d'assister à un bal élégant !

— Mais oui ! Nous irons chercher ta robe tout à l'heure et nous en serons quittes pour ne manger que du pain et du bouillon de légumes jusqu'à ce que l'évêque contraigne ce cul-terreux de prêtre à payer.

Et je lui souris ironiquement pour lui faire comprendre que bien sûr, nous ne mourrions pas de faim pour autant. Son visage se détendit.

Nous tournâmes dans une venelle qui serpentait tout du long, suivant le dénivelé accidenté des collines pierreuses où s'étageait le faubourg sordide qui abritait Delia. Ses prix étaient doux, j'en avais fait notre couturière. De hautes et vilaines maisons s'entassaient de guingois, des draps fanés, jaunâtres d'usure, pendaient des balcons. Nous nous bouchâmes le nez de nos manches contre la puanteur des flaques stagnantes et des entrées de ces misérables bâtisses.

Nous n'aimions Naples ni l'une ni l'autre, surtout après les quatre années fastes que nous avions passées à Rome, avant que les commandes ne se raréfient. Et puis, mon agent et ami Francesco Maringhi vivait à Naples. Il m'avait trouvé des commandes auprès du duc de Modène, de don

Antonio Ruffo à Messine et de la cour espagnole de Monterrey, qui gouvernait la ville. Francesco était même en pourparlers pour vendre ma première *Judith*. D'une aide inestimable, il avait fini par devenir un ami précieux, et c'est aussi pourquoi nous restions à Naples.

Une vieille sorcière, tout en rides jaunâtres et fanons striés de crasse, trayait une chèvre sous une porte cochère. Quel modèle idéal elle eût fait pour une allégorie de la vieillesse ! Mais plus personne ne voulait de peinture réaliste. Les acheteurs ne voyaient rien d'attrayant aux spectacles rebutants, et à celui de la vieillesse en particulier. Ils ne comprenaient pas que la laideur, si elle est transfigurée par une émotion véritable, traverse les siècles. Ils ne rêvaient que de beauté idéale. J'avais connu des époques où j'aurais pu la peindre, mais le courage de l'*invenzione* m'avait quittée. Ma leçon était apprise : se plier désormais au style qui rapporte le pain quotidien et les robes de bal.

Située en haut d'une volée de marches, la maison de Delia me semblait plus propre que ce que j'imaginais de ses voisines. Un pourpoint en pièces détachées s'étalait sur une table à tréteaux, et une robe accrochée au plafond attendait son ourlet. Palmira chercha la sienne des yeux.

— Elle est prête, elle t'attend, petite. Ne t'inquiète pas, dit Delia, disparaissant dans une pièce du fond.

Elle en revint porteuse d'une belle robe de soie mousseuse de la couleur de la baie de Naples par beau temps. Les manches s'ouvraient de crevés qui laissaient voir le satin blanc de la doublure. L'air de bonheur qu'eut Palmira à cet instant, rien ne l'aurait remplacé au monde. Delia fit tourner le vêtement pour nous montrer la rangée de petits nœuds de satin blanc qui ornaient le bas du dos. Palmira demanda :

— Comment ferons-nous pour nouer ainsi chaque fois ces rubans ?

— Ce ne sera pas nécessaire. Ils sont cousus. Enfilez-la.

Palmira, s'étant dépouillée en hâte de son corps de robe et de sa jupe, leva les bras, en chemise, afin que la robe lui fût passée. Delia l'aida à agrafer les attaches secrètes qui réunissaient les deux parties de la robe, et laça le corps en l'ajustant bien. Tout était parfaitement en place.

— Delia, vous êtes une artiste au plein sens du terme.

Je fis sonner l'argent sur la table, et Palmira m'embrassa sur la joue.

§

Comme nous arrivions chez nous, chacune porteuse d'une partie de la robe, je vis le coin d'une lettre dépasser sous notre porte, frappée du sceau de l'Académie Lyncéenne.

Ma grande amie, très gracieuse et talentueuse Artemisia Gentileschi,

Je crains que vous n'ayez renoncé depuis longtemps à recevoir une lettre de moi, aussi vous demandé-je pardon à genoux pour que tout de même vous me lisiez, l'esprit libre et clair et l'âme droite et bonne, comme je vous ai toujours connue.

Vous aviez vu juste, et j'ai été très durement malmené. Il y a deux ans, ayant enfin terminé mon Dialogue, dans lequel je mets en avant l'argument des taches solaires et des marées à l'appui de la thèse dont je vous avais fait part il y a si longtemps, je suis allé à Rome solliciter du Saint Office de l'Inquisition la permission de le publier. Sa Sainteté le pape Urbain me l'a volontiers accordée pourvu que je consentisse à modifier le prologue, la conclusion et le titre, afin que mon travail ne soit présenté qu'à titre d'hypothèse. Sachant mes arguments de fond assez solides pour convaincre Dieu lui-même, je m'apprêtais à obéir. Mais, soucieux de ne pas m'attarder à Rome par les grandes chaleurs et inquiet des risques de peste, je retournai à ma villa de Bellosguardo, où j'eus le chagrin d'apprendre que mon fidèle souffleur de verre venait de succomber au fléau dans des circonstances affreuses.

Je demandai donc la permission à l'inquisiteur de Florence de publier dans cette ville mon Dialogue, si bien que je pus présenter le premier exemplaire de l'ouvrage au grand-duc Ferdinando dans les premiers mois de cette année. Ce mémorable événement ne m'a procuré qu'une déception : votre absence du palais Pitti.

Le pape Urbain, maintenant que sa position politique s'est faite plus incertaine, m'oblige à comparaître devant le tribunal de l'Inquisition. Comme vous me l'aviez écrit, Rome est changeante et traîtresse, aussi, sachant ma santé précaire, je passe les semaines qui restent avant mon départ à mettre mes affaires en ordre et informer mes amis proches des épreuves qui m'attendent.

Regardez-moi toujours comme un homme de confiance et de recherche, comme je vous regarde comme une femme indomptable et courageuse.

Toujours à vous,
Galileo Galilei
20 novembre 1632

Quel courage admirable ! Je dus poser cette lettre qui faisait trembler ma main pour pouvoir la relire. Je ne reconnaissais pas l'écriture habituelle de Galilée, sa souple graphie ronde. Un pâté d'encre avait coulé de la première ligne. Avait-il rédigé cette missive au lit ? La robe de Palmira, le premier bal d'un jeune gentilhomme, ces futiles préoccupations s'évanouirent d'un coup devant le danger que courait Galilée. Je me sentais impuissante. La main sinistre de l'Inquisition allait frapper. Et là où elle s'arrêtait, une autre main fatale, la peste, déchaînait son œuvre de mort.

Cette lettre avait mis quatre mois à me parvenir, à cause, supposai-je, de la quarantaine due au fléau. la sentence devait donc être imminente, sinon déjà exécutée. Je m'assis pour lui écrire ce que je pus en fait d'encouragement.

Mon ami très cher et très honoré,

Je n'ai reçu votre lettre qu'il y a quelques heures, et me tourmente bien pour vous. Vous m'aviez dit un jour que nous n'éprouvons que l'illusion de rester immobiles sur la Terre, vous en souvenez-vous ? Le monde est bel et bien en train de changer, quoique nous ne le puissions constater dans le temps d'une vie, et qu'il nous paraisse plus immobile que le roc. Même la pierre garde l'empreinte des humains qui nous ont précédés. Les traces de vos pas conduiront quelque jour l'humanité vers des vérités insoupçonnables aujourd'hui. Que mon affection et mon admiration vous soient, s'il est possible, de quelque consolation. Mes prières vous accompagnent.

Toujours à vous,

Artemisia

J'envoyai cela à l'ambassade toscane à Rome, villa Médicis.

Le dimanche qui suivit, j'allai en tremblant ouïr la messe. Le curé annonça en chaire avec une arrogante satisfaction que les bons chrétiens ne devaient entretenir nulle crainte des funestes erreurs du *signor* Galilée, condamné par le Saint Office pour crime infâme contre les Canons sacrés de l'Église. Galilée lui-même avait désavoué, proscrit et condamné ses théories comme étant fausses et hérétiques ; il haïssait à présent ses œuvres impies, pour lesquelles il s'engageait librement à faire pénitence quotidienne en réparation de son crime.

Le coup avait frappé comme la peste : foudroyant, inexorable. Je me sentis mal. Laissant Palmira à l'église en compagnie d'Andrea, je rentrai me coucher après avoir tiré les volets. C'était l'imposture habituelle de la superstition bigote. Son renoncement ne pouvait qu'être simulé. Jamais il n'aurait renié l'œuvre de sa vie s'il n'y avait eu la menace de la torture. La vague de panique brûlante qui vous saisit lorsqu'on y est confronté, je la connaissais bien, et l'idée de le juger ne m'effleura pas. Ce prêtre détestable avait bien joui de l'annonce qu'il délivrait en chaire. Je m'efforçai de ne pas trop me représenter les souffrances de Galilée, mais mon après-midi fut agité et fébrile.

Je demeurai ainsi quelques jours abattue et mal en point. Palmira avait pour moi des attentions discrètes, se chargeait de l'intendance, m'adjurait de manger. Elle s'inquiétait de me voir faire mauvaise figure au bal d'Andrea, le samedi qui venait.

— Je serai sortie de ce malaise d'ici à samedi, je te le promets. Laisse-moi en repos quelques jours, lui dis-je.

❧

Le soir du bal, il fit une chaleur étouffante. Nous nous préparâmes ensemble comme des sœurs, laçant chacune le corps de robe de l'autre, et nous coiffant mutuellement. Lorsque j'en eus fini avec elle, je lui tapai sur l'épaule pour lui signifier d'attendre un instant, et m'en fus chercher dans mon coffret le peigne en cornaline et perles qui me venait de ma mère.

— Ne veux-tu pas le porter toi-même ? demanda ma fille.

— Non, toi.

Je le lui attachai au-dessus de la nuque.

— Voilà. Maman serait contente si elle voyait ça.

— Tu crois qu'il va le voir, placé comme ça derrière ma tête ?

— Petite sotte ! Ses yeux langoureux vont caresser chaque pouce de ta personne, sous tous les angles.

Elle rit comme une enfant, et cette petite musique d'espérance heureuse me fit chaud au cœur.

— Lève-toi.

Elle esquissa un pas de danse. Sa jupe tournoyait autour d'elle comme une vague soyeuse, et les nœuds de satin blancs de ses chaussures pointaient sous sa robe.

— Tu es éblouissante.

Francesco Maringhi vint nous chercher en carrosse. Je ne l'avais jamais vu si élégant : pourpoint de velours noir à manchettes de satin blanc, et fraise blanche discrète. Il s'inclina et baisa la main de Palmira, puis, en s'attardant, la mienne, me couvant du regard.

— Quel honneur pour moi d'escorter deux si charmantes dames ! Palmira, vous êtes le portrait de la reine grecque dont vous portez le nom, et quant à votre mère, sa vue suffirait à humilier la déesse qui donna naissance à la reine Palmyre.

— Francesco, vous êtes trop bon, dis-je.

Mère et fille souriaient d'aise, buvant le lait de son admiration, laquelle dissipa mes humeurs noires et rassura Palmira. Il nous demanda :

— Avez-vous l'intention, belles dames, de danser le *spagnoletto* ?

— Palmira, certainement. Elle a passé la semaine à répéter ce pas en s'aidant d'un manuel de danse.

— Mère ! Pourquoi lui raconter cela ?

— S'agissant de Francesco, ce n'est pas indiscret.

Le palais s'illuminait de torchères disposées le long du toit et de part et d'autre de l'entrée. Des voitures en tout genre s'y massaient, leurs lanternes jetant sur la cour des lueurs vacillantes. Les fenêtres luisaient d'une douce lumière dorée. Un valet en livrée ouvrit la porte de notre carrosse et nous salua. Francesco sauta gaiement et nous donna la main pour descendre.

— Venez, mes deux beautés.

Fredonnant et joyeux, il nous donna un bras à chacune et nous fit faire notre entrée. Palmira lui demanda :

— Vous n'avez pas l'intention de me surveiller toute la soirée comme un oncle, dites-moi ?

— Bien au contraire, je crois qu'il va me falloir me résigner à vous perdre dès que nous serons dans la place.

Des portiers galonnés ouvrirent les doubles portes et la musique, la lumière, les parfums et la rumeur de centaines de voix nous inondèrent. En haut du grand escalier, la salle de bal était brillamment éclairée de lustres à bougies dont les pendeloques de cristal renvoyaient des milliers de flèches de lumière. Les musiciens, violons, violoncelles et une basse de viole, jouaient à un bout de la salle, les invités se réunissaient autour de longues tables chargées de plateaux de viandes et d'autres mets raffinés.

L'entrée de Palmira fit tourner toutes les têtes. Andrea surgit de la foule comme un boulet de canon.

— *Signora, signore,* soyez les bienvenus.

Il me baisa la main, mais bien vite son regard s'attacha à Palmira. Il réussit un élégant et profond salut.

— *Che bella !* Quel honneur, pour moi !

Vêtu de bleu sombre, ses cheveux noirs divisés par une raie et tirés en arrière, Andrea paraissait plus âgé que la dernière fois que je l'avais vu. Il offrit son bras à Palmira pour lui faire faire une *passeggieta* autour de la salle, Francesco et moi suivant à bonne distance, saluant les gens que nous connaissions et nous divertissant au spectacle des danseurs. Nous présentâmes nos respects aux parents d'Andrea, ainsi qu'au comte et à la comtesse de Monterrey.

Le *spagnoletto* fut le clou de la soirée. À chaque reprise des musiciens, des danseurs s'assemblaient par quatre pour s'y joindre. Francesco et moi regardâmes avec admiration Andrea et Palmira compléter un quatuor. À un moment, les danseurs devaient former un cercle en se donnant la main pour exécuter sur place demi-tours et quarts de tour, si bien que les robes des cavalières s'envolaient en corolle tandis qu'elles lançaient des œillades à l'un puis à l'autre de leurs cavaliers. Puis, après un vif saut de côté, une arabesque et une courbette galante, les danseurs formaient une roue, se tenant par quatre mains nouées au centre de la figure. Palmira était gracieuse, coquette, fascinante.

Nous l'aperçûmes un peu plus tard s'esquivant en compagnie d'Andrea sur un balcon pour aller échanger un baiser devant la baie de Naples, sous une lune replète et sucrée comme un fruit oriental. Cela me fit un peu mal de voir mon enfant s'adonner à ce qui, à moi, me manquait tant, mais c'était un mal bien tendre, pour elle ou pour moi-même, je ne savais au juste. Cette musique et cette gaieté venant après la lettre de Galilée me touchaient trop vivement, sans doute. Franceso s'en aperçut.

— Pas de tristesse un soir comme celui-ci !

— Non, ce n'est pas de la tristesse.

— Quelles étaient alors vos pensées ?

— Je songeais à Palmira. Elle est comme une apparition, elle semble glisser vers l'avenir, dis-je, et son passage sera fugace.

Francesco m'écoutait intensément.

— J'ai fait de mon mieux avec elle, mais je sais que tôt ou tard il me faudra payer pour l'injustice que je lui ai fait subir, celle de la priver de son père et de son grand-père, mais aussi pour les déracinements successifs, les longs voyages de ville en ville avec nos quelques malles comme seul univers familier.

— Payer ? De quelle manière ?

— D'abord, elle va me quitter, et il me faudra bien vivre seule un jour ou l'autre.

— Seule ? Mais non ! Cela ne sera pas.

Il éleva ma main à ses lèvres, mais je la lui retirai.

— Les ragots, Francesco. Je dois rester vigilante. Les ragots me suivent partout.

— Ce poète vénitien, Loredan, ce n'était donc qu'une rumeur ?

— *Madonna benedetta,* ce n'était qu'un gamin trop exalté.

— Les ragots excitent ma jalousie, et la jalousie me rend hardi. Vous êtes encore jeune. Vous pourriez avoir une autre fille.

Il posa sur moi un regard de faune.

— J'ai déjà du mal à nourrir celle-là. Il faut redoubler d'efforts, Francesco, et m'obtenir de plus grosses commandes. Il va me falloir bientôt lui procurer une dot, vous savez.

À titre de suggestion, je lançai un regard furtif vers la comtesse de Monterrey, une brune assez ordinaire qui présidait non loin de nous un cercle de dames. Francesco suivit mon regard.

— Peut-être lui agréerait-il de se faire à nouveau portraiturer, en personnage de légende espagnole, qui sait ? dit-il.

— Vous lisez dans mes pensées.

— C'est cela même l'art que je pratique, Artemisia. C'est pourquoi vous avez besoin de moi.

— Je la vois déjà agiter nerveusement ses ongles jaunâtres, alors qu'elle n'est même pas encore en train de poser.

J'étouffai un ricanement.

— Un jour qu'elle posait chez nous, Palmira l'a tournée en ridicule derrière son dos. Elle s'était couvert la tête d'un châle noir comme une Espagnole et se tordait ainsi les doigts, faisant une grimace qui lui allongeait la figure, les joues rentrées, les yeux exorbités. J'eus un mal fou à me retenir de pouffer au nez de la comtesse.

J'obtins un sourire indulgent de Francesco.

— Il ne vous a pas échappé que, dans son premier portrait, j'ai allégé la noirceur de son front et dessiné deux sourcils séparés à la place de la barre de poils qui lui en tient lieu. Ses petits-enfants n'auront pas à se cacher de l'aimer, plus tard.

— Voilà qui révèle votre grande intelligence et mérite bien une faveur.

À ce moment précis, les musiciens annoncèrent un « Vénus-tu-m'as-pris », ce pas de danse inventé jadis à Florence par Laurent de Médicis. Je me précipitai vers un couple pour faire la deuxième dame, et compléter ainsi la figure de trois. Le bal était étourdi de musique et du tournoiement des couleurs. Le regard de Francesco ne me quitta pas de toute la danse. Lorsqu'elle s'acheva, Andrea, Palmira et lui m'applaudirent.

Hors d'haleine, je m'adossai à un pilier. Provisoirement seule, la comtesse me faisait face, de l'autre côté.

— En effet, elle me doit une faveur, dis-je à Francesco. Que n'allez-vous tenter de l'obtenir pour moi ?

Il se mit en devoir d'approcher la grande dame. Je me détournai afin de ne point paraître intéressée.

Les yeux pleins d'étoiles, plus ravissante que jamais, Palmira avait repris le bras d'Andrea pour une autre *passeggiata* autour de la salle. Les hommes la regardaient. Quand était-elle devenue femme ? Lors de ces interminables promenades le long de la baie en compagnie d'Andrea ? Il avait vraiment fallu que je fusse aveugle pour ne pas voir ces regards qu'ils échangeaient lors des réceptions officielles. Avertie de ce qu'était le viol, elle n'en demeurait pas moins aussi naïve qu'un agneau au bord d'un précipice. J'en étais bien inquiète.

Mais qu'avais-je à lui transmettre, à part des avertissements ? Le sens des couleurs et les bases de la construction des volumes. La faculté d'apprécier la beauté. Un exemple de courage. Et, avant tout, surtout, de l'amour.

C'est pourquoi je la voyais à dix-huit ans – à l'âge où j'avais sué d'angoisse devant un tribunal romain – apparaître comme la reine d'un bal, confiante, belle, intacte, prête à être cueillie. Libre de choisir sa vie.

24

Bethsabée

— Si tu veux être peintre, il te faut apprendre le nu féminin, dis-je un matin après avoir pris mon bain, peu de temps après le bal. C'est ce que l'on demande le plus souvent à une femme peintre. Don Ruffo veut un *David et Bethsabée.* Nous allons le lui exécuter ensemble. Voyons s'il saura démêler laquelle, de toi ou de moi, aura peint Bethsabée.

Je remis du bois sur le feu, ôtai mon peignoir et pris la pose sur un banc.

— Dessine-moi.

Le spectacle inattendu de cette chair, ma chair, la pétrifia un long moment. Elle ne put ni se mettre à l'ouvrage, ni même me regarder.

— Oublie qu'il s'agit de moi. Fais semblant de croire que tu as un modèle. À Gênes, t'en souviens-tu, cela ne t'embarrassait nullement d'aller et venir dans l'atelier tandis que je peignais Cléopâtre.

— C'était tout différent. Il ne s'agissait pas de toi.

— C'était un très bon modèle parce qu'elle se laissait regarder nue tout à fait naturellement. Et je fais de même ; je n'ai rien à cacher. Tu vois devant toi le corps qui t'a portée, *cara.*

Je respectai un temps de silence puis, plus doucement :

— Regarde.

Hésitante, elle laissa errer son regard sur mon corps.

— Toute cette chair semble se répandre dès qu'elle n'est plus contenue dans des corselets lacés, n'est-ce pas ?

Elle opina.

— Cette vision de ce qui t'attend plus tard te paraît bien crue ?

— En effet.

— Ce que tu vois n'a rien de terrible, Palmira.

Je tentai de la rassurer.
— Cela fait partie d'une vie de femme.
Elle posa quelques lignes et s'arrêta, serrant nerveusement son crayon.
— Je ne peux pas.
— Commence par mettre en place les volumes, comme pour n'importe quel dessin. Puis commence par l'ovale de la tête et va en descendant.
Elle reprit son ouvrage comme à regret.
— Prête attention à la manière dont le poids de la chair rend les formes asymétriques, lui dis-je.
— J'ai peur du résultat.
— Fie-toi à tes yeux et tu n'auras rien à craindre. N'essaie pas de me flatter. N'oublie pas les plis et les bourrelets. Laisse tes yeux t'enseigner ce que fait l'allaitement aux mamelons d'une femme. C'est l'histoire que raconte mon corps. Notre métier, à toi comme à moi, est de peindre la vérité. Conduisons-les à y voir la beauté.
Ayant dit, je me tins tranquille, et elle finit par s'absorber dans son dessin. Ce fut un temps de contemplation et de complicité, et durant ces semaines d'esquisses préparatoires, le ton de nos échanges comme celui de nos paroles fut doux.

❧

Un après-midi, alors que Palmira peignait et que je posais, on frappa à la porte. Elle entrouvrit l'huis et se saisit du pli.
— C'était un messager particulier, dit-elle, me tendant une lettre.
La lettre était frappée aux armes de la poste royale de Sa Majesté, en langue anglaise. Je fis sauter le cachet d'un coup de manche de pinceau. L'écriture de mon père. Je lus à part moi :

Très chère Artemisia,

Porzia Stiattesi me mande que tu vis à Naples. Je travaille dur, ici, sur le plafond de la grande salle d'apparat de la résidence de la reine à Greenwich, près de Londres. Il s'agit d'une allégorie de la Paix et des Arts protégés par la Couronne d'Angleterre, agrandie par carroyage. Il y a du travail pour toi, si tu le souhaites. Le roi Charles m'a demandé de te prier d'arriver sans tarder. La cour des Stuart me traite fort agréablement. Quelques personnes autour de moi parlent italien. Inigo Jones, l'architecte du roi, a séjourné quelques années dans plusieurs villes de chez nous. La cour te ferait bon accueil, et moi aussi. Dans l'espoir de recevoir une réponse de ta main, et que ce soit oui, je te garde l'allégorie de la Force.

Ton père qui t'aime,
Orazio Gentileschi
Je suis seul.

Quitter les commanditaires que j'avais eu tant de peine à trouver ? Arracher Palmira à la personne qu'elle aimait ? Non, pas cette fois, je ne le lui infligerais pas. Je déposai la lettre sur les braises rougeoyantes de la cheminée. Un sillon de feu courut vers le mot « seul ». Palmira me regarda avec curiosité.

— Rien d'important, dis-je, et je repris la pose.

Dès que le parchemin fut réduit en cendres, des phrases résonnèrent dans ma tête. « Très chère… Te ferait bon accueil… Je suis seul. » L'épithète « Très chère » me fit regretter d'avoir détruit la lettre sans même l'avoir montrée à Palmira.

Quelques semaines à peine après cette première missive, une seconde arriva alors que nous étions toutes deux occupées à peindre. Il n'avait pas même attendu le temps qu'une réponse lui parvînt, à supposer que je lui en eusse envoyé une.

Ma fille unique et très aimée,
Artemisia,

Je me sens très seul. Je vais mourir. Pardonne à un vieil homme insensé. Aide-moi à finir.

Papa

Cela me déchira le cœur. Juste ce mot, papa. Il ramenait au jour ce que j'avais cru mort en moi pour tout de bon. Je le revis me balancer par les bras si haut que mes pieds n'atteignaient plus les graminées de la voie Appienne, quand nous y allions en pique-nique. Je le revis pleurant m'annoncer la mort de maman. Je nous revis nous serrant les mains d'émotion devant les chefs-d'œuvre de Rome. Lui me montrant comment dessiner les symboles de l'*Iconologia* de Ripa. Me montrant, à moi encore tout enfant, à broyer les pigments avec plus ou moins d'huile de lin afin d'obtenir la fluidité désirée. Quels étaient ceux que l'on pouvait préparer à l'avance, et quels étaient ceux qui y auraient perdu leur cohésion. Ceux que l'on devait moudre en farine, et ceux qu'il convenait de ne broyer que grossièrement afin de préserver l'intensité de leur couleur. Il m'appelait *Alchimista di colore.* Papa, qui fut cause que je voulus plus que tout autre chose devenir peintre, et me rendit ensuite la tâche infiniment plus difficile.

Je glissai la lettre dans ma manche et me remis au travail.

Palmira grogna sur sa toile.

— Cela ne vient pas bien.

— *Cara,* tout le plaisir de la peinture réside dans cette irritation, cette insatisfaction, c'est ce qui nous pousse à essayer autre chose, essayer encore et encore, jusqu'à parvenir au but. Ce but ne représente pas la perfection, mais le progrès est sensible et encourageant par rapport au début, et c'est une des plus nobles satisfactions qu'il y ait au monde, parce qu'on l'a méritée.

Elle prit l'air misérable, et ses yeux se mouillèrent. Peut-être avait-elle besoin d'une pause. Laissant là ma brosse, je lui lus la lettre. Elle s'écria :

— Grand-père !

Les années s'abolirent, elle s'empara de la lettre comme une petite fille avide.

— Cette lettre que tu as brûlée l'autre jour, elle venait de lui, n'est-ce pas ?

— Oui.

Elle me regarda, furieuse.

— Pourquoi ne me l'as-tu pas montrée ? Il dit qu'il va mourir.

— Il ne le disait pas dans l'autre lettre.

— Quand même, tu n'avais pas le droit de ne pas me la montrer.

— Et qu'allons-nous donc faire ? Abandonner tout ce pour quoi nous avons tant peiné ? Et Andrea ? Partir en ce moment, alors que...

Palmira plaqua les mains sur sa bouche. Une panique traversa ses yeux sombres.

— ... alors que tu es si heureuse ? Jamais je ne t'infligerai cela.

Je posai ma main sur la sienne.

— Il y a chez ton grand-père des choses que tu ignores. Je croyais ne jamais avoir à te les apprendre. Il ne se soucie pas de nous, dans cette lettre. Il ne pense qu'à lui.

Le visage de Palmira s'assombrit. Elle gardait de bons souvenirs de ses années à Gênes avec son grand-père.

— Comment peux-tu dire cela ?

Je lui répondis calmement, sans élever la voix, en m'en tenant aux faits.

— Il a accepté l'acquittement de mon violeur parce qu'il avait besoin de lui. Ils sont assez vite redevenus amis. Comment crois-tu que j'aie pu m'en arranger ?

Elle ne répondit rien.

— Maintenant que tu es en âge de comprendre, je vais te dire encore autre chose. J'avais ton âge. Des sages-femmes ont examiné mes parties intimes en plein tribunal, et il a laissé faire. Il était assis là et regardait, avec tous les badauds qui étaient venus se régaler du spectacle, et ce parce qu'il voulait récupérer un tableau. Il a laissé faire cela pour qu'on lui rende cette peinture, sinon, il eût mis fin au procès bien plus tôt.

Elle ne répondit rien.

— Et voilà l'homme pour qui nous devrions tout abandonner ?

Rien. Pas une question. Pas une réaction même ne passa sur son visage. Pas un seul mot, pas un geste.

Je reculai ma chaise bruyamment et me levai, attendant toujours une réponse. Je lui repris la lettre, passai dans l'autre pièce et me versai un verre de vin. Je le bus là, assise, en trois gorgées précipitées. J'avais une fille totalement insensible à autrui.

Les lettres et les chiffres qui formaient la date, 24 décembre 163–, étaient empâtés d'encre et tassés le long de la marge de droite, si bien que le dernier chiffre manquait. Mauvais signe de la part d'un peintre, dont on eût attendu une mise en place correcte dans la page. Ces chiffres mutilés avaient quelque chose de funeste.

Je relus la lettre. « Je me sens très seul. Je vais mourir. Pardonne à un vieil homme insensé. » La solitude, je la comprenais. Mais la mort ? J'avais eu beau la peindre, l'imaginer, je n'en savais toujours rien. L'aider à finir quoi ? Il ne pouvait s'agir uniquement de sa fresque.

Il voulait que je vinsse l'aider à mourir. Il semblait légitime de sa part, de la part de quiconque, de désirer mourir en se sentant aimé, quelque forme que pût prendre ce sentiment, quelques attentes que le moribond en eût pu concevoir. Mourir dans les bras de ma fille, ou d'un amant – j'eusse voulu, à sa place, la même chose. Et même dans les bras d'un inconnu, si le hasard l'eût voulu ainsi. À condition que l'inconnu prenne le pinceau de Michel-Ange pour caresser mes tempes de sa douceur soyeuse, que je meure en me souvenant qu'on m'avait trouvée digne de ce legs fabuleux. Nous nous préparons à la mort en chérissant cette consolante pensée que le dernier, le moindre d'entre nous a eu son rôle à jouer dans le plan de Dieu. Peut-être mon père avait-il besoin qu'à l'ultime instant on lui dît doucement cela à l'oreille, en italien.

Eh bien, que cet homme au drôle de nom, Ini-je-ne-sais-quoi, s'en charge !

Je rentrai dans la grande pièce.

— Remettons-nous au travail, dis-je le plus aimablement que je pus.

Je repris mon pinceau et ne songeai plus qu'à la besogne, la laissant se tirer toute seule de ses propres difficultés de peintre. Elle ne fut pas longue à jeter violemment son pinceau. Le bruit me fit sursauter.

— Je n'y arrive pas. C'est trop difficile, s'écria-t-elle.

Je regardai sa Bethsabée. Les proportions étaient bonnes, mais la figure semblait de bois, et son geste n'avait pas de sens, ni de vie. Palmira avait travaillé les traits de son visage, mais ceux-ci n'exprimaient rien. Ma propre fille, avoir si peu le don de l'expressivité…

— Ce qu'il faut mettre en jeu dans le modelé de la joue, pour y rendre l'émotion, c'est…

— … l'ombre et la lumière, je sais.

Sa voix vibrait de moquerie. Elle me lança un regard que je lui avais vu mille fois : aigu, méchant, mâchoires serrées, cou tendu. Ce regard dont j'avais espéré que le temps et la connaissance finiraient par avoir raison.

— Donc, tu le sais déjà.

— Oui, mais je n'y arrive pas. Pas comme toi.

— Cela viendra.

— Quand ? Lorsque j'aurai trente ans ? Je ne veux pas me marier à la peinture comme tu l'as fait.

— Te rends-tu compte de ce que tu viens de dire ?

Ma voix montait, devenait criarde.

Butée, elle fixait stupidement le bord inférieur de sa toile.

— Parfait. Dans ce cas, choisis l'expression que tu veux lui donner, et nous tâcherons de la traduire en peinture. Tu connais l'histoire. Quel genre de femme était-ce, celle-là, à exhiber son beau corps voluptueux devant David ? À quoi pensait-elle ?

— Je n'en sais rien !

Elle leva les bras en les lançant en l'air, comme Cesare Gentile.

— Je suis incapable de créer des situations comme tu le fais. Ça ne m'intéresse pas !

— Pas assez. Ça ne t'intéresse pas assez. Mais si tu veux devenir peintre, tu es obligée de t'intéresser aux autres et à leurs sentiments. Il faut comprendre les émotions humaines pour bien les interpréter. Et c'est cela qui te manque.

Je soulignai ces derniers mots en claquant le manche de mon pinceau sur la table.

— Comment le sais-tu ?

— Je te raconte les souffrances et les humiliations que j'ai traversées et tu ne dis rien. Rien ! Tu te moques bien des autres, de leurs chagrins, de leur destin.

— Non, c'est autre chose. C'est pour les personnages peints que je n'éprouve aucun intérêt

— Les humains sont les humains, qu'ils respirent aujourd'hui devant toi ou qu'ils aient vécu il y a longtemps. Chacun de tes personnages doit être aussi précieux à tes yeux que s'il vivait vraiment ; et traduire sa vérité avec exactitude devrait être la chose au monde la plus importante au moment où tu peins. Si tu n'éprouves rien devant l'être vivant qui est devant toi, alors comment pourrais-tu…

— Qui a dit que je n'éprouvais rien ?

— Ton silence me le prouve. Là, tout de suite, quand je t'ai raconté ce que j'avais subi au procès, et que ton grand-père avait laissé faire. Ne crois pas que je m'acharne à rouvrir de vieilles blessures, c'est de l'histoire ancienne, pour moi, et ça ne m'intéresse plus. Mais toi, tu viens de l'apprendre et tu n'as même pas réagi !

— Qu'étais-je supposée dire ?

— Ce que tu ressens.

Nous restâmes un moment à nous entre-regarder, sans broncher. Ma gorge semblait pleine de sable, j'eus du mal à déglutir.

— Tu vois ? Jamais tu n'exprimes le moindre sentiment, ni en paroles ni en peinture. Alors que pour un artiste, la sensibilité est le cœur incandescent de son art. Veux-tu rester en deçà de l'art toute ta vie comme Agostino ? Il est inapte à peindre la figure humaine parce qu'il n'a pas de cœur, c'est pourquoi il sera oublié. Qu'y a-t-il à l'intérieur de toi ? Un cœur, ou bien juste des robes et des rêveries ? Et la sensibilité du cœur, qu'est-ce, sinon le travail de l'imagination mis au service d'un autre ? Voyons, réfléchis. Quelle passion brûlante peut bien pousser Bethsabée à trahir son mari ? Essaie de te mettre à sa place.

Je touchai son plexus.

— C'est ici que ça se passe. Quelle passion brûle en toi pour Andrea ? Utilise tes propres émotions, peins avec ton propre sang s'il le faut, mais découvre et défends la vérité de ta vision du monde.

— Peindre avec son sang ! C'est ridicule ! Personne n'aurait l'idée de faire cela.

— Renata le ferait ! cinglai-je. Elle aurait fait n'importe quoi pour devenir un vrai peintre.

— Renata, c'était une petite putain. Tout ce qu'elle savait faire quand nous sommes parties de Gênes, c'est geindre comme un bébé : « Emmenez-moi avec vous ! »

— C'est précisément de cela que je parle. L'urgence du désir. Vouloir quelque chose assez violemment pour que l'idée même que l'objet puisse t'en être arraché te rende presque folle. J'aurais dû l'emmener avec nous. Elle, elle n'était pas femme à abandonner en se plaignant de la difficulté. Bien sûr, que c'est difficile ! Si ça ne l'était pas, toutes les souillons seraient peintres. Mais elles ne peindraient pas avec leur propre sang, comme je l'ai fait, lorsque mes mains saignaient sur ma toile !

— Quand cela ? Tu l'as vraiment fait ?

Je lâchai mon pinceau et déployai mes mains ouvertes devant ses yeux.

— Regarde, regarde bien, Palmira. Prends ton temps, contemple !

Je martelai les mots en les séparant.

— C'est plus pénible à voir que ma nudité, non ? Qu'est-ce que tu vois ?

— Des lignes.

— Exactement ! Fais marcher ta chétive imagination et dis-moi d'où elles peuvent bien venir.

— Tu m'avais toujours dit que c'étaient des rides, des lignes dues à l'âge !

Sa voix tremblait.

— Parce que je voulais t'épargner la laideur du monde, et j'ai eu bien tort. Ce ne sont pas des rides, Palmira. Je les ai eues quand j'avais ton âge.

Je marchai sur elle lentement, les mains toujours ouvertes. Elle recula.

— Ce sont les cicatrices de la torture, des blessures que l'on m'a infligées au tribunal le jour où mon violeur me traita de putain. Alors je t'interdis dorénavant d'utiliser ce mot à mauvais escient.

L'agrippant par le coude, je la traînai devant ma *Judith et Holopherne*.

— Ce que tu vois sur le matelas, c'est mon sang ; c'est dans la douleur que j'ai commencé ma carrière de peintre, celle-là même qui te permet de manger et de porter des robes de bal. Je ne veux plus jamais t'entendre dire que c'est ridicule !

Je sortis en trombe, claquant la porte. Qu'elle se demande donc si j'avais l'intention de rentrer, et quand. Elle avait eu la vie trop facile, ce qui n'est jamais propice à faire éclore l'imagination.

Je parcourus la ruelle en arrachant des feuilles aux buissons. Palmira, oh, Palmira ! Quelle erreur ai-je donc commise, moi qui t'ai élevée, pour que tu sois insensible à ce point ? Pas un murmure de sympathie. Pas même une pression de ta main sur la mienne. Pas une ombre de compassion sur ton visage.

Je lui avais offert, à son dernier anniversaire, le pinceau de Michel-Ange, lui disant bien que de toutes mes possessions terrestres, celle-ci était de loin la plus précieuse. Elle l'avait tourné et retourné, s'était caressé le poignet avec, avait mimé en l'air le geste de peindre, puis me l'avait rendu en me disant

— Garde-le, mère.

J'avais compris sur le moment que son geste était dicté par le respect. Mais en fait, non. J'avais mal compris. Ce cadeau ne l'intéressait pas.

Marcher m'était un réconfort et, semblait-il, le seul. Le soir d'hiver tombait tôt, les maisons se refermaient sur elles-mêmes. Abordant une petite éminence d'où je savais avoir un aperçu sur la baie, je ralentis pour reprendre mon souffle.

Non, la vie de Palmira n'avait pas été facile. Ce n'était pas entièrement vrai. Fréquentant les riches, elle voyait leur aisance mais rentrait se coucher dans un lit glacé. On l'avait déracinée quatre fois. Je me jurai de ne plus jamais lui imposer cette épreuve. Maintenant qu'elle connaissait toute mon histoire, peut-être pourrait-elle me pardonner de l'avoir privée de père pour l'amour de l'art ? Trouverait-elle ce sacrifice exagéré ? Pourquoi l'art coûtait-il autant de peines et de sacrifices ?

Je devais accepter le fait que Palmira ne s'intéressait nullement à l'histoire de mes héroïnes, alors que moi, je les considérais comme des sœurs. Il existait au moins de par le monde quelques amateurs dont la curiosité était piquée par cette femme peintre qui peignait des femmes. Mais si ma propre fille ne se souciait pas des femmes que je peignais, qui à part mes quelques commanditaires s'en soucierait ? Mon œuvre garderait-elle quelque importance au long des années et des siècles à venir ? J'avais besoin de croire que je ne peignais pas en vain toutes ces Bethsabée, ces Judith, ces Lucrèce et ces Suzanne. Si je ne leur avais pas accordé cette importance, c'est tout mon travail qui en eût été affaibli.

Je regardai une lune ovale se lever sur la baie, allumant un reflet mouvant d'étain liquide au-dessous d'elle. La perle nocturne de Galilée, rendue plate et terne comme une assiette sale. Avait-il ressenti son œuvre comme affaiblie lorsqu'il lui avait fallu abjurer ?

§

J'attendis d'être calmée, puis j'ouvris doucement la porte. Palmira fixait les carreaux du sol, un morceau de pain à la main. Du fromage et deux tronçons de saucisse m'attendaient sur une assiette, qu'elle poussa vers moi. Je me versai du vin, pris du fromage, m'assis. Les yeux sur mon verre, je lui demandai d'une voix blanche :

— Que désires-tu réellement ?

— Je veux épouser Andrea.

Je rompis un bout de pain pour saucer de l'huile d'olive.

— Tu le veux plus que tout au monde ? C'est la moindre des choses, tu sais, que de désirer ainsi.

Elle me répondit d'un signe de tête. Ses mains délicates reposaient sur ses genoux, ouvertes comme des coquillages. Des mains encore vierges des stigmates du travail et de la douleur.

— Mais que ce ne soit pas l'idée seule du mariage, pas plus que celle de devenir peintre.

— Je sais, je sais.

Agacée, elle soupira lourdement.

— Je veux vraiment me marier, mais à un homme, pas à un métier.

Pas de réponse possible sous peine de voir surgir un nouvel accrochage.

— Andrea veut m'épouser. Il me l'a dit le soir du bal.

Elle dit cela de la même voix joyeuse qu'elle avait quand nous vivions à Florence.

Je me souvenais du jour où Pietro et moi l'avions emmenée encore tout enfant dans les plus belles églises et les galeries d'art de la ville. Quand nous l'avions portée devant l'évêque, au Baptistère, nous étions unis tous trois dans un même souffle. Je me souvenais que la beauté plastique du corps de Pietro avait ressuscité mon désir d'aimer. Palmira devait ressentir le même désir, à présent. De quel droit lui imposer ma passion, au détriment de la sienne ? Elle avait la chance de connaître ce dont j'avais tant rêvé : un mariage d'amour.

— Tout ce que je désire pour toi, c'est que tu désires quelque chose si profondément que c'en devienne presque douloureux, comme moi je désire profondément, douloureusement peindre de mon mieux.

Je bus une gorgée de vin et lui souris.

— Je vais prendre des renseignements.

— C'est vrai ?

— Il n'est pas d'usage que la famille de la fiancée entame les négociations, mais Francesco est là pour nous aider. Le père d'Andrea est l'un des gentilshommes de la comtesse, il se trouve qu'elle me doit une faveur, m'a dit Francesco. Il saura l'induire à croire que l'idée vient d'elle.

Palmira se jeta sur moi et me prit sur ses genoux pour m'étreindre.

— Mais il y a aussi la question de la dot.

Elle me lâcha et se balança sur ses talons.

— Il va falloir que je travaille longtemps pour amasser la somme que la famille d'Andrea demande. Toi aussi, tu vas devoir travailler. Le but que tu t'es fixé devrait te rendre la tâche plus facile. Tu n'es pas trop jeune pour vendre cette Bethsabée, donc, demain matin, nous allons nous mettre au travail très tôt.

Nous bûmes au même verre, chacune réfléchissant à cette idée. Je remarquai la lettre de mon père, abandonnée sur la table, et la relus. Je pourrais aller seule en Angleterre après le mariage, à supposer qu'il eût lieu. C'était peut-être ma seule chance de… De quoi ? Je l'ignorais.

Je lui tendis la lettre.

— Que crois-tu que je doive faire ?

— Je pense que tu dois y aller.

— Déranger toute la vie que j'ai construite ici pour lui ?

— Pas pour lui, pour toi. Pour lui dire combien il a été égoïste. S'est-il jamais accusé de ce que l'on t'avait fait aux mains ? Ou pour l'humiliation que tu as subie ? A-t-il jamais exprimé du regret ?

Surprise, je pris une profonde inspiration, le mot « papa » devant les yeux. Je murmurai :

— Non.

— Il faut y aller.

— Cela va diminuer ta dot d'autant. Ainsi que ton trousseau.

— Je sais.

— Cela veut dire : moins de linge, moins de robes, de chemises. Un mariage moins fastueux.

— Vas-y.

25

La lettre

Le matin des noces de Palmira, j'épinglai un gardénia dans ses cheveux, puis reculai pour la mieux voir. Delia avait confectionné une tunique pour aller sur la robe, un nuage de soie mauve, la plus fine que j'eusse jamais vue. Elle flottait par-dessus la robe bleu pâle et formait derrière elle une traîne aussi légère que l'écume. Au lieu de nœuds blancs, Delia en avait cousu de mauves, et la tunique était retroussée par-devant pour laisser apparaître le bleu assorti au corps de robe.

— Ces couleurs sont ravissantes. Vous ressemblez à une aube au paradis.

— Et Andrea, croyez-vous qu'il pensera de même ?

— Tout le monde le pensera. J'aurais bien aimé que Pietro puisse te voir. Il serait sûrement aussi heureux qu'admiratif. Et mon père, aussi. Il serait si fier !

— Ne t'attendris pas trop, mère. N'oublie pas que tu dois lui dire de ma part combien je le trouve égoïste.

— Les êtres ne sont pas tout bons ou tout mauvais, Palmira. Il aurait véritablement plaisir à être ici avec nous. N'ayons que des pensées heureuses aujourd'hui, afin que le plus beau jour de ta vie reste pur de toute scorie.

Assise au bord de mon lit, j'ouvris le coffret de ma mère, celui où je serrais les quelques souvenirs auxquels je tenais : son peigne de cornaline, les lettres de Galilée, les émouvants petits papiers griffonnés par ma fille lorsqu'elle apprenait à écrire. Tout au fond, il y avait le précieux sachet de fin tissu. Je le portai à mon nez. Il fleurait l'origan, l'odeur était ténue mais reconnaissable. Personne ne les avait portées depuis qu'Umiliana avait posé pour ma *Madeleine*. C'était pour moi un signe faste, car Umiliana était bonne. Et l'amour que Graziela avait éprouvé pour son époux était sûrement venu à bout des imperfections de ces perles irrégulières, faux gage d'amour qu'il lui avait donné.

— Viens ici, *cara*.

Elle déplia sa robe et s'assit à côté de moi sur le lit.

— Qu'y a-t-il, maman ?

Je ris.

— Cela doit faire des années que tu ne m'avais appelée maman.

Elle me regardait tout sourire, les yeux papillonnant d'espérances joyeuses.

— Ouvre ta main.

Elle la tendit, paume à plat. J'y laissai choir le petit sac, qu'elle sonda du pouce. Elle en identifia le contenu, les yeux écarquillés.

— Maman ! C'est pour de vrai ?

— Défais la cordelette.

Elle fit glisser les boucles d'oreilles dans sa paume, et la beauté des perles lui arracha un soupir. Elle les tourna et les retourna l'une après l'autre, scrutant leurs creux et leurs bosses, et les fit osciller devant ses yeux.

— Mets-les. Elles ont appartenu à Graziela, t'en souviens-tu ?

— Et elle veut bien que je les porte ?

Je détournai un peu mon visage afin de dissimuler mon mensonge.

— Elle veut que tu les possèdes.

— C'est vrai ?

— J'ai déjà dit à Francesco qu'il fallait les ajouter à la liste de ton trousseau. Mets-les.

J'apportai le miroir de toilette.

— Tu vois comme elles sont belles sur toi ?

Elle se mira d'un côté et de l'autre.

— Graziela serait si heureuse de te les voir porter aujourd'hui. Elle fut mariée.

Palmira, de surprise, laissa choir ses mains sur ses genoux.

— Je ne l'avais jamais su.

— Les boucles d'oreilles étaient un cadeau de son époux, un homme du nom de Marcello. Graziela…

Mais je me repris. Ce n'était pas un jour à raconter leur histoire, même en l'édulcorant pour la réduire à un simple avertissement. Ce jour ne devait connaître que des pensées heureuses. Je songeais aussi que, si le chagrin de Graziela avait dû laisser Palmira de glace, c'en eût été trop pour moi.

— Eh bien, Graziela ?

— Graziela m'a raconté bien des choses durant toutes ces années, et de tout ce que j'ai ouï dire par elle, je veux que tu retiennes seulement ces paroles : n'ajoute jamais foi à une illusion.

§

Je m'assis dans l'une des premières stalles en attendant que Don Francesco conduise Palmira à l'autel. Je trouvais les bouquets qui le décoraient bien pauvrets. Ce mariage n'avait pas le faste dont elle rêvait depuis sa petite enfance, mais il était luxueux comparé au mien, qui avait été furtif et indigent, et célébré dans une église vide. Je me retournai et souris aux gens que j'avais invités, quelques artistes, des mécènes, l'apothicaire, mon charpentier et Delia. Ma contribution à l'assistance restait modeste. J'eusse aimé y voir Graziela et Paola.

Francesco apparut au fond de l'église, tout de velours noir vêtu, portant col et manchettes de dentelle, et donna le bras à Palmira pour la mener à l'autel, fier comme un vrai père. Je me sentis soulevée de gratitude. Il avait dirigé les négociations avec maestria. Excipant de l'indiscutable pureté de Palmira, il s'était engagé à fournir aux parents d'Andrea un tableau de moi dès mon retour d'Angleterre, moyennant quoi ceux-ci s'étaient contentés d'une dot modeste. Le plus important était qu'elle ait eu un véritable *impalamento,* précédé de trois publications de bans à des messes de paroisse. Les échos puissants des derniers accords de l'orgue résonnaient sous les voûtes quand Francesco remit sa fiancée à Andrea, dont le visage rayonnait d'amour. La cérémonie nuptiale commençait.

Le prêtre invita le jeune couple à s'approcher de l'autel ; Palmira, perdue d'adoration, n'avait d'yeux que pour

Andrea. Je me sentis emplie d'une douce chaleur, comme si j'avais dû moi-même me marier et être aimée au soir qui allait suivre. Elle prononça la promesse d'une voix de pure innocence. Quand le prêtre psalmodia « *ego jungo vos in matrimonium* » en unissant leurs mains, elle vacilla sous le poids du bonheur, et moi de même.

Les prières et les répons de cette messe furent interminables. Mon seul désir était de la prendre dans mes bras et de lui chuchoter de sages conseils, mais lesquels ? Inventer chaque jour une nouvelle manière de le séduire ? Ignorer volontairement tout signe d'infidélité et continuer à l'aimer comme avant ? Maintenir la paix du ménage en se montrant soumise à sa belle-mère ? Je me sentis une douloureuse pointe de jalousie. Palmira était maintenant plus la fille de cette femme que la mienne.

Durant le souper qui suivit, Francesco, regardant les nouveaux mariés au bout de la table, se pencha vers moi et me demanda à voix basse :

— Ne serait-ce pas beau de pouvoir croire qu'ils vont s'aimer toute leur vie comme ils s'aiment à présent ?

— Cela me semble possible, pourvu qu'elle prenne soin d'attiser son désir et de le combler dans sa virilité, et qu'elle n'en demande pas trop.

— Et sinon ?

— Sinon, eh bien, elle survivra. Il lui restera la peinture.

Me tendant un cœur d'artichaut sur la pointe de sa fourchette en souriant, il dit :

— Vous voici donc, ma belle, talentueuse et gracieuse amie, libre de tout lien maternel à partir d'aujourd'hui. Libre d'être vous-même. Libre de…

— Je ne serai jamais libérée du lien maternel. Elle restera toujours mon enfant. *Grazie a Maria,* elle a eu la chance de pouvoir choisir. Je vais prier ce soir et tous les jours pour qu'elle s'en souvienne.

— N'êtes-vous pas reconnaissante à quelqu'un d'autre, ce soir, de la voir épouser l'homme qu'elle a choisi ?

Je tournai mon regard vers lui et touchai le bord de son verre du mien.

— À vous, don Maringhi, mon habile négociateur.

— Négociateur ? Ne me donnerez-vous point d'autre titre ?

Je souris, fermai les yeux et haussai les épaules.

— Je veux être sûr que vous n'oublierez pas, pendant votre incertaine équipée à Londres, que je vous attendrai… Pour vous servir fidèlement.

— Ce n'est pas une équipée incertaine.

— Qu'est-ce alors ? Une obligation filiale ?

— Je n'en suis pas sûre.

— Pourquoi y aller, en ce cas ?

— Je voudrais voir ce dont je suis capable.

Je bus une gorgée de vin, me détournant légèrement de lui.

— N'oubliez pas que c'est mon père qui m'a enseigné le métier dont vous tirez vos revenus.

Le prêtre redescendit de la chambre nuptiale, où il avait aspergé d'eau bénite le lit des jeunes époux. Il annonça à haute voix que tout était prêt.

Les amis d'Andrea firent un beau chahut, taquinant le couple à grand renfort de chansons lestes et de santés portées à bout de bras. Les jeunes femmes, que l'on n'admettait pas aux messes de mariage, les avaient rejoints au souper et répandirent un tapis de pétales de rose sur l'escalier menant à la chambre. Je fus un peu choquée d'en comprendre le symbole : le sang virginal de Palmira. Tous entourèrent les mariés pour les emporter là-haut. Je courus à Andrea, lui pris le coude. Il se pencha pour m'entendre lui dire à l'oreille :

— Soyez doux, Andrea. Une telle fleur serait vite meurtrie.

Je n'eus qu'un bref instant pour serrer Palmira dans mes bras et lui murmurer :

— Cela va mieux si l'on se détend. Tu as parfaitement le droit de lui demander tout le temps qu'il te faudra.

— Ne t'en fais pas, maman. Il m'aime.

— Réservez-vous ensemble des moments de gaieté, quoi qu'il arrive.

— *Si,* maman.

En un clin d'œil, de jeunes gaillards eurent hissé Andrea et Palmira sur leurs épaules pour les porter à l'étage. J'eus de Palmira un dernier regard d'exultation vibrante ; son gardénia lui tombait dans le cou. Ma gorge se serra de bonheur. Je lui envoyai un baiser.

26

Paola

Le coche me déposa à Rome au bureau central des messageries. Deux semaines seulement s'étaient écoulées et Palmira me manquait déjà terriblement. Nous n'avions jamais vécu séparées un seul jour jusqu'à son mariage. Je laissai ma malle et mon gros sac au bureau et m'en fus à pied à la Sainte-Trinité.

Paola répondit à mon coup de cloche. Elle blêmit en me voyant, et ne me laissa d'abord pas entrer.

— Que se passe-t-il ?

— J'ai quelque chose à vous dire.

— Graziela ?

Elle me répondit d'un signe de tête, regarda à droite puis à gauche, inquiète.

— Où pourrions-nous aller ?

Je compris qu'elle ne voulait pas être vue de Graziela.

— Dans l'église ?

— Non. Par ici, plutôt.

Elle me désigna le cloître, où nous nous assîmes sur le banc de coin. Elle prit une profonde inspiration, comme pour se donner du courage.

— Dis-moi !

— Elle est morte.

Le coup m'atterra. Je ne pus le croire ; rien ne m'avait préparée à cette nouvelle.

— Quand ?

Elle fit un signe de la main par-dessus son épaule.

— Comment ?

Je vis son visage rond se contracter.

— Elle était sortie.

— Et c'est cela qui l'a tuée ?

— Elle quittait le couvent. Assez souvent.

— Combien de fois ?

— Souvent. En général entre matines et laudes. Elle allait visiter Rome.

Le sentiment de ma responsabilité m'envahit comme un poison. « Viens ! Goûte au fruit défendu ! Désobéis à ton ordre ! »

— Mais comment ces sorties ont-elles pu la tuer ?

— Le fléau.

— Je n'arrive pas à y croire ! La peste ? N'était-elle pas avertie ?

— Elle l'était. Mais son désir a été plus fort que la peur. L'ayant fait une première fois, elle n'a pu s'arrêter. Elle a vu des choses qui l'ont rendue heureuse.

À l'idée que je pourrais ne pas comprendre, ses yeux s'emplirent de larmes.

— Elle allait toujours mieux après, du moins quelque temps.

Ma tête bourdonnait, je dus m'accrocher au banc. Je tentai de me représenter l'énormité de son manque, et les conséquences de mes encouragements.

— Pourquoi ne m'as-tu pas écrit ?

— J'ai honte, Artemisia, mais je n'ai pas pu.

— Comment faisait-elle pour sortir ?

Paola tripotait son chapelet.

— Je l'entendais pleurer la nuit. Des sanglots horribles, horribles ! Elle essayait de ne pas faire trop de bruit, cela m'était très pénible.

Et, voulant peut-être se justifier :

— Elle fut, durant vingt ans, ma meilleure amie. L'âme la plus pure que j'aie jamais connue. Comment aurais-je pu lui refuser ?

— Alors, c'est toi qui la laissais sortir ?

Elle fit « oui » de la tête.

— Je ne cessais de prier tout le temps qu'elle restait dehors.

— Et cela te tenait éveillée jusqu'à ce qu'elle rentre ?

Un sanglot franchit les lèvres pâles de Paola.

— Je faisais pénitence tout le jour qui suivait, et n'y ai jamais manqué.

— La peste… Et toi, tu ne l'as pas eue ?

— Dieu sait que j'aurais préféré l'attraper moi-même !

— Je ne disais nullement cela comme un reproche, lui dis-je doucement, l'attirant à moi afin qu'elle pût s'épancher contre ma poitrine. Ce n'est que de l'étonnement.

— Notre Père des cieux a jugé plus à propos de me châtier par l'insomnie et le remords.

Un poids tomba sur mon cœur.

— Tu n'es pas seule responsable.

— Elle a vu la *Pietà* de Michel-Ange, dit Paola en relevant la tête et retrouvant son ton habituel, qui était plutôt de gaieté. Et puis le nouveau dessus d'autel du Bernin à Saint-Pierre. Pouvez-vous imaginer cela, il est haut comme un immeuble de huit étages ! Et aussi le plafond de votre père.

— Qu'elle soit bénie d'avoir voulu le voir en souvenir de moi. Mais elle a donc dû sortir aussi le jour ?

— Entre tierce et sexte.

— L'a-t-on punie ?

— Pendant assez longtemps, personne n'en a rien su, tant qu'elle sortait la nuit, mais elle se faisait prendre quand elle sortait le jour. La pénitence de réclusion et de silence lui permettait de se remémorer tranquillement chaque détail de ce qu'elle avait vu. Elle en sortait toujours plus calme.

— Heureusement. Au moins, nous pouvons nous consoler avec cette idée.

— La dernière fois, elle était restée dehors toute la nuit, elle avait marché jusqu'à la voie Appienne. C'était une nuit de pleine lune. Elle croyait avoir retrouvé l'endroit où Pierre avait vu le Christ lui apparaître. Elle m'a dit qu'elle avait senti la chaleur de l'amour divin sous ses pieds. Sur le chemin du retour, elle a vu un moribond sous l'arc de Constantin, et elle a été s'accroupir à côté de lui afin de lui réciter le *Notre Père* à l'oreille et tracer sur lui le signe de la croix.

La voix de Paola monta d'un ton, se faisant plus grêle.

— Je suis sûre que c'est cela qui l'a tuée. La charité dont elle a fait preuve.

Je sentis mon souffle m'abandonner dans une sorte d'effondrement, comme si j'avais été un vêtement qu'on laisse choir.

— A-t-elle beaucoup souffert ?

— Seulement trois jours.

— Elle n'a pas vu de médecin ?

— Les deux premiers jours, j'ai réussi à dissimuler ses bubons à notre mère supérieure.

— Et puis ?

— Il a bien fallu que je le dise. Notre mère craignait qu'un docteur n'apporte avec lui la peste au couvent. Qui plus est, les médecins ont le devoir de signaler les cas. On aurait pu nous mettre en quarantaine, voire nous murer à l'intérieur du couvent.

Elle parlait plus calmement.

— Si Graziela restait seule de nous toutes à trépasser, nous pouvions dire que c'était une mort naturelle, que son heure avait sonné, et l'enterrer ici au lieu de la livrer à la Maison des pestiférés, ou à la fosse commune.

Sa voix se brisa sur ces derniers mots, et elle ferma les yeux avec ferveur.

— Elle n'a pas eu droit aux derniers sacrements ?

— Notre mère supérieure s'en est chargée. Nous l'avons enterrée entre matines et laudes, sur sa paillasse ; ce fut l'affaire d'une heure. Nous avions une lanterne, nous l'avons inhumée nous-mêmes. Je n'ai laissé personne d'autre que moi la toucher.

— Est-elle ici, dans le cloître ?

— Non, dans le jardin médicinal. Une tombe anonyme, au cas où l'on chercherait à s'informer.

— Conduis-moi.

Nous parcourûmes en silence le déambulatoire et le couloir du rez-de-chaussée jusqu'au jardin des simples, tout au fond. Paola tantôt se couvrait la bouche de ses mains et tantôt les pressait l'une contre l'autre.

— Artemisia, pardonnez-nous. Elle est sous l'origan.

Agenouillée, j'en humai l'arôme vif et agreste, un parfum que jamais, je le savais, je ne pourrais plus respirer sans chagrin. Je froissai entre mes doigts quelques feuilles d'origan, en cueillis un rameau que j'enfouis dans le lacet de mon corps de robe. Mes larmes rebondissaient sur les feuilles.

— Voyez, j'ai planté autour d'elle une rangée de cette plante qu'on nomme « rue ».

Paola s'agenouilla auprès de moi.

— Je ne me pardonnerai jamais, même si Notre-Seigneur tout-puissant me pardonne. Jamais.

Sa voix n'était qu'un pépiement misérable.

— C'est la compassion qui t'a inspirée. Ne l'oublie pas. Elle prêchait toujours les vertus du pardon. Graziela m'a dit un jour de ne jamais prier comme les pénitentes. Je crois que cela voulait dire : ne jamais prier dans la laideur de la haine de soi. Ne te flagelle donc pas à propos de tout cela, Paola. Elle ne le voudrait pas. Elle a lucidement accompli sa volonté.

Paola acquiesça, sa face ronde un peu chiffonnée.

— La main du lépreux, elle l'a touchée comme elle eût touché celle de la Vierge Marie.

— Souviens-toi de ce que tu me répétais lorsque j'étais enfant : « La charité est endurante… »

— « … la charité est miséricordieuse… La charité porte tous les fardeaux. »

— Mais en quelle manière ? On peut mettre toute une vie à le comprendre.

Le monde sembla s'arrêter, nous restâmes silencieuses un long moment.

— Peut-être a-t-elle réellement touché la Vierge, mais en marbre, sur la *Pietà* de Michel-Ange. Vous auriez dû l'entendre quand elle en parlait !

Paola eut un sourire triste. Les mots se bousculèrent soudain.

— « C'est une sculpture inspirée par le Ciel. La Passion du Christ. L'amour désolé, impuissant, insondable qui se lit sur le visage de Marie alors qu'elle tient son fils sur ses genoux. La pommette lisse, intacte du Christ, la raideur de ses bras de marbre juste décloués de la croix. Les doigts fins et tendres de la Vierge retenant le côté lacéré. Le pli mol et doux que son cou prête à l'étoffe du vêtement. » Quand on l'entendait, Graziela était véritablement en extase, elle aurait pu monter directement au Ciel.

Cette pensée de la petite sœur me fit sourire. Une certitude s'imposa à mon esprit.

— L'art est censé remplir ce rôle : aider notre âme à vivre et nous aider, nous, à mourir en paix.

Au bout d'un long silence, elle dit :

— Merci pour ces dernières paroles.

— Que sont devenues les lettres que je lui ai écrites depuis ?

— Je les lui lis. Ici même, avant d'aller aux vêpres. Que vos lettres sont belles ! Je les ai lues plus d'une fois. Je les ai toutes gardées.

— Alors je continuerai à écrire.

Nous nous levâmes et sortîmes du jardin.

— Je pars pour l'Angleterre, mon départ est imminent. Je vais voir mon père.

— Lui avez-vous pardonné ?

Je haussai les épaules.

— Comment savoir ?

— En y allant. Vous le saurez en le revoyant.

— J'espère ne pas te décevoir sur ce point.

— Mais non, pas si vous gardez à l'esprit les paroles de l'apôtre Paul : il n'est pas en notre pouvoir de provoquer la charité. Elle vient d'elle-même si nous dépouillons notre esprit de ses oripeaux infantiles pour devenir capables de nous entre-regarder.

J'opinai, doutant de jamais y parvenir.

Elle désigna du menton le jardin médicinal.

— Dites-le-lui, *cara*.

— Je te laisse ce soin.

Nous revînmes vers les bâtiments conventuels ; elle marqua un arrêt.

— Une chose que Graziela voulait vous faire savoir. Elle a prié pour le *signor* Galilée.

— Je savais qu'elle le ferait.

— Il a été détenu juste à côté, à la villa Médicis (elle montra le mur) quand il n'était pas dans un cachot du Saint-Office. Ensuite, ils l'ont transféré au couvent de Santa Maria Sopra Minerva.

Elle baissa le ton.

— Ne vous inquiétez pas, Artemisia. J'ai pris la relève, mes prières l'accompagnent.

— Merci.

Jamais je n'avais éprouvé plus de mal à mettre un pied devant l'autre : sortir du cloître, revoir les moindres fissures des murs, aussi connues de Graziela que les veines du dos de ses mains. Puis, lentement, la porte, la grosse clef noire dans la main de Paola, qui avait été pour Graziela le sésame du monde avant de devenir son issue définitive.

— Encore une chose, me dit enfin Paola sur le seuil. Elle est morte en passant tranquillement dans les bras de Dieu. Sans douleur, aisément. Je crois de tout mon cœur qu'en cet instant, elle a vu la Cité de Dieu et l'a trouvée belle, peuplée de dômes, de flèches d'église et de loggias à angelots de marbre.

— Comment le sais-tu ?

Le menton de Paola trembla.

— Elle a émis un tout petit hoquet, presque un soupir. Elle a ouvert tout grand les yeux, puis elle s'en est allée.

27

Orazio

Depuis deux nuits, je dormais sur le pont d'un bateau en compagnie d'étrangers, à Calais, où nous attendions, mouillés en rade profonde, que le brouillard se levât pour appareiller et traverser la Manche. La lueur tremblotante d'un feu de balise perçait à peine les ténèbres mates, me rappelant sans cesse la fragilité, au sein des éléments, des vaisseaux construits par l'homme. Il n'est au monde nulle certitude. Des formes vagues émergeaient du brouillard puis s'évanouissaient comme autant de traîtres énigmes. Ce que je discernais au-delà du pont, était-ce une borne ou une religieuse accroupie ? Et là, un mât portant un espar ou bien un crucifix ? Était-ce dans un flou semblable que Graziela se souvenait de Rome avant de l'avoir revue dans ses promenades nocturnes ? Les choses qu'elle avait aimées s'étaient-elles graduellement estompées dans une brume opaque et cotonneuse qui avait fini par l'étouffer elle-même ? Les craquements de la coque qui roulait et les gémissements du bordage formaient le concert le plus triste que j'eusse entendu.

J'eus beau m'enrouler dans mon manteau, je fus vite transie d'humidité. Une silhouette d'homme sortit du brouillard et s'approcha de moi. Il m'enveloppa de sa couverture, parlant un langage que je ne comprenais pas. Ou n'était-ce qu'un tour que me jouait la brume ? Mais le poids de la laine sur mes épaules et le contact du bois sous ma main me disaient que c'était vrai. Étions-nous en train de jouer une parabole biblique de la charité chrétienne, alors que j'entreprenais justement cette démarche ?

Le troisième jour, nous pûmes enfin appareiller, le brouillard s'étant levé ; mais la nuit tombait si tôt qu'il semblait que l'on n'eût qu'une demi-journée devant soi. Comment faisait mon père pour continuer à peindre passé le déjeuner ? Malgré ma crainte d'être saisie de colère en le revoyant, je me sentais tirée par un fil invisible, un lien du sang assez solide pour faire le navire traverser la mer.

Le matin suivant, je pris place sur une embarcation d'estuaire afin de remonter le fleuve, en cet endroit fort large et boueux. Le paysage défilait, plat et morne, les arbres n'avaient plus de feuilles et l'air était froid, humide et dense. Cette fameuse Tamise, fleuron d'une nation si fière et si vaine de sa glorieuse histoire, n'offrait qu'un cours paresseux d'eaux brunes et grisâtres, et qui sentaient mauvais. On entendait croasser de monstrueux corbeaux, ce qui n'ajoutait certes aucune note de bienvenue. Un vent cruel transperçait mon manteau. Le petit bateau, durement drossé, luttait pour pénétrer cette contrée hostile. Arrivée si près du but, je me trouvais comme repoussée par le vent et le fleuve : cette nation ne voulait pas de moi.

Des vaisseaux et des barges glissaient lentement le long des entrepôts de briques et des chantiers navals. On voyait au loin paître des moutons dans les prairies entourant des manoirs. Où se trouvait donc cette formidable cité qui gouvernait les mers ? Je ne vis qu'un seul vaisseau de guerre, à l'ancre devant un grand château de la rive sud, une sorte de forteresse sinistre et noire à créneaux et tourelles.

— C'est Greenwich, madame, dit l'employé.

Mon père y était-il ? J'arrivais peut-être trop tard.

— C'est le palais de la reine ? demandai-je dans ma langue, la seule que je connusse.

L'homme me dévisagea sans me comprendre. Je lui montrai l'envers de la lettre de mon père, où il avait écrit en anglais « *The Queen's House, Greenwich* ». Le vent faillit me l'arracher.

Il me montra du doigt, au-delà du château noir, une petite bâtisse blanche en haut d'une colline, la seule maison blanche que le pays offrait aux yeux. Tandis qu'on déchargeait ma malle sur un quai, il se mit à pleuvoir. L'employé transporta mon gros sac alourdi de pots d'huile d'olive, d'artichauts, d'olives et d'une bouteille de vin. Je le suivis sur la passerelle et il montra ma lettre à un voiturier, se répandant en paroles dont je ne pus rien comprendre.

Une brève course en voiture sur les pavés luisants de pluie me fit dépasser le château noir puis monter vers la demeure blanche de la colline. Me penchant par la fenêtre, je montrai ma lettre à un garde. Il hocha la tête et désigna, derrière lui, le bâtiment qu'il gardait.

— Orazio Gentileschi ? *Pittore italiano ?* lui demandai-je.

Il secoua la tête et indiqua au voiturier le sinistre château qui surplombait la rivière.

Déjà, on avait dû allumer des torches pour en éclairer l'entrée. Qu'allais-je faire si on ne me laissait pas entrer là non plus ? Je me penchai derechef à la fenêtre.

— Orazio Gentileschi ? *Pittore italiano ?*

Cette fois, le garde répéta le nom à un portier, qui disparut à l'intérieur.

Quelque part dans cette bâtisse de pierres humides, mon père respirait et peignait, mais, comme il ne pouvait voir à travers les murs, j'aurais pu dire au voiturier de faire demi-tour, personne n'en aurait rien su. J'aurais pu rentrer chez moi, là où il faisait chaud, là où vivaient les miens. À Gênes, pour demander pardon à Cesare et Bianca. À Florence, afin de mener Renata à l'Académie, de regarder le *signor* Bandinelli dans les yeux pour lui dire « Occupez-vous-en bien. Faites-la travailler. Cultivez ses dons. Elle fera de grandes choses. » J'aurais pu lui offrir le pinceau de Michel-Ange.

Mais jamais personne n'agit ainsi. Au lieu de cela, on s'enlise et on patauge, on s'inquiète de ce que l'on mangera demain, on évite de songer à l'ultime coup de pinceau de sa vie. Quelle couleur sera-ce ? Avec quelle brosse ? Quel effet de style ?

Le portier revint et me fit entrer, ainsi que ma malle, dans la poterne. Je ramassai mon gros sac et, d'un pas assuré et volontaire, j'entrai. Une femme m'accompagna dans les étages, bavardant dans cet idiome inconnu, rude langage dont les sons ricochaient sur les parois nues de la cage d'escalier. À son expression, il me sembla comprendre qu'elle me reprochait d'arriver si tard. Nous traversâmes des enfilades de pièces jusqu'à la dernière. Une porte, et ce fut lui.

Orazio Gentileschi, son manteau informe drapé sur les épaules, toussait, une main crispée sur sa poitrine. Lorsqu'il me vit, un son indistinct lui échappa, grognement ou gémissement. Il approcha de quelques pas, puis s'arrêta.

— C'est toi qui m'as demandé de venir, lui dis-je, la gorge palpitante.

— Je ne t'espérais plus.

— Je n'ai pas pu venir plus tôt. Palmira voulait se marier, et j'ai mis du temps à amasser la dot.

— Tu aurais dû me demander.

Nos phrases étaient entrecoupées de silences gênants. Nous nous faisions face d'assez loin. Je tenais toujours mon sac de voyage, il me fit signe de le poser.

— Elle a épousé le jeune gentilhomme qu'elle aime. Ils se sont choisis. Jamais plus elle ne tiendra un pinceau, elle déteste peindre.

Cela eut l'air de le peiner.

— J'imagine qu'elle a dû faire une fort belle mariée.

— Oui, mais la beauté, ce n'est pas tout. Il vaut mieux crever de faim et aimer la beauté qu'être soi-même beau. Cela rend la vie plus riche, en fin de compte. Peut-être viendra-t-elle à le découvrir.

Il souffla par les narines.

— Je vois que les années t'ont rendue sage.

— Réaliste, plutôt, et contente de mon sort. Je suis heureuse qu'elle soit heureuse.

— Et le père de Palmira ? A-t-il assisté au mariage ?

— Non.

— Dommage. C'eût été une bonne occasion de vous réconcilier. As-tu tenté de le faire ?

Je lisais dans ses yeux qu'il me jugeait. Je brûlais de lui répondre : « Sont-ce là tes affaires ? »

— Ce n'est pas si simple.

— Il n'a pas contribué à la dot ?

— Je ne le lui ai pas demandé.

Nous nous entre-regardâmes dans une sorte de paix armée, conscients que le premier faux pas pourrait déclencher la guerre.

— Je voudrais m'asseoir, je suis épuisée.

Il débarrassa une chaise des chiffons qu'il y entreposait et la tira devant l'âtre. J'étais là, et toujours pas un mot de remerciement.

— Ce palais est affreusement désert. Des meubles, des tapisseries, mais personne, juste quelques domestiques et les intendants. Tu vis tout le temps ici dans cette… solitude ?

Il eut comme une grimace de douleur, yeux fermés.

— Qu'as-tu ? Tu as mal ?

— C'est d'entendre parler italien, après tout ce temps.

Il porta à son nez un mouchoir douteux.

— Tu as mentionné cet homme au nom bizarre, qui le parle.

— Inigo Jones. *Uomo vanissimo,* cracha-t-il avec dédain. Expert en tous les arts. Il est partout, s'occupe de tout. Intelligent, certes, et, comme dessinateur et architecte, il possède un solide métier, mais il est trop imbu de lui-même. Favori du roi, il est vain de sa grandeur, comme l'autre, le peintre flamand, Van Dyck. Un rustre sans manières, celui-là, qui se goberge du luxe de la cour.

Il tisonna rudement le feu, y remit du bois.

— Il y a tout de même des gens, ici ?

— Le roi et la reine tiennent leur cour dans ce château deux fois par an, à la saison des chasses. La reine vient plus souvent, pour surveiller les progrès des décorateurs dans sa demeure.

— La maison blanche ?

— Oui.

— Comment se nomme-t-elle ?

— Henrietta Maria. Sa mère était Marie de Médicis.

— Lui parles-tu en français ?

— Les cinq ans que j'ai passés là-bas m'ont tout de même appris quelque chose !

— Et l'anglais ?

— Un peu, mais pas très bien.

Et maintenant, que se dire ? Je ne pouvais pas lui apprendre la mort de Graziela, pas dans l'état où je le voyais. Pas d'histoires de mort devant ce grand malade.

— Je t'ai apporté des olives et des artichauts.

Je plongeai dans mon gros sac et en sortis les pots, bien aise de pouvoir lui offrir quelque chose qu'il aimait.

— Je te les ai gardés du repas de noces de Palmira.

Il fit sauter le bouchon de cire des olives avec un couteau, en mangea une, puis deux. Je demandai :

— As-tu du pain ?

— Oui. Dieu qu'il est mauvais, ici !

Je sortis le vin et l'huile d'olive. Il traîna une chaise à côté de la mienne et regarda chacun de mes gestes, curieux, semblait-il, de ce que contenait mon sac. Il nous servit du vin et nous nous serrâmes devant le feu, nous régalant d'artichauts et de pain trempé dans l'huile. Il mâchait en fermant les yeux, pour se mieux recueillir en ces saveurs retrouvées.

— J'ai passé trop d'années dans ce pays. Et en France aussi, trop d'années.

— Oui, je sais.

Je sentais le chaud trajet du vin dans mon corps, et le feu, de son côté, me dégelait. Je tendis mes mains à la flamme avec un gros et lent soupir, m'efforçant de détendre les crispations du froid.

— Et tout ça pour quoi ? Pour les courtisans sans cœur qui accourent ici deux fois l'an ! Des fourbes, qui mangent à la table du roi et complotent contre lui ! Si on porte des pourpoints matelassés, dans ce pays, ce n'est pas tant qu'il y fait froid, c'est pour amortir les coups de poignard.

Il gesticulait tant qu'un cœur d'artichaut tomba de son pain. Il le ramassa et le mangea.

— Pour une reine machiavélique et susceptible !

— Tu travailles pour l'éternité, père.

— Non, Artemisia. La plupart des humains mangent tranquillement leur pain tandis qu'on fouette, qu'on pend, qu'on brûle sur les bûchers, et tout ce qu'on peut imaginer en fait de supplices (ses doigts tambourinaient nerveusement sur le bois de la chaise, soulignant chaque mot), et personne ne se soucie des peintres qui, dans le monde entier, continuent d'œuvrer pour l'éternité.

— Mais ne m'avais-tu pas écrit que la cour t'avait bien reçu, comme elle me recevrait moi ?

— C'était pour te faire venir.

— Veux-tu dire que tu m'as menti ?

Mon dos se raidit. Il ignora ma question d'un revers de main dédaigneux. Encore une traîtrise ? Il n'y aurait donc pas de travail pour moi ici ? À mon premier mot de reproche, j'étais sûre de déclencher une vilaine querelle.

— Ils me tolèrent à cause de ce que je leur apporte : de l'émotion picturale, au lieu de leurs portraits figés, tout suintants d'ennui.

Il prit une gorgée de vin, tendant le cou pour la savourer plus amplement.

— Artemisia, ce n'est pas ici qu'il faut chercher la *dolce vita*.

Il serra le poing, se frappa le cœur.

— Ils n'ont ni le culte ni le goût affiné des belles choses. Leur noblesse est égoïste et arrogante. Ils se foutent bien de l'art ! Ils n'aiment que la chasse, les chevaux et les bateaux.

— Alors que nous, chaque tableau nous est une joie.

Il leva les yeux de son verre comme si cette pensée l'avait remué.

— Et toi, es-tu… Vas-tu bien ?

— Cela dépend. J'ai quelqu'un qui me sert d'agent, une sorte d'avoué. Il a vendu ma première *Judith*.

— Enfin quelqu'un qui a l'intelligence de reconnaître ton génie ! Qui donc l'a acheté ?

— Le prince Gennaro de San Martino.

— Il a eu de la chance que les autres imbéciles laissent passer le tableau.

— Il faut toujours que je leur explique que j'ai gardé la coutume romaine de fixer un prix définitif. Ils s'attendent à ce que je fasse comme eux, à Naples, où l'on demande d'abord trente *scudi* avant de lâcher l'affaire à quatre.

Sotte conversation, en vérité, mais je ne me sentais pas à l'aise. La confiance ne régnait pas entre nous, et je me méfiais de moi-même.

— J'ai travaillé pour un patricien sicilien, don Antonio Ruffo, et pour le comte de Monterrey. Il ne voulait que des portraits, celui-là. Plus personne n'apprécie l'*invenzione*. Tout ce qu'ils aiment, c'est la féminité idéalisée. Le temps m'a vidée de ce que la torture m'avait inspiré.

J'avais dit le mot… Ses yeux s'embrasèrent de rancune que je l'aie prononcé si vite, dès mon arrivée. Je voulais dire… Que voulais-je dire, au juste ? Je ne savais plus. Je l'avais dit, c'est tout.

— Tu es toujours en colère ?

Sa voix était glaciale.

— Non, je ne peins plus de *Judith* sanglantes. Je pense que ça veut dire que ma colère est passée, sauf quand des gens abjects ont rappelé cette histoire devant Palmira, alors qu'elle était encore enfant. Mais ce n'était qu'une colère de courte durée, de peu de portée, dirigée ni contre toi ni contre lui.

— Je pensais que j'avais réparé mes torts en te trouvant un époux. Avec la réputation que tu avais...

— Ma réputation ! Si c'est à cela que tu songeais, que ne t'es-tu interrogé sur celle de l'homme que tu as payé pour qu'il te débarrasse de moi ?

— C'était le frère de Giovanni.

J'agrippai les bras de mon siège.

— Le frère de Giovanni avait une flopée de maîtresses avant et après notre mariage. C'est pour cela que je ne me suis pas réconciliée avec lui, si tu dois tout savoir. Et c'est aussi la raison pour laquelle il était condamné à faire un mariage quasi clandestin. Il a dû quitter Florence pour trouver une femme qui ne connût pas sa réputation.

Je maîtrisais encore ma voix, mais de justesse.

— Il m'a épousée pour ma dot, laquelle il a dépensée en garçonnières où il recevait ses catins. Un homme fermé comme un coffre-fort, incapable d'amour. Oh, oui, père ! Quel bon choix tu as fait !

— Encore moi. C'est toujours moi le coupable.

Il se leva et s'éloigna.

— C'est exactement ce que je craignais, marmonna-t-il. Je n'aurais pas dû t'écrire.

— Dois-je te rappeler que j'aurais pu faire un mariage d'amour si je n'avais pas été livrée à l'opprobre de Rome ?

— C'était nécessaire.

— Qu'est-ce qui était nécessaire ? Que tout passe avant moi ? Ton amitié avec une ordure ? L'ignoble besoin que tu avais de lui ?

Les mots tant de fois ressassés, les mots que je m'étais juré de ne pas lui dire sortaient en rafales. Je me penchai en avant.

— Si nécessaire que tu as jugé bon de l'inviter à Gênes ?

— Combien de temps devrai-je subir ce châtiment ? Cela fait vingt ans que tu me traites comme un pestiféré.

Il marchait de long en large.

— Et toi, pendant ces vingt ans, il ne t'est pas venu à l'idée que tu m'avais trahie ? Tu n'as jamais eu un mot de regret. Tu voudrais un pardon que tu refuses de demander.

— Un jour viendra, dans ce monde ou dans l'autre, où tu diras que ces choses sont arrivées, et non que c'est moi (ce disant, il se frappa la poitrine du poing) qui les ai fait surgir. Tu m'en demandes trop. Il fallait au moins ce que j'ai fait pour l'arrêter, je le connais, Artemisia.

J'eus un moment le sentiment qu'il croyait à ce qu'il disait. Pourtant, je me jetai en avant, les ongles enfoncés dans mes paumes.

— Tu m'envoies une lettre dictée par la complaisance, pour me demander de venir te pardonner. Ne vois-tu pas ton égoïsme ? Ne peux-tu, juste pour une fois, te mettre à ma place ? Tu n'as pas de sentiments paternels. Tes sentiments, voilà ce que c'est, c'est Orazio Gentileschi, encore lui, et toujours lui !

Il s'accrocha au dossier de sa chaise, les mains tremblantes.

— Si tu étais vraiment sous le coup d'un tel ressentiment, tu aurais mieux fait de ne pas venir. Crois-tu qu'un homme de mon âge, un vieil homme, ait envie d'être fustigé sans fin par le rappel de ses fautes ? Dieu me jugera, Artemisia, quand mon heure sonnera. Mais pas toi.

Je me levai à mon tour.

— Mais j'ai le droit de dire…

— Non ! vociféra-t-il, et il me chassa de la main. Va-t'en ! Laisse-moi.

J'en fus médusée. Il ne me regardait même pas.

— Va-t'en !

Il marcha vers moi comme pour m'expulser. Pétrifiée, je ne pus bouger.

— *E, porca miseria !*

Il ramassa son pourpoint et sortit.

28

Artemisia

« Va-t'en ! » Mais où ? Je restai seule dans son appartement, tremblant des pieds à la tête. Après un voyage d'un mois, ce « va-t'en ! ». Quel ingrat ! Jamais je n'aurais dû venir.

Je tournai en rond dans la pièce. Il n'était pas question que je m'en aille. J'étais totalement incapable de me faire comprendre, de toute manière. Qu'il passe donc, lui, la nuit où bon lui semblerait. Me faire venir sous un prétexte mensonger et me chasser ! Il était devenu un vieillard odieux.

J'avalai un verre de vin et me jetai sur ma chaise près du feu, épuisée et rendue. Je ne retenais de ce qu'il m'avait dit qu'une chose, une seule : qu'Agostino eût continué à abuser de moi s'il ne l'eût pas traduit en justice. C'était sans doute vrai. Un pénible mois de voyage pour apprendre cela…

Je mangeai une olive et regardai autour de moi. La pièce était fort encombrée. Un gilet et des culottes pendaient d'un chevalet. Des livres, des reliefs de nourriture, des pots à pinceaux, sa vieille *Iconologia,* de petites esquisses jetées sur des bouts de papier, tout cela s'entassait pêle-mêle sur la grande table. Une pile épaisse de dessins de grand format était posée entre deux lampes à huile. J'en fus curieuse, mais la fatigue m'empêcha de les regarder. Je laissai aller ma tête contre le dossier et fermai les yeux.

Au bout d'un moment, j'entendis du bruit. Peut-être attendait-il derrière la porte que je sorte pour m'excuser. J'ouvris et m'aventurai dans le couloir, traversant sur ma lancée plusieurs pièces contiguës. Personne. Il faisait froid. Je ne pus que rentrer chez lui et remettre du bois sur le feu.

Ma curiosité l'emporta. Sur un carton à dessins, il avait écrit « Allégorie de la Paix et des Arts protégés par la Couronne britannique ». Je regardai le tout. C'étaient des muses et des figures allégoriques tenant leurs attributs symboliques tels que répertoriés dans l'*Iconologia* : un livre, un casque, un globe, une flûte, une palme triomphale, une gerbe de blé, une couronne de laurier, une corne d'abondance. Il avait gardé le don de la composition et de la forme. Le projet semblait important, je me demandai où il en était.

Je ramassai un fragment de parchemin, des esquisses de profils et de positions de trois quarts. Penser qu'à son âge il en était encore à travailler les visages ! Il y avait là une humilité qui me toucha. Moi aussi, j'avais encore du mal avec les pieds. Un brouillon de lettre était tracé au dos, plein de taches et de ratures, adressé au grand-duc Ferdinando :

> *Je prends la liberté de transmettre à Votre Altesse ce petit échantillon de mes travaux afin que vous puissiez décider si j'ai quelque titre à prétendre me mettre à votre service, pour le peu de temps qu'il me reste à vivre, à supposer que mes faibles talents puissent m'aider à réaliser mon souhait le plus ardent, qui est de rentrer dans ma patrie bien-aimée, me soumettant entièrement à Votre Altesse Sérénissime, que j'ai l'honneur de saluer avec affection et dévouement depuis l'Angleterre.*

À supposer qu'il eût envoyé la lettre, car cela n'était qu'un brouillon, il n'avait pas reçu de réponse. Il devait avoir envie de rentrer en Italie depuis longtemps, mais n'osait quitter la sécurité d'un travail assuré. Je le comprenais. Cette angoisse était jumelle de la mienne chaque fois que j'avais dû me jeter sur les routes pour aller refaire ma vie. Son humilité forcée m'attrista. En être réduit quasi à mendier des commandes à un duc alors qu'on a œuvré toute sa vie pour des cardinaux et des reines… Cette pensée me noua la gorge. Lui aussi avait connu l'humiliation.

Sa *cassapanca* béante laissait voir un désordre de vêtements. J'eus le cœur navré de constater que tous ses habits de dessous étaient en guenilles.

Son coffret de bois sculpté était posé dans une embrasure de fenêtre. C'était le second de la paire, le même que le mien, hérité de ma mère. Je m'en fus écouter à la porte, et nul bruit ne se faisant entendre, j'osai ouvrir le coffret. J'y vis immédiatement mes lettres de Florence, tout éraillées et jaunies. Je les relus : la naissance de Palmira, mon premier tableau reçu par Côme, mon admission à l'Académie. La dernière éveilla un remords : je l'avais à peine remercié de sa missive d'introduction à Buonarroti, et c'est pourtant cela qui m'avait mis le pied à l'étrier à Florence.

Sous mes lettres, quelques pièces de monnaie, de l'argent romain qu'il avait dû garder dans l'espoir d'un retour, et l'anneau de mariage de ma mère. Le gros rubis que je me rappelais bien en avait été ôté. J'eus peur de comprendre ce que sa disparition suggérait. Un dessin d'enfant, un visage de femme, rogné aux dimensions exactes du coffret, portait au dos quelques lignes manuscrites : « *Amore mio,* Artemisia a dessiné ce portrait de moi pour toi à l'occasion de son dixième anniversaire. Veille à ce qu'elle fasse un mariage heureux, comme nous. » Comme ma mère aurait souffert de la scène violente qui venait de nous opposer !

Une vie presque gâchée, ces trente dernières années sans elle, dont plus de dix loin de sa patrie, loin de sa langue maternelle aussi, à ne pouvoir qu'imparfaitement communiquer avec ses semblables... Dieu savait depuis combien de temps un autre être ne l'avait pas touché, si ce n'est, de temps en temps, une claque dans le dos de pure sociabilité, touché réellement, de manière à toucher aussi son cœur ? J'admirai avec quelle bravoure il faisait face à sa solitude. En serai-je capable, moi, quand viendra l'heure de rester seule et d'avoir son âge ? Je ne pouvais certes lui en vouloir du temps passé en France en compagnie d'Agostino.

Je remis tout dans le coffret comme je l'avais trouvé, passai mes vêtements de nuit et finis mon verre de vin. La lettre à Ferdinando, toute d'humiliation et de nostalgie, me hantait, et pourtant, il m'était arrivé également d'en écrire d'aussi désespérées. Nos deux vies semblaient pouvoir se résumer à de cuisantes humiliations, quelques victoires et de rares moments de bonheur. Nous pouvions nous estimer satisfaits si, en fin de compte, le doux et l'amer devaient s'équilibrer.

Ma présence ici ne servirait à rien s'il en venait à souhaiter que je ne fusse pas venue. Le voyage était peu de chose à côté de ce qui m'attendait : aller jusqu'au bout de ma démarche, ne pas me contenter d'être là mais lui offrir mon entière compassion, ce qui représentait beaucoup plus que de partager son manteau : c'était aller jusqu'au baiser au lépreux du Christ, jusqu'au geste de Graziela envers le mourant. Si je devais être honnête avec moi-même, je redoutais de ne me trouver qu'une sincérité mitigée.

Je défis les lacets de mon corps de robe, m'allongeai sur son lit et tirai sur moi la courtepointe. Peut-être allait-il rentrer au matin, aussi honteux que je l'étais.

❧

Aucun bruit ne m'éveilla avant la fin de la matinée. Je remuai quelques braises pour ranimer le feu et me tins devant l'âtre. Je mourais de faim. Je pris des artichauts, des olives et le reste du pain, mangeant debout. Je pus me laver le visage dans une cuvette de toilette, que je remplis de l'eau du broc. L'eau glacée m'arracha une plainte. Je coiffai de mon mieux mes cheveux raides de la crasse du voyage.

Un coup d'œil à la fenêtre m'apprit que la pluie avait cessé. Cette couleur qu'avait le ciel, je supposai que pour les gens d'ici, c'était le bleu. De l'autre côté des pâturages s'élevait la demeure de la reine, où la voiture m'avait menée hier. J'étais à bonne distance pour en apprécier le style classique et l'harmonie générale. Une balustrade ménagée sur le toit permettait d'apprécier la vue sur la campagne, et une loggia agrémentait le premier étage. Je n'avais rien d'autre à faire que d'aller voir, à travers prés, si mon père s'y trouvait. Je fouillai mon sac à la recherche du pinceau de Michel-Ange, que je glissai dans une poche intérieure de ma cape. Je retrouvai l'escalier, une porte de sortie. L'herbe mouillée, assez haute, trempa vite mes souliers. Je soulevai ma jupe pour essayer de la garder propre et sèche.

À l'entrée de la maison de la reine, des ouvriers faisaient entrer un immense cadre de bois. Je dis :

— Orazio Gentileschi ?

Ils se regardèrent, me répondirent quelques mots qui furent pour moi de l'hébreu et hochèrent la tête.

— *Sala grande ?*

Ouvrant les bras, je tentai de leur donner l'idée d'une grande salle, puis mimai le geste de peindre un plafond. Ils m'introduisirent à l'intérieur, où plâtriers et charpentiers bâtissaient une corniche, et me désignèrent un escalier d'honneur. À l'étage, je ne vis aucune des décorations, aucun des ornements qui sont coutumiers dans les palais romains ou florentins.

La grande entrée était décorée des figures expressives que peignait mon père, déjà montées dans les caissons du plafond. C'était un projet gigantesque : neuf panneaux et une rosace de onze personnages féminins entourant l'allégorie de la Paix tenant un bâton et un rameau d'olivier. Cette dernière figure était étourdissante de force et de beauté. Je comptai en tout vingt-deux personnages, tous féminins, y compris la Peinture et la Sculpture, se détachant sur un fond de ciel nuageux. Il restait à faire quatre panneaux. Et lui qui devenait si vieux, si fragile…

Le plafond était magnifique, seules les couleurs me décevaient. Les verts, le parme, le bleu ciel et l'or y dominaient, mais si affadis, lorsqu'on les comparait aux tableaux nés sous la grande lumière de Rome, que toute vie s'évanouissait des personnages.

— Le goût anglais est moins hardi que le nôtre.

Je me retournai au son de sa voix, sa voix qui vibrait de remords. Son regard navré m'implorait.

— Il me reste quatre panneaux à faire.

— Je vais t'aider.

Doucement, timidement, comme s'il avait eu peur de m'effaroucher, il me tendit les bras. Je sentis mon corps fondre dans cette étreinte, comme Palmira enfant sombrait dans le sommeil.

Je finis par m'arracher à lui pour regarder en l'air.

— Père, c'est si beau ! Ne me dis pas que tu n'as pas aimé les peindre, je le lis sur chaque visage, même si ton plaisir s'est borné à la satisfaction intime du travail bien fait. N'as-tu pas eu envie de crier aux gens « Regardez ! Regardez ça et que toute cette beauté vous élève l'âme ! » ? Certains personnages m'ont chavirée de bonheur. En a-t-il été de même pour toi ?

Il m'adressa un regard vacillant, empli d'une sorte d'espoir vorace.

— Nous avons été bien heureux, dis-je, de vivre de ce que nous aimons tant. La vie de peintre que nous avons menée, c'est en tous lieux une vie de passion, d'imagination, de connaissance et d'adoration, le meilleur de la vie, enfin ! C'est vivre bien plus intensément que les autres.

— Que qui ? Plus intensément que qui ?

— Que ma propre fille, par exemple. Je vis bien plus intensément qu'elle, dans les chagrins comme dans les bonheurs. J'espère qu'à l'heure de ma mort, j'aurai la satisfaction d'avoir vraiment vécu.

— Tu n'as donc le regret de rien ?

Il n'avait jamais été aussi loin en paroles, ne s'était jamais autant exposé. J'eus du respect pour ce courage-là, pour cette détermination qui le portait à risquer la blessure.

— D'avoir vécu comme je l'ai fait la première fois que j'ai quitté Rome ?

— Cela, ou autre chose.

Il redoutait ma réponse : ses mâchoires se crispèrent, il tendit le dos.

Allais-je lui dire que je m'étais souvent sentie comme un faisceau d'élans brisés, un fagot mouillé que le feu n'avait jamais consumé qu'à couvert, la déroute venue ? Devais-je devant lui regretter de n'avoir pas su retenir l'homme que j'avais appris à aimer ? Lui expliquer la découverte de Galilée, selon laquelle nous ne sommes pas ce que nous croyons, que notre situation périphérique dans l'univers nous dépouille de notre importance et nous relègue au statut d'une touche de couleur au bord d'un tableau, qui contribue à un tout mais que le commun ne voit pas ? Lui avouer que l'œuvre dont j'avais marqué le monde, qui était tout pour moi, représentait pour les Médicis une babiole ?

Se tenant au dossier d'une chaise, mon père, ce vieil homme qui parait le coup à venir, attendait ma réponse.

Il avait son compte d'humiliations. Je n'allais pas lui reparler des miennes.

— Non. Aucun regret.

Je pris une respiration ample comme une marée, un flux et un reflux de souffle.

— Sauf celui d'être incapable de me laisser aller.

Il essayait de comprendre ce que je voulais dire, le regard concentré.

— Il n'y a eu que la peinture, et Palmira. Si j'avais eu un amant ou un époux qui m'eût aimée, quelqu'un en compagnie de qui apprécier la *dolce vita*, c'eût été bien différent.

Il pencha la tête, pensif.

— Juste la peinture et une fille, murmura-t-il.

Il avait vécu de même, je le compris soudain. Il n'avait connu que ces deux choses. Mais je l'avais privé de l'une d'elles, ce que Palmira ne m'avait pas infligé. Nos yeux se rencontrèrent, pleins du même chagrin, et se comprirent. Nous nous reconnaissions semblables. Les liens se resserraient.

— Je suis bien la fille de mon père !

— Comment cela ?

— Nous avons tous deux préféré l'art à nos filles, dis-je avec douceur.

— Seul le temps nous dira si cela en valait la peine.

Puis il ajouta avec hésitation :

— Tu n'as donc pas rencontré l'amour ?

— L'amour !

Je grimaçai.

— … l'amour, c'est se fourrer volontairement dans les lacs de l'illusion, rester confit d'adoration devant un autre, tout en attendant d'être soi-même étranglé.

Il fit la moue à son tour.

— Oui, je puis dire que j'ai rencontré cela, si on veut bien le nommer « amour ». Mais il est vrai que mieux vaut un sentiment non payé de retour, un amour incertain que pas d'amour du tout. Je suis reconnaissante à la vie de m'avoir fait connaître cela. Alors, non, pas de regrets.

Je posai maladroitement la main sur son bras. Ses traits se détendirent. Me sentant vaciller un peu, j'attirai une chaise à côté de la sienne.

— J'ai quelque chose à te montrer, lui dis-je en lui tendant le pinceau emmailloté.

Il déroula le tissu, le pinceau lui tomba dans la main.

— Il a appartenu au *Divino*. C'est Buonarroti le Jeune qui me l'a donné.

Il le tint sur sa paume, le regarda dans un long souffle rauque.

— Lui, il a peint les âmes, avec ça, Artemisia. Moi, je n'ai peint que de la chair.

— Tu as peint ta propre âme, père. Te souviens-tu des paroles du *Magnificat* ? « Mon âme glorifie le Seigneur. » C'est ce que tu as fait, tu as magnifié l'œuvre du Créateur par l'œuvre de ta vie.

— Le penses-tu vraiment ?

— De tout mon cœur.

— Mais à quel prix !

Je haussai les épaules.

— La récompense appartient à Dieu, c'est ce que sœur Paola m'avait dit il y a longtemps. Elle ne nous appartient pas.

Il éleva le pinceau devant lui, fit le geste de peindre un tableau imaginaire, me souriant comme si j'avais été son modèle.

— Tu m'as représentée sur le plafond du Casino Borghèse, n'est-ce pas ?

— Tu l'as vu ?

Son visage s'éclaira.

— Un travail extraordinaire.

Allons, me gourmandai-je, *pas de faiblesse, dis-le.*

— Une collaboration exceptionnelle.

Le chagrin lui voila les yeux, le désespoir de constater que je savais.

— Vous avez travaillé comme un seul homme.

— C'est la meilleure et la pire chose que j'aie faite. Je ne m'en suis jamais consolé.

— Comment as-tu deviné dans quel état de désarroi je serais treize ans plus tard ?

— Oh, ce n'est pas le désarroi qui te fait regarder au balcon au lieu d'être avec les musiciens.

Il eut un petit rire triste.

— C'est le regard de colère que tu me renvoies alors que je te peins.

Il me rendit le pinceau.

— Je ne m'en suis jamais servi, lui dis-je.

— Je comprends ça. Après ce génie, on ne pourrait que le profaner.

J'aurais pu me formaliser de ce commentaire. J'allais lui répondre que Buonarroti m'avait incitée à m'en servir, mais je ne lus dans son regard que de la dévotion, celle qu'on porte à un idéal.

❦

Mon père me procura une pièce à côté de la sienne et partagea avec moi sa provision de bois, transportant une bûche à la fois, et m'alluma le feu. Il m'apporta la carpette de ma mère, la posa près de mon lit. Nous examinâmes dans son atelier toutes les esquisses afin de choisir les panneaux que j'allais prendre.

— Préparons les quatre fonds, proposa-t-il, soudain joyeux, traînant quatre gigantesques toiles sur châssis.

— Tous les quatre à la fois ?

— Pourquoi pas ?

Nous les alignâmes et préparâmes un mélange de gypse pulvérisé, de colle d'os, et d'oxyde métallique blanc. Il sourit malicieusement, retrouva deux brosses larges et m'en tendit une.

— Regarde, et essaie de comprendre, m'ordonna-t-il, les yeux brillants.

Il chargea sa brosse et traça d'un geste souple un énorme *S* qui prenait toute la première toile, et repassa dessus pour l'élargir.

— As-tu compris ?

— Pas encore.

Il s'amusait beaucoup. Il alla devant la seconde toile. J'aimais le voir si gai. Il traça plus ou moins bien un *P* géant.

— Alors, qu'en dis-tu, hein ?

Avec une joie de galopin, il me fit signe de tracer les deux autres lettres.

— Ils ne le sauront jamais.

Quoique je ne fusse pas bien sûre, je chargeai ma brosse et traçai un énorme *O*.

— *Si, si,* me dit-il, me surveillant.

J'ajoutai à mon cercle une petite queue, qui le transforma en lettre *Q*. Il s'écria :

— *Bene ! Eccelente !*

Et je fis un grand *R* sur la dernière toile.

— *Che meraviglia !* Nous y sommes. SPQR : « *Senatus Populusque Romanus* », « le Sénat et le Peuple romain ».

Malicieusement, il ajouta :

— Les Anglais se réclament de la Paix et des Arts, mais Rome est là, Rome sera toujours là !

— C'est de là que tout vient, dis-je.

Il m'embrassa sur les deux joues, et tandis que nous étalions les lettres jusqu'à remplir entièrement les toiles pour en faire le fond, il chantait une de ses ritournelles d'amour apprises là-bas.

§

Comme il peignait lentement ! Comme il hésitait, à présent, pour préparer ses couleurs ! Il nous arrivait de travailler sur la même toile, lui faisant un personnage et moi un autre. Souvent, je le surprenais à me regarder. Il se mettait à peindre de plus en plus tard chaque matin, et il arrêtait plus tôt dans l'après-midi. Mais tous les jours il travaillait, ne fût-ce qu'à un fragment d'arrière-plan. Tandis qu'il faisait la sieste, je travaillais contre le temps, l'oreille attentive à son souffle inégal et rauque.

Je fredonnais des mélodies qu'il savait afin qu'il se joignît à moi en chantant les paroles. Une nouvelle intimité, plus aisée, s'établissait entre nous. Je me sentais portée par une sorte d'exaltation légère que je n'avais jamais connue. J'avais toujours vécu dans la contrainte intérieure, je ne m'étais jamais sentie vraiment libre de moi-même, ni avec Pietro, ni même avec Palmira, mais dans ce pays, où personne ne savait mon histoire, je ne craignais nul jugement, et parce que mon père et moi partagions la même sensibilité, je sentais la rigidité qui avait pesé sur ma vie peu à peu céder. Je me retrouvais. Pourvu que ce fût vrai, pourvu que cela fût appelé à durer, quelle expérience merveilleuse !

J'avais vécu avec trop de gravité, d'esprit de sérieux ; le jugement que j'avais subi, je l'avais trop étroitement gardé en moi et je m'étais laissé rigidifier par la peur. Ayant toujours eu le dos raide, j'avais souffert du dos. Qu'avais-je manqué ? Glisser dans ma peinture des messages secrets, emmener Palmira en haut du campanile, aller voir Galilée à Bellosguardo, faire son portrait et le lui offrir, danser plus souvent, me laisser aller à savourer les attentions de

Francesco au lieu de m'en garder. J'aurais dû prendre ce caillou blanc trouvé sur la via Appia le jour du verdict et le lancer de toutes mes forces, non pas contre quiconque ni quoi que ce fût, mais juste l'envoyer voler au-dessus de la campagne, retomber n'importe où et retourner à l'élément originel, juste pour le geste et l'élan de mon bras.

Si la *dolce vita* m'avait échappé, il y allait bien de ma faute. Francesco m'avait dit que j'étais libre d'être moi-même. Et c'était vrai. Naples allait être différente, à présent.

Un matin, mon père prétexta des affaires à Londres et partit en coche d'eau. Il voulut y aller seul. C'était la seconde fois. Cela ne laissa pas de m'inquiéter, ce vieil homme frêle qui cheminait seul. J'avançai le plus possible le travail pendant son absence. Lorsqu'il rentra, hors d'haleine, ce soir-là, il se laissa tomber sur un siège et regarda la production de ma journée.

— Tu es un bon peintre, bien meilleure que moi, à présent.

Sa poitrine se soulevait laborieusement.

— C'est toi qui m'as enseigné.

— Oui, ça ! Je t'ai enseigné à souffrir.

— Tu m'as appris à me servir de mes yeux, et à utiliser mon imagination. C'est toi qui m'as évité une vie de travaux d'aiguille et de pique-niques.

— Je regrette pour les pique-niques manqués.

— Oh, pour cela, il me reste du temps. Et puis, j'aurai sûrement des petits-enfants avec qui en organiser. Te souviens-tu des bleuets de la via Appia ?

— Ta mère en faisait des couronnes et des colliers pour toi. Tu ressemblais à une petite déesse.

— Oh, à tes yeux !

— Viens voir.

Il fourragea à l'intérieur de la poche de son manteau et en sortit un mince sachet de toile qu'il me mit dans la main.

— J'ai fait faire ça pour toi. Ouvre-le.

Ce fut comme une gaieté folâtre de petite fille. Je tirai sur la coulisse et sortis du sachet un médaillon de bronze en forme de masque et sa longue chaîne d'or.

— Sais-tu ce que c'est ? demanda-t-il.

— C'est dans l'*Iconologia* ?

— Va la chercher, elle est sur la table.

Je la lui apportai et il me montra la figure allégorique de la Peinture, une belle femme qui tenait d'une main une palette, de l'autre un pinceau, et dont le cou s'ornait d'un médaillon en forme de masque de théâtre.

— La Peinture. Une femme, mais oui… J'avais oublié.

Je regardai le médaillon, puis le regardai, lui.

— Il est beau.

Il se releva, les mains aux genoux, me le prit des mains, et passa la chaîne autour de mon cou.

— Voilà, dit-il. Il est à sa place.

Je murmurai :

— C'est le cadeau le plus précieux qu'on m'ait offert.

§

Il s'abattit, par un matin froid et humide, dans le vestibule principal, un cahier d'esquisses à la main. Je courus à lui, le recueillis dans mes bras, le haut de son corps dans mon giron. Mon coude ployé reçut sa tête, qui déjà roulait de droite et de gauche. Nous formions une *Pietà,* celle de Michel-Ange.

Il se plaignait, agrippait sa poitrine. Sa voix était râpeuse, inaudible.

— Artemisia.

— Où as-tu mal ?

— Un bref moment désagréable. Ça va passer.

Son courage m'émut, et aussi cette horreur : mourir sans avoir été pardonné. Sa main prit la mienne en étau, ses yeux brûlaient d'une question muette. Il n'osait pas. Il n'osait toujours pas. Je dis :

— *Si.*

Ce nœud dans ma poitrine, qui vingt ans durant m'avait étranglée, ce nœud céda.

Je compris – enfin ! – que ce qu'il avait toujours voulu, par-delà le pardon pour lui, c'était, pour moi, la guérison.

Alors il laissa tout aller. Ses yeux s'arrêtèrent sur moi ou sur le plafond.

Je priai que ce fût le plafond, afin qu'il les fermât sur une dernière vision de la Paix, qu'il avait faite si lumineuse, si légère et si douce. Elle flottait sur un nuage, son rameau d'olivier à la main.

Je réalisai qu'il n'était plus là, que c'était déjà fini sans que j'eusse prononcé le mot qu'il attendait, qu'il espérait. Et puis sa poitrine se souleva encore une fois. Sa lèvre trembla, sans force, aspirée par le souffle qui disait :

— Artemisia ?

— Je suis là, papa. Je te tiens.

— Le pinceau. Prends-le. Fais un autoportrait.

Son murmure allait s'affaiblissant.

— Une allégorie… La Peinture. Pour l'éternité.

— *Si,* papa.

Je le baisai doucement au front.

— Oui, papa.

Note de l'auteur

Toute œuvre de fiction fondée sur l'histoire ou sur un personnage historique se doit d'être et de rester le fruit de l'imagination sans jamais renoncer à la vérité de l'époque et du personnage ; elle ne peut coller aux faits que dans la mesure où ceux-ci constituent la matière d'une intrigue acceptable.

Pour parvenir au but que je m'étais fixé, j'ai mêlé des traits de caractère appartenant à divers personnages réels pour former des personnages composites, j'en ai éliminé certains et créé d'autres. À partir des enseignements de l'histoire, j'ai imaginé les personnalités et les relations d'Artemisia Gentileschi, de son père et de son mari.

Cependant, les minutes du procès et les rapports d'Artemisia Gentileschi avec Galilée, Côme II de Médicis et Michel-Ange le Jeune appartiennent à l'histoire de l'art. Tous les tableaux auxquels il est fait référence existent ; attribués sans contestation à Artemisia Gentileschi, ils furent réalisés conformément à la chronologie du récit.

Comme un artiste qui dépeint des héros anciens sous un costume contemporain, j'ai tenu à représenter mon héroïne d'une manière qui permette de la comprendre, après trois siècles et demi, sans jamais s'écarter de l'esprit et des passions de la véritable Artemisia Gentileschi (1593-1653), dont la vie transparaît toujours derrière l'œuvre.

Table

Cet ouvrage a été composé
par Atlant'Communication
aux Sables-d'Olonne (Vendée)

Impression réalisée sur les presses
de l'imprimerie France-Quercy à Cahors (Lot)
en octobre 2003
pour le compte des Éditions de l'Archipel
département éditorial
de la S.A.R.L. Écriture-Communication

Imprimé en France
N° d'édition : 624 — N° d'impression : 32423/
Dépôt légal : octobre 2003